Same for Mr. Chamberlin

PIERRE MIQUEL

Histoire de la France

Tome 2

Des Bourbons
à Charles de Gaulle

marabout

Collection
marabout université

© Librairie Arthème Fayard, 1976.

TROISIÈME PARTIE

Le XIXe siècle

6 Nopp

CHAPITRE 13

Trente ans de repli : 1815-1848

PP 6 - 35

Le duel contre l'Angleterre était doublement perdu : non seulement la France ne parvenait pas à maintenir son hégémonie sur la vieille Europe, mais elle ne rattrapait pas l'avance industrielle de l'Angleterre : trente ans de repli, mais cinquante ans de retard allaient mettre la France à la remorque de sa rivale dans la conquête du monde, pendant que la montée des nationalismes européens, qu'elle devait largement contribuer à libérer, se ferait, sur le continent, contre elle.

Faute d'avoir pris à temps, vers 1750, le virage qui aurait pu lui permettre de devenir une puissance maritime et commerciale à part entière, la France, réduite à son hexagone, allait s'abîmer dans les querelles intérieures, entre les partisans de l'Ancien Régime, et tous ceux qui voulaient reprendre en compte l'idéal de la Révolution.

Le retour à l'hexagone.

LES VESTIGES DU PASSÉ.

Brusquement, en 1815, la France devait dresser son bilan : après vingt-cinq ans de tourmente, que restait-il du passé récent, et du passé ancien? Comment les deux France, celle de l'Ancien Régime, et celle de la Révolution, pourraient-elles vivre ensemble, sur un espace restreint, et sous la surveillance sourcilleuse des puissances?

La France de 1815 était quasiment hexagonale. Elle ne possédait plus que des débris de son ancien Empire, qui avait fondu au XVIIIᵉ siècle, et pratiquement disparu dans la succession des guerres de la Révolution et de l'Empire.

Du moins la fin de l'état de guerre permettait-elle de faire un bilan : le drapeau des Bourbons flottait sur les Comptoirs des Indes, sur les îlots de Saint-Pierre et Miquelon, où l'on pêchait la morue. Il y avait des colons français au Sénégal, en Guyane, en Martinique et en Guadeloupe et dans l'île « Bourbon » (la Réunion). Le commerce avec les îles pourrait reprendre. Il enrichissait toujours les armateurs, même si le congrès de Vienne avait interdit la traite des esclaves. Il ne serait jamais aussi florissant qu'au XVIIIᵉ siècle.

Après Trafalgar, la marine de guerre n'avait pas été reconstituée. Elle n'existait pratiquement plus. La flotte de commerce était le dixième de la flotte anglaise. Les ports étaient ruinés par dix ans de blocus, vingt ans de guerre économique presque continuelle. La population de Marseille, ou de Bordeaux, avait diminué d'un tiers. Il ne fallait pas s'étonner que ces villes fussent royalistes : elles souhaitaient depuis longtemps la fin de la guerre anglaise.

La situation était à ce point désespérée que certains ultras recommandaient l'abandon pur et simple de la marine de guerre et des colonies, le retour à la terre, l'autarcie hexagonale. Seul ou presque, le baron Portal, ministre de la Marine et ancien armateur bordelais, luttait contre le courant défaitiste et maintenait à grand-peine des possibilités pour l'avenir.

La France se retrouvait, après les guerres, plus rurale que jamais : 75 % des Français vivaient à la campagne, et les anciens soldats avaient regagné leurs villages. Les familles consacraient en France 70 % de leurs ressources à l'alimentation et la moitié de ces dépenses à l'achat du pain, qui était la base de la nourriture. Le pays pouvait vivre presque entièrement des produits de son sol. La fortune rurale était entre les mains d'un petit nombre de gros propriétaires, et d'un grand nombre de tout petits propriétaires.

Le nouveau régime ne mettait pas en question la vente des biens nationaux, qui avait permis à la fortune rurale de changer d'assiette. Le clergé faisait les frais de cette reculade des Bourbons. Les nobles, qui s'étaient arrangés pour racheter leurs propres terres par l'intermédiaire d'hommes de paille, récupéraient une partie de leurs biens. Dans l'Ouest, par exemple, la propriété noble était intacte. Les terres étaient cultivées par des fermiers et des métayers. La noblesse française, à l'encontre de l'anglaise, pratiquait peu le « faire-valoir direct ».

La propriété bourgeoise s'était beaucoup développée dans les régions les plus riches du Nord et du Bassin parisien, autour des grandes villes notamment. Les serviteurs de l'Empire, qui souvent restaient en place sous la Restauration, avaient acquis d'immenses domaines : un Talleyrand était d'abord un grand propriétaire. Fouché, exilé comme régicide, avait acquis des biens d'Église, dans la Brie, qui portaient de riches récoltes. Il devait revendre son château de Ferrières au baron James de Rothschild.

Les banquiers parisiens avaient acheté de vastes propriétés. Laffitte possédait des milliers d'hectares dans la région parisienne. Les grands bourgeois faisaient cultiver intelligemment la terre, et s'efforçaient de réaliser une révolution agricole à l'anglaise. Ils plantaient des clôtures autour des champs, mécanisaient les cultures, faisaient disparaître les jachères. Ailleurs, les petits paysans essayaient d'arrondir leurs lopins, cependant que les riches fermiers, disposant de propriétés de moyenne importance, répandaient eux aussi les pratiques de l'agriculture spéculative, sur les terres nouvellement acquises. Les paysans, grands ou petits, ne défrichaient pas de nouvelles terres. Ils se contentaient d'exiger du gouvernement le maintien des prix par une politique douanière protectionniste. Ils firent voter par la Chambre, en 1819, la *loi de l'échelle mobile* qui élevait automatiquement les droits de douane quand les prix avaient tendance à baisser sur les marchés intérieurs. L'agriculture française s'engageait dans la voie de l'autarcie et de la protection.

LES BARONS DE L'USINE ET DE LA FINANCE.

Le climat général de l'économie était en France au malthusianisme : on redoutait les aventures financières, qui auraient livré la « société » à tous les périls. Le petit monde de la Restauration, bien décrit dans les romans de Balzac et de Stendhal, était une société de castes, extrêmement fermée. Les banquiers étaient de petits usuriers de province, ou des grands bourgeois parisiens, qui spéculaient sur la « rente » ou sur les placements de l'État. La noblesse du « faubourg Saint-Germain » n'aurait pour rien au monde accueilli dans ses salons les nobles d'Empire du « faubourg Saint-Honoré » et moins encore les banquiers nouveaux riches de la

« chaussée d'Antin ». Les *Nucingen* de Balzac s'appelaient en réalité Laffitte, Ternaux, James de Rothschild (établi en France depuis 1811). La « chaussée d'Antin » ignorait la petite et moyenne bourgeoisie des commerçants, installée dans le « Marais » ou dans le « faubourg Saint-Denis ».

Petits et grands bourgeois montraient la même prudence dans leurs affaires, la même peur de l'aventure spéculative. En l'absence d'un véritable marché financier, l'activité se bornait aux affaires déjà anciennes, la Bourse de Paris était étonnamment calme. Les banquiers se gardaient de risquer leurs capitaux dans les affaires industrielles, faute d'un débouché suffisant. Personne n'encourageait la production, ni les hommes d'affaires, qui craignaient la mévente, ni les pouvoirs publics, qui ne voulaient pas multiplier le nombre des ouvriers de fabriques. L'objectif était de produire peu, pour satisfaire, grâce à la protection douanière, des besoins nationaux limités. Dans ces conditions, le développement industriel était très faible. La mécanisation faisait des progrès raisonnables dans le textile, secteur le plus concentré. La filature de coton disposait de machines en grand nombre, le tissage beaucoup moins. La main-d'œuvre à domicile était encore fort employée. Un tiers du coton normand était filé à la main! Le textile ne connaîtrait les machines à vapeur qu'en 1825, chez les cotonniers d'Alsace principalement. En 1830 on comptait encore dix fois plus de métiers à bras que de métiers mécaniques dans le tissage du coton. Le retard sur l'industrie britannique était alors considérable. Le seul secteur qui fût vraiment en expansion était celui de la soierie lyonnaise : en dix ans, le nombre des métiers à tisser la soie avait été décuplé.

La sidérurgie ne faisait guère de progrès : elle restait très dispersée. On traitait encore le fer au charbon de bois, dans des entreprises familiales. Les forges, dans les régions forestières, fonctionnaient naturellement au bois. La fonte au coke, qui exigeait des concentrations de main-d'œuvre et de capitaux, ainsi qu'une organisation du transport des matériaux pondéreux, était l'exception. Quelques centres métallurgiques se développaient néanmoins, près des mines de charbon : Le Creusot, Decazeville, Thionville. L'industrie chimique, l'industrie alimentaire étaient en progrès, mais dépendaient terriblement de la conjoncture. Sans la protection douanière, elles n'auraient pas pu subsister.

L'amélioration des routes, la construction des canaux servaient, dans une optique résolument hexagonale, l'essor du commerce intérieur. Le canal de Bourgogne, le canal du Nivernais, le canal du Rhône au Rhin, celui de la Marne au Rhin, le canal de Berri entraient en activité à cette époque. Ils serviraient, vingt ans plus tard, la révolution industrielle. Avant 1830, ils contribuaient seulement à l'amélioration des échanges intérieurs. En 1830, la France n'avait construit que trente kilomètres de voies ferrées : à l'exemple de Napoléon, les Français ne croyaient pas aux chemins de fer.

LA « SOCIÉTÉ » ET LES « CLASSES SOUFFRANTES ».

Le malthusianisme délibéré des dirigeants économiques et politiques n'avait pour avantage que la stabilité des prix. Mais il avait pour conséquence de soumettre étroitement l'économie aux caprices de la conjoncture agricole. Que surviennent les mauvaises récoltes, l'industrie fermait ses portes, le commerce était ruiné, les chômeurs devenaient vite des indigents. Rien n'était fait pour permettre la promotion sociale, et moins encore pour l'assistance.

Les paysans, très souvent illettrés, constituaient une masse immobile, sans velléité de révolte. Ils se souvenaient de la terreur et des « grandes peurs » au temps de la République. S'ils n'aimaient généralement pas les Bourbons, s'ils vouaient un culte grandissant à la mémoire de Napoléon, ils n'avaient pas confiance dans les républicains. Les ouvriers, que l'on appelait dans les salons les « classes dangereuses », étaient le plus souvent dispersés en petits ateliers mais constituaient dans certaines régions des concentrations importantes : ils étaient plus de 400 000 dans le département du Nord. A Lyon, à Mulhouse, à Paris, ils étaient déjà fort nombreux et formaient entre eux des associations clandestines, interdites par la loi Le Chapelier toujours en vigueur.

La baisse des salaires, l'insécurité de l'emploi, les conditions effroyables de travail et de logement maintenaient la classe ouvrière dans un état dangereux d'apathie et d'immobilité. Peu d'ouvriers étaient reconnus aptes pour le service militaire. Leurs conditions de vie et de travail ruinaient vite leur santé. Ils commençaient, tout jeunes, à travailler en fabrique, avec leurs mères. Sur la misère de ces « classes souffrantes », bien peu de responsables se penchaient sérieusement. Elle leur semblait dans l'ordre des choses. Mais déjà quelques-uns réfléchissaient sur les raisons profondes de cette misère, et sur les moyens de lui porter remède.

Quelques intellectuels, pour la plupart autodidactes, posaient en termes économiques ou sociaux le problème de la misère et de l'exploitation. Pour Sismondi, la machine était responsable de tout. Favoriser la concentration industrielle était une erreur et une faute. Tel n'était pas l'avis du comte Henri de Saint-Simon : il ne fallait pas maudire l'industrie, elle était capable de transformer le monde et d'améliorer rapidement les conditions de vie sur la planète, pourvu qu'on la laissât faire.

Mais les puissances de la société contenaient l'expansion des machines, au lieu de l'encourager. Il fallait faire sauter ces obstacles au développement, donner le pouvoir de décision aux « capacités », les ingénieurs et les banquiers, et non aux notabilités inefficaces, les généraux, les préfets, les évêques... La « parabole » de Saint-Simon, qui fit grand bruit, supposait l'anéantissement en une nuit des dirigeants parasites, aussitôt remplacés par de nouveaux dirigeants, ceux que l'on devait appeler, plus tard, les « barons de l'usine et du rail ».

> « La prospérité de la France, concluait bruyamment Saint-Simon, ne peut avoir lieu que par l'effet et en résultat des progrès des sciences, des beaux-arts et des arts et métiers... la société actuelle est véritablement le monde renversé. »

Mettre au pouvoir les « capacités », cela supposait la destruction de l'ordre ancien, naturellement malthusien, et le départ vers l'aventure industrielle. Un autre écrivain, Charles Fourier, dénonçait les méfaits de l'organisation commerciale. Pour cet ancien employé de commerce, le remède aux maux de la société n'était pas dans l'organisation de la production, comme le soutenaient les saint-simoniens, mais dans la réforme de la consommation. Il rêvait de créer des « phalanstères » où les hommes vivraient en communautés harmonieuses, recevant des biens selon leurs besoins.

Cette pensée sociale n'avait encore que très peu d'échos dans la classe ouvrière, mais elle se répandait dans le monde des écrivains et des journalistes, toujours à l'affût des idées nouvelles. La seule contestation du régime d'ordre de la Restauration venait de la littérature ou des milieux scientifiques de l'École normale ou de l'École polytechnique. La France avait alors des savants de premier plan, républicains de cœur. Le géomètre de Nancy, dans *Lucien Leuwen*, est républicain, tout comme le jeune Lucien, polytechnicien et lieutenant aux lanciers, fils d'un riche banquier parisien. Ils étaient aussi républicains les Cauchy, les Évariste Galois, découvreurs de l'algèbre, les Fresnel, fondateur de l'optique, et les Carnot, initiateur de la thermo-dynamique. Chevreul le chimiste, Augustin Thierry et Guizot, les historiens, étaient à tout le moins des « libéraux », comme tous les philosophes de la Sorbonne.

Dans la littérature, les sentiments étaient plus partagés. Les premiers romantiques, comme Chateaubriand, Vigny, Hugo jeune et Balzac étaient des monarchistes et même des légitimistes. Mais bientôt Musset, Stendhal, Lamartine, George Sand et le Hugo de l'époque d'*Hernani* provoqueraient dans la « République des Lettres » une sorte de mouvement tourbillonnaire annonciateur de l'explosion de la vieille machine royaliste. Le monde des lettres ne pouvait rester longtemps indifférent à la survivance anachronique d'une société de tradition et d'oppression, au moment où la révolution industrielle, avec toutes ses conséquences sociales et humaines, ne pouvait manquer d'exploser, comme la marmite de Papin, sous les lorgnons des aristocrates en perruque du vieux continent.

Louis XVIII et le régime du drapeau blanc.

LA RÉACTION POLITIQUE.

La Restauration se voulait un régime de réaction, au sens où, comme disait Charles Maurras, dans réaction, il y a d'abord « action ». Pour les « ultras », penseurs intransigeants comme de Maistre ou de Bonald, émigrés rentrés en France dans la suite des Bourbons, avides de retrouver leurs privilèges et leurs biens, religieux de la « Congrégation » considérant la France issue de la Révolution comme une terre de mission, il s'agissait de « restaurer », avec les concessions de forme inscrites dans la « Charte », la France de l'Ancien Régime, une « théocratie » faisant du « trône et de l'autel » les pièces fondamentales de la construction sociale, en un mot de nier et d'anéantir la société civile issue de la Révolution et du Code Napoléon.

Les Français de 1815 n'étaient donc nullement désireux de vivre en paix dans l'hexagone, et de s'entendre en famille. Ceux du drapeau blanc, les *ultras*, voulaient dominer et réduire ceux de la cocarde tricolore : les deux France s'affrontaient.

Quelle que fût sa modération, le roi Louis XVIII, qui était intelligent et fin, ne pouvait manquer de donner des satisfactions à l'idéologie dominante des ultras. La France exsangue de 1815 était prête à toutes les concessions. La restauration manquée de 1814 serait suivie d'une restauration réussie. Le sexagénaire malaisément assis sur son trône laissait s'accomplir la « terreur blanche » dans le Midi et dans l'Ouest. On tuait des républicains à Marseille, des protestants à Nîmes. Le général Brune était fusillé à Avignon, La Bédoyère et Ney à Paris, Constantin Faucher à Bordeaux. Fouché et Talleyrand avaient été éliminés du pouvoir et la Chambre élue sur les principes affirmés dans la *Charte constitutionnelle* comptait 350 ultras sur 402 députés. Les ultras ou « pointus » de la « Chambre introuvable » demanderaient, aussitôt élus, avec La Bourdonnais, « des fers, des bourreaux, des supplices » pour tous les ennemis de l'Ancien Régime.

Louis XVIII était trop fin politique pour laisser trop longtemps libre cours à la vengeance. Il ne voulait pas dissocier les deux France : la Charte avait affirmé, en 1814, son intention de maintenir, dans ses grandes masses, la société issue de 1789. La Charte promettait de respecter les libertés publiques et ne remettait pas en cause l'acquisition des biens nationaux. Le roi disposait du pouvoir exécutif et de l'initiative des lois ; à côté de la *Chambre des pairs*, composée de membres nommés par le roi et siégeant à vie ou à titre héréditaire, la *Chambre des députés*, élue pour cinq ans, devait voter les lois et les impôts ; les élections, censitaires, portaient aux urnes les seuls citoyens pourvus d'une feuille d'impôts directs d'au moins trois cents francs. Il fallait payer mille francs d'impôts pour être éligible. Voilà qui écartait des fauteuils de députés les représentants des « classes dangereuses » !

La sagesse politique de Louis XVIII, qui avait « octroyé » la Charte, « à la dix-neuvième année de son règne », avait été de donner à la bourgeoisie la possibilité, grâce à la Chambre des députés, de participer au pouvoir. Mais l'imprécision volontaire du mode de scrutin, des circonscriptions électorales, permettait en réalité à un ministre de l'Intérieur habile de fabriquer, s'il en était besoin, une chambre à sa convenance. Autre imprécision de la Charte, le régime de la presse : le principe de la liberté d'expression était affirmé, mais le règlement d'exercice de ce principe n'existait pas. Le roi saurait admirablement jouer des imprécisions de son texte. L'essentiel n'était-il pas pour lui de réconcilier les Français ?

> « Le vœu le plus cher à notre cœur, disait le roi, c'est que tous les Français vivent en frères et que jamais aucun souvenir amer ne trouble la sécurité qui doit suivre l'acte solennel que nous leur accordons aujourd'hui. »

LOUIS XVIII RÉSISTE AUX ULTRAS.

En dépit des intentions d'apaisement manifestées par le roi, les ultras demandaient immédiatement toute la place, et toutes les places. On créait, pour eux, six cents postes de généraux, et les officiers de l'armée impériale étaient congédiés, placés en « demi-solde ». L'Église rétablissait abusivement son autorité, refusant, dans certains cas, de donner l'absolution aux acquéreurs de biens nationaux, rétablissant les processions publiques, les ordres réguliers.

Les ultras n'avaient de cesse qu'ils n'aient tout détruit de l'œuvre de la Révolution et de l'Empire. Ils demandaient au duc de Richelieu, Premier ministre du roi, la suppression du Concordat de Bonaparte, l'abandon du monopole de l'Université. Prudent, Richelieu n'accordait à l'Église qu'une seule satisfaction : la suppression du divorce.

Pour s'assurer du pouvoir, et faire tourner à leur profit ces institutions libérales dont ils déploraient la création, les ultras voulaient abaisser le cens électoral pour donner l'accès des urnes aux paysans plus faciles à manœuvrer que les bourgeois. Richelieu tint bon : la Chambre fut dissoute en septembre 1816. Les élections nouvelles envoyaient à Paris une majorité gouvernementale, les « pointus » étaient battus. Ils voulaient aller trop vite. Le pays ne les avait pas suivis.

La loi électorale aussitôt votée par la nouvelle Chambre stipulait que les élections se feraient au chef-lieu du département et non, comme le voulaient les ultras, au chef-lieu d'arrondissement. C'était avantager la bourgeoisie urbaine, aux dépens des masses rurales. Les bourgeois eurent d'ailleurs d'autres sujets de satisfaction : la loi Gouvion-Saint-Cyr votée en 1818 permettait à leurs enfants, après le tirage au sort, de se faire remplacer au service militaire. Pour les officiers, l'ancienneté devenait le principe de l'avancement. La noblesse ne retrouvait pas ses privilèges de commandement. L'armée restait « nationale ».

Les bourgeois gallicans l'emportaient enfin sur les ultras en matière de religion : l'échec du nouveau Concordat incitait le roi à reconduire celui de Bonaparte assorti des *articles organiques*. Le pape ne disposerait sur l'Église de France que d'une influence très mesurée. Le parti de la « Congrégation » avait échoué.

Le ministère Richelieu faisait encore voter une loi libérale sur la presse, et délivrait le territoire occupé en payant par anticipation les deux dernières années d'indemnité de guerre. Quand Richelieu quittait le pouvoir, à la fin de 1818, la France était de nouveau admise, sur pied d'égalité, dans le concert des puissances. La honte de 1815 semblait oubliée. Les Alliés faisaient confiance au gouvernement « raisonnable » de Louis XVIII.

Mais si le roi était raisonnable, les Français ne l'étaient pas. Ils interprétaient les concessions libérales comme un signe de faiblesse et l'opposition bourgeoise devait se déchaîner. Pourtant le gouvernement du général Dessolles, avec Decazes, Gouvion-Saint-Cyr, Portal et le baron Louis, était sage et équilibré. Plus tard Decazes, cet ancien juge d'Empire qui jouissait de la confiance totale du roi, devait faire un gouvernement à sa manière, très tolérant.

La bourgeoisie était impatiente de faire, comme en Angleterre, la conquête du pouvoir, et de chasser de la Cour les « pointus » en mal de revanche. Parmi les « libéraux », les républicains étaient une minorité. La bourgeoisie s'accommodait fort bien de la monarchie constitutionnelle. Avec Benjamin Constant, elle avait les intellectuels de son côté. La Fayette, rescapé de la Révolution, lui servait de symbole. Les jeunes bourgeois écoutaient les chansons irrévérencieuses de Béranger, ils lisaient les pamphlets voltairiens de Paul-Louis Courier, ils allaient à la Chambre pour applaudir l'éloquent député Manuel. Ils lisaient *Le Constitutionnel*, journal d'opposition. Ils accueillaient, non sans réserves, les républicains et les bonapartistes qui rejoignaient leurs rangs par haine des Bourbons et des prêtres.

Les libéraux étaient à la mode. Ils avaient pour eux la faveur de la jeunesse, l'engouement des talents, le souvenir aussi peut-être des temps de gloire et de liberté. Ils eurent vingt-cinq élus en 1817. Ce n'était pas un raz de marée. C'était, pour les « pointus », un résultat inquiétant. En 1818, avec le banquier Laffitte et l'industriel Casimir Périer à leur tête, les libéraux étaient quarante-cinq! La Fayette, Benjamin Constant et Manuel étaient au nombre des élus. En 1819, ils étaient quatre-vingt-dix, avec l'abbé Grégoire, ancien conventionnel, élu dans l'Isère... Et les sociétés secrètes, en majorité républicaines comme la Charbonnerie ou l'Union, commençaient à faire parler d'elles. Le 13 février 1820 un illuminé, Louvel, poignardait le duc de Berry. C'était l'occasion tant attendue par les ultras. Decazes démissionnait aussitôt : « Le pied lui a glissé dans le sang », disait Chateaubriand.

LES ULTRAS AU POUVOIR.

Inquiet, Louis XVIII rappelait le duc de Richelieu. Mais celui-ci ne pouvait contenir la formidable poussée des ultras. Il fallut bien faire voter les mesures d'exception qu'ils proposaient.

Par la loi de mars 1820, n'importe quel prévenu pourrait être détenu pendant trois mois sans être déféré devant un tribunal, sous l'inculpation d'atteinte à la sûreté de l'État. La censure de la presse était renforcée. Une loi électorale avantageait scandaleusement les habitants des campagnes. Les électeurs les plus riches votaient deux fois pour la désignation des députés.

Dans ces conditions, la Chambre élue en novembre 1820 ne pouvait être que réactionnaire. Elle l'était plus encore aux élections d'octobre 1821 : Richelieu, qui avait du bon sens, préférait démissionner devant le raz de marée ultra. Le comte de Villèle, célèbre « pointu » toulousain, était nommé Premier ministre, conformément aux vœux de la Chambre. Il avait pris Chateaubriand comme ministre des Affaires étrangères.

Le premier soin de Villèle fut de s'assurer d'une majorité électorale indiscutable. La Chambre « retrouvée » de 1824 dépassait ses espérances. Le ministre de l'Intérieur Corbière avait bien fait les choses. Il n'y avait plus que quinze libéraux, parmi lesquels d'illustres survivants : Périer, Constant, Royer-Collard. Après ce triomphe, Villèle fit voter une loi fixant à sept ans la durée de la législature.

Il put ainsi se livrer à la répression : la police rechercha activement les membres des sociétés secrètes. Les « complots » furent partout découragés : le colonel Caron à Colmar, les quatre sergents de La Rochelle, exécutés spectaculairement, ces « exemples » devaient frapper l'opinion.

Mais il fallait aussi attaquer le mal à sa racine, extirper l'incroyance de la société civile : le grand maître de l'université, monseigneur de Frayssinous, mettait la main sur les universités et grandes écoles, organisant lui-même la répression. L'École normale supérieure était fermée, le cours d'histoire de Guizot était suspendu, 11 professeurs de médecine étaient rayés des cadres. Les Facultés de Droit étaient soigneusement surveillées, certains professeurs renvoyés. On nommait à la tête des lycées et collèges des proviseurs ecclésiastiques. On multipliait les créations d'écoles religieuses. Les instituteurs eux-mêmes devaient présenter des certificats de bonne conduite signés par les curés. Après la terreur blanche, c'était la « terreur noire ».

L'état religieux devenait plus attrayant, pour les ambitieux, que l'état militaire : dans *Le Rouge et le Noir*, de Stendhal, le jeune Julien Sorel choisissait finalement, pour faire carrière, le séminaire du rude abbé Pirard. Il est vrai que le métier des armes n'avait plus grand prestige, en dépit de l'expédition espagnole lancée par Louis XVIII dans le but de redorer le drapeau blanc. Le roi Ferdinand VII avait demandé, contre les libéraux d'Espagne, l'aide de la « Sainte Alliance ». Louis XVIII, à la demande des Alliés, avait envoyé le duc d'Angoulême, qui l'avait emporté facilement à la bataille du Trocadéro. Chateaubriand se flattait comiquement de « réussir là où Bonaparte avait échoué ». Il était bien le seul qui évoquât cette « victoire » sans rire. Le 16 septembre 1824, quand Louis XVIII mourut, l'opinion publique avait le sentiment que la France était oubliée en Europe, et la monarchie en France.

Le roi-évêque et les « trois Glorieuses ».

LA « RECONQUÊTE ».

Le nouveau roi, Charles X, comte d'Artois, était un autre frère de Louis XVI. Père des ducs d'Angoulême et de Berry, il avait passé une partie de sa vie à l'étranger comme émigré, et il était devenu pendant le règne de Louis XVIII le chef du parti ultra ou « pointu ». Il avait, au pavillon de Marsan où il résidait, une cour assidue de royalistes intransigeants. La monarchie constitutionnelle lui faisait horreur. Quand il prit le pouvoir, il fut aussitôt entouré par sa camarilla réactionnaire :

> « Plutôt scier du bois, disait-il, que de régner à la façon d'un roi d'Angleterre. »

Pour impressionner les foules et marquer spectaculairement le retour à l'Ancien Régime, il avait tenu à se faire sacrer en grande pompe à Reims. Le costume du sacre était violet. Le bruit courut, ches les Parisiens qui avaient perdu l'habitude de ces cérémonies, que le roi s'était fait sacrer « habillé en évêque ». Béranger fit aussitôt une chanson : « Le sacre de Charles le Simple. »

> « Chamarré de vieux oripeaux — Ce roi, grand avaleur d'impôts — marche, entouré de fidèles... »

Les premières mesures du règne devaient aussitôt indigner l'opinion libérale. En avril 1825 la loi dite du sacrilège prévoyait la peine de mort pour la profanation des hosties consacrées et, pour le vol des objets religieux, les travaux forcés à perpétuité. Le roi pouvait, selon son bon plaisir, ordonner la création de communautés ecclésiastiques. Enfin la loi dite « du milliard des émigrés » indemnisait grassement certaines victimes des expropriations révolutionnaires. Un émigré devait toucher vingt fois le revenu qu'il avait perçu sur ses biens avant 1789.

Les ultras, grâce à l'appui total du roi, essayaient de reconquérir la société civile. En 1826, ils tentaient de rétablir le « droit d'aînesse » pour les familles les plus riches. La loi « de justice et d'amour », d'avril 1827, frappait l'ensemble de la presse de taxes énormes, rendant pratiquement les journaux inexploitables. Ces deux lois furent repoussées par la Chambre des pairs indignée. Même la « garde nationale », composée de bourgeois attachés à la monarchie, manifestait sa mauvaise humeur. Le roi dut la dissoudre.

Les excès de la réaction servaient les intérêts des libéraux, qui eurent bientôt les sympathies de l'opinion publique. La mort du député Manuel, en 1827, donnait lieu à une manifestation imposante, dangereuse pour le pouvoir. Même Chateaubriand avait rejoint l'opposition. Villèle perdait les élections de novembre 1827. Par 250 sièges contre 200, les libéraux l'emportaient.

Il fallut bien changer de gouvernement, et renvoyer Villèle : en dépit de sa répugnance, le roi appela le libéral Martignac aux affaires. Charles X était surtout humilié par ce qu'il devait, en somme comme son collègue britannique, changer d'équipe gouvernementale quand les élections modifiaient la tendance à la Chambre. Un régime parlementaire s'installait sournoisement par ce biais. Martignac redonnait à la presse une certaine liberté, et prenait des mesures destinées à satisfaire les bourgeois anticléricaux : il interdisait aux jésuites d'ouvrir de nouveaux établissements d'enseignement. Il limitait l'effectif des élèves dans les petits séminaires. Ces brimades provoquaient de vives réactions à droite, sans vraiment rallier les libéraux : ils voulaient bien autre chose que des coups d'épingle contre la Congrégation! Mais Martignac avait seulement pour but de détendre l'atmosphère, de créer un nouveau climat.

Il ne put rester longtemps au pouvoir. En secret, Charles X méditait sa perte. En août 1829, sans raison apparente, il saisit un prétexte pour se débarrasser de Martignac, et pour faire appel à un réactionnaire bien vu de la camarilla du pavillon de Marsan, Polignac. Ancien émigré qui avait vieilli dans les prisons de l'Empire, Polignac recrutait, pour le ministère de l'Intérieur, le célèbre La Bourdonnais, qui demandait des « supplices pour les ennemis de la religion ». Son ministre de la Guerre était le général de Bourmont qui avait trahi devant l'ennemi à Waterloo... Pour l'opinion « patriote », le ministère était une provocation. Jamais les « fleurs de lys » du « drapeau blanc » n'avaient paru aussi insupportables. Le *Journal des Débats*, très représentatif de l'opinion libérale bourgeoise, accueillait Polignac avec des insultes, dans un article paru le 14 août 1829.

« Coblence, Waterloo, 1815, voilà les trois principes, voilà les trois personnages du ministère. Tournez-le de quelque côté que vous voudrez, de tous les côtés il effraie, de tous les côtés il irrite... pressez, tordez ce ministère, il ne dégoutte qu'humiliations, malheurs et dangers. »

L'OPPOSITION LIBÉRALE ET LES ORDONNANCES.

Toute la presse libérale entrait bientôt en campagne : *Le National* fulminait, *Le Globe* et *La Tribune* raillaient, *Le Constitutionnel* s'indi-

gnait. Les bourgeois multipliaient des « ligues pour le refus de
l'impôt ». L'agitation se développait dans tout le pays, où des pamphlets très hostiles au régime circulaient presque librement. La
Chambre envoyait au roi une « adresse » signée de 221 députés,
où elle affirmait devoir prendre en main les intérêts du pays, indi-
gné par les menées du gouvernement Polignac.

> « La Chambre, avaient écrit Royer-Collard et ses amis, fait
> du concours permanent des vues politiques du gouvernement
> avec les vœux de votre peuple la condition indispensable de
> la marche régulière des affaires publiques. »

C'était, en clair, demander l'instauration — ou l'acceptation —
d'un régime parlementaire en lieu et place de l'Ancien Régime que
Charles X et sa camarilla prétendaient restaurer. Pour Royer-Collard, un gouvernement qui ne serait pas conforme aux vœux de
la majorité de la Chambre n'avait qu'à s'en aller. L'adresse des 221
était une revendication officielle en faveur de l'instauration d'un
régime parlementaire en France.

Le roi repoussait sèchement cette revendication : « Mes résolu-
tions sont immuables », répondait-il à Royer-Collard. Il suspendait
la Chambre indocile, et prévoyait des nouvelles élections pour la
fin du mois de juin. Polignac venait de lancer une opération heureuse
en Algérie. Il attendait beaucoup du prestige retrouvé.

Les « Ordonnances » signées par Charles X le 25 juillet 1830
devaient corriger l'effet fâcheux des élections de juin, qui avaient
été largement favorables à l'opposition. Contre le parlementarisme
bourgeois, le roi s'était décidé finalement pour le coup de force.
Sa première Ordonnance muselait la presse, la seconde dissolvait
la Chambre. La loi électorale était modifiée par la troisième : seuls
désormais les propriétaires fonciers avaient le droit de vote. La
« patente » des commerçants ne comptait plus dans le calcul du
« cens ». La quatrième Ordonnance fixait à septembre la date des
prochaines élections. Les Ordonnances avaient été rendues publiques le 26 juillet. Un témoin a laissé la relation du Conseil des
ministres du 25 juillet à Saint-Cloud, où les responsables s'étaient
décidés en toute connaissance de cause : ils savaient que Paris
risquait de se soulever :

> « Avant de signer, a dit Guernon-Ranville, un des ministres,
> le roi a paru absorbé par une profonde réflexion ; il s'est tenu

pendant plusieurs minutes la tête appuyée sur sa main, et la plume à deux pouces du papier ; puis il a dit : " Plus j'y pense et plus je demeure convaincu qu'il est impossible de faire autrement. " »

LES « GLORIEUSES ».

Les journalistes du *National*, Thiers et Armand Carrel, avaient aussitôt pris la tête de l'opposition. « Le gouvernement a violé la légalité, disait la pétition du *National*, nous sommes dispensés d'obéir. » C'était annoncer l'insurrection. Les ouvriers imprimeurs, les étudiants, les journalistes se répandaient dans les rues en criant « vive la Charte! ». Dans la nuit du 27 au 28, sous la direction de Godefroy Cavaignac et des jeunes élèves de l'École polytechnique, des barricades surgissaient dans les rues. Le 28, tout l'est de Paris était gagné à la Révolution. On hissait le drapeau tricolore sur les tours de Notre-Dame.

Marmont, duc de Raguse, commandait les 8 000 hommes de l'armée royale. 2 500 de ces soldats devaient être tués sans résultats le 28. Le 29, les révolutionnaires prenaient l'avantage, occupant le Louvre et les Tuileries. Des bandes d'enfants ivres de joie parcouraient les rues. Le duc de Broglie, qui marchait dans le faubourg Saint-Honoré, a vu ces gavroches à l'œuvre. Ils étaient déchaînés :

« A la hauteur de l'ambassade d'Angleterre, raconte-t-il dans ses *Souvenirs*, un jeune garçon de quatorze à quinze ans, armé d'un fusil de munition qu'il pouvait à peine soulever, vint se placer au beau milieu de la rue, en face de la compagnie (de la garde royale), à dix pas environ du capitaine, le coucha en joue, le tira en plein corps et le manqua, involontairement selon toute apparence, puis, n'ayant ni giberne ni cartouche, posa son fusil sur le pavé et regarda fièrement la compagnie, qui fit sur lui un feu de peloton, et le manqua volontairement selon toute apparence, puis il se retira au petit pas, en riant, et le capitaine, en riant, fit signe aux soldats de reprendre leur marche. »

Dans le quartier de la Bastille, de l'Arsenal, on tuait sur les barricades. Quand le peuple de Paris fut enfin maître de la rue, il y eut un moment d'hésitation : il n'y avait pas de meneurs dans le mouvement populaire, tout s'était fait spontanément. Il est vrai que, chez le banquier Laffitte, les libéraux s'étaient réunis. Ils devaient reprendre en main l'insurrection trop tôt victorieuse. Allait-on laisser le peuple proclamer la République ?

Une « commission municipale » de cinq membres fut rapidement constituée. Le duc d'Orléans était à Neuilly, attendant son heure. Le 30, un nouveau manifeste du *National* plaidait sa cause :

> « Le duc d'Orléans était à Jemmapes, le duc d'Orléans a porté au feu les couleurs tricolores. Le duc d'Orléans peut seul les porter encore » (et le « manifeste » concluait :) « C'est du peuple français qu'il tiendra la couronne. »

Tout était en place pour la comédie bourgeoise : le 30, les députés libéraux réunis à la Chambre nommaient le duc d'Orléans lieutenant général du Royaume. Le soir même, il faisait son entrée dans Paris. Les députés l'entraînaient aussitôt à l'Hôtel de Ville où les ouvriers tentaient maladroitement d'instaurer un régime républicain. Le duc se montrait au balcon avec La Fayette brandissant le drapeau tricolore. La République était, selon le mot de l'époque, « escamotée ».

Charles X, réfugié à Saint-Cloud après la prise des Tuileries, devait abdiquer le 2 août en faveur du duc de Bordeaux, Henri V. Il désignait comme régent le duc d'Orléans. Mais le fils de Philippe Égalité ne voulait en rien tenir sa couronne de l'ancien roi. 20 000 soldats étaient envoyés par Paris pour le contraindre à s'exiler : il gagnait aussitôt l'Angleterre. Le 7 août, les Chambres réunies offraient la couronne à Louis-Philippe. Le 9, il prêtait serment à la « Charte constitutionnelle ». Il était couronné au Parlement.

La monarchie tricolore : 1830-1848.

LA BOURGEOISIE AU POUVOIR.

Avec Louis-Philippe, le « roi des barricades », une certaine bourgeoisie venait de s'emparer du pouvoir. Sur trente millions de Français, un million environ payaient la patente en 1830, 100 000 seulement votaient. Les petite et moyenne bourgeoisies étaient écartées des urnes. Cette situation ne pouvait se prolonger. L'enrichissement lent, mais continu, de la classe bourgeoise devait faire éclater le moule trop étroit du « pays légal ». Mais le nouveau régime ne devait élargir que très insuffisamment le petit cercle des électeurs et des élus : la loi électorale d'avril 1831 était un modèle de prudence et de méfiance : elle stipulait qu'il faudrait payer deux cents francs d'impôts (patente comprise) pour être électeur, et cinq cents francs pour être éligible. Le corps électoral était à peine doublé : 168 000 au lieu de 100 000. La loi faisait entrer dans l'État la bourgeoisie moyenne des villes. Elle excluait la petite bourgeoisie.

Pour protéger ses conquêtes politiques, la haute bourgeoisie, qui allait dominer le règne, avait utilisé la garde nationale dans un but de stricte défense sociale. Pour en faire partie, il fallait payer ses armes et son équipement. Les gardes élisaient leurs officiers. Ils devaient se montrer très fidèles au roi. Tout petit bourgeois rêvait d'être garde national, tel l'épicier de Nancy, dans *Lucien Leuwen*.

> « La Garde nationale, disait la loi, est instituée pour défendre la royauté constitutionnelle, la Charte et les droits qu'elle a consacrés. »

Ainsi, le dimanche, on voyait les petits bourgeois parader dans la milice de défense d'un régime qui ne leur donnait pas le droit de voter.

La haute bourgeoisie, au départ, avait pris soin de bien faire préciser les pouvoirs respectifs du roi et des Chambres : le roi « des Français » n'imposait plus le catholicisme comme religion d'État. Les bourgeois voltairiens du *National* avaient été très fermes sur ce point et le fils de Philippe Égalité n'allait pas les contredire. La société civile était réaffirmée dans ses principes fondamentaux : on pouvait être Français et juif, Français et protestant, Français et incroyant. Chaque Français pouvait, selon le mot de Voltaire, « aller au ciel par le chemin qui lui plaît ». Le nouveau régime prétendait instaurer une véritable société civile. L'égalité religieuse était garantie. L'anticléricalisme violent de la révolution de 1830 ne pouvait être apaisé que par la promesse d'une reconquête en profondeur du système scolaire par l'État. Guizot s'en chargerait. Le règne de la « Congrégation » était terminé. Il n'y aurait pas brouille, mais de nouveau *statu quo* entre l'État et l'Église. Comme sous Bonaparte.

La bourgeoisie connaissait l'usage des Constitutions. Elle en avait même, d'une certaine façon, l'obsession. Jamais les Anglais n'avaient écrit la leur. Les bourgeois français, au contraire, avaient réglé par le menu, et sur le papier, les rapports de l'exécutif et du législatif : les Chambres avaient l'initiative des lois. La Chambre des pairs était épurée. La fonction de « pair » n'était plus héréditaire. Les pairs étaient nommés à vie par le roi. Assurée ainsi de la docilité de la « Chambre haute », maîtresse, par le *cens*, de la Chambre des députés, la bourgeoisie avait enfin un régime à sa convenance, celui-là même qu'elle avait désiré en 1789. Elle pouvait se permettre de supprimer la censure de la presse : les journalistes étaient à ses gages.

LE ROI AU PARAPLUIE.

Par son comportement, le roi semblait être le symbole du nouveau régime. Un roi bourgeois, portant chapeau et parapluie, succédait au roi-évêque. Marié à la triste Marie-Amélie, fille du roi de Naples, dont il avait eu huit enfants — tous éduqués sur les bancs du lycée Henri-IV —, Louis-Philippe s'était appliqué, sous le précédent règne, à ne pas se faire remarquer. Il avait astucieusement géré sa fortune. Grand lecteur du *Times*, il se tenait au courant de toutes les informations économiques venues d'Angleterre.

Il admirait fort, comme Guizot, le régime parlementaire anglais. Il acceptait sans se faire violence une monarchie véritablement constitutionnelle. Il prendrait soin de nommer, à la tête des gouvernements, des hommes de fortune ou d'expérience capables de bien gérer le portefeuille de la France et de ramener à la raison les révoltés, les angoissés, les rêveurs et les trublions : le banquier Laffitte, par exemple, ou l'industriel Casimir Périer.

Toute l'idéologie du régime était inspirée de l'Angleterre, et notamment sa bonne conscience sociale. Guizot et Thiers étaient, à leur manière, pour l'ordre et pour le progrès. Il n'y avait pour eux qu'une solution au problème social : l'enrichissement prudent et progressif qui ferait de tous les Français des citoyens à part entière. Cette « théorie des classes moyennes », directement importée d'Angleterre, faisait de l'argent, sans aucune hypocrisie, avec une sorte de vénération puritaine, le moteur de la société et du progrès humain.

Pour Thiers et Guizot, la monarchie de Juillet, c'était un peu la Révolution de 1789 sur le trône. Aussi souhaitaient-ils faire du drapeau tricolore autre chose qu'un vain symbole. Les bourgeois français étaient solidement attachés aux trois couleurs, et la nouvelle monarchie se voulait nationale. Les responsables de l'ordre politique s'efforceraient de lutter contre l'esprit « restauration » qui avait régné dans l'armée depuis plus de quinze ans. Ils avaient aussi l'ambition de rendre à la France un rôle international, en brisant le cadre conformiste et légitimiste de la « Sainte Alliance ». Mais dans ce domaine, la prudence du roi au parapluie devrait souvent modérer les impulsions brouillonnes et généreuses d'un Thiers, trop plein de ses souvenirs napoléoniens.

LES OPPOSANTS DE SA MAJESTÉ.

La bourgeoisie orléaniste savait bien qu'elle devait compter sur une double opposition d'irréconciliables : celle de la société légitimiste d'abord, écartée du pouvoir par la violence, et qui rêvait constamment d'une revanche. Berryer et Chateaubriand animeraient dans *Le Quotidien,* dans la *Gazette de France* et dans les salons des duchesses du faubourg Saint-Germain une campagne tenace, et inefficace, contre le « roi des barricades ». Et cependant dans les campagnes et dans les villes de province, le poids de la noblesse et du clergé légitimistes restait considérable. Les orléanistes s'en rendraient compte aux élections. Le candidat du château l'emporterait bien souvent contre celui de la « boutique ». La vieille société tenait bon.

Les autres adversaires du régime, plus actifs et plus inquiétants, étaient les républicains. Certes l'idée de République n'était guère reçue dans la petite bourgeoisie. Elle faisait peur, car elle était devenue synonyme de désordre et de guerre sociale. Elle avait toutefois des adeptes chez les intellectuels, dans les professions libérales, chez les journalistes, les cadres techniques et certains militaires. Les responsables du parti républicain étaient des journalistes comme Armand Carrel et Armand Marrast, des avocats comme Garnier-Pagès, des savants comme Raspail, ou des notables bourgeois comme Cavaignac. *Le National,* qui avait été à l'origine du nouveau régime, ne tardait pas à tourner bride et à faire campagne pour l'idée républicaine. Des sociétés secrètes se formaient, préparant les révolutions de demain. Les *Amis du Peuple* ou les *Droits de l'Homme* s'efforçaient d'attirer les ouvriers. Ces sociétés faisaient campagne pour le suffrage universel et l'alphabétisation du peuple. Comment faire voter les ouvriers, s'ils ne savaient pas lire ?

LE LIBÉRALISME AUX AFFAIRES.

Entre ces deux oppositions, le régime hésitait entre deux politiques : l'une, libérale, se proposant d'appliquer la Charte dans un sens évolutif, d'élargir le plus vite possible les cadres du « pays légal », d'associer le maximum de Français aux affaires publiques. Cette tendance, représentée par le banquier Laffitte ne domina pas longtemps : la crise de 1830 était d'abord économique. Les entreprises avaient dû congédier leur personnel. Les ouvriers sans travail se révoltaient dans les villes. En décembre 1830, il y avait eu trois jours d'émeute dans Paris. Des troubles anticléricaux s'étaient traduits par le sac de certaines églises, Saint-Germain-l'Auxerrois, par exemple, fréquentée par la haute société légitimiste qui y célébrait pieusement l'anniversaire de la mort de Louis XVI. Laffitte, le 13 mars 1831, avait démissionné dans un climat de guerre sociale et d'agitation endémique.

La seconde tendance, celle de Casimir Périer, prit alors le pouvoir. Elle était pour l'intransigeance libérale. La Charte avait fixé une fois pour toutes le statut de la société. Le devoir du régime était de maintenir fermement l'ordre, qui seul pouvait garantir l'exercice de la liberté. Les ouvriers en grève ou en révolte portaient atteinte à la liberté du travail. Ils n'obtiendraient d'amélioration à leur sort que dans la discipline sociale :

> « Il faut que les ouvriers sachent bien, déclarait Périer à la tribune, qu'il n'y a de remède à leurs maux que dans la patience et la résignation. »

A Lyon les ouvriers de la soie, les « canuts », demandaient l'aide du préfet contre les patrons, qui ne voulaient pas leur accorder une augmentation de salaire : « Vive le préfet, criaient-ils, vive notre père. » Mais l'État n'avait pas, selon Périer, pour fonction de prendre parti pour une classe contre une autre. Il devait assurer la liberté des contrats. 36 000 hommes furent envoyés dans la ville insurgée.

Le tarif accordé par le préfet fut abrogé, le préfet révoqué. L'ordre libéral régnait.

Il y avait eu à Lyon plus de six cents tués ou blessés. L'insurrection des canuts devait rester dans la mémoire ouvrière comme l'exemple frappant des premières luttes. Une autre insurrection, politique et républicaine celle-là, devait éclater à Lyon après la mort de Casimir Périer, en avril 1834. Soult, qui dirigeait le gouvernement, la fit réprimer avec la dernière sévérité.

Mais l'agitation avait gagné Paris, propagée par les sociétés secrètes. Thiers, ministre de l'Intérieur, avait envoyé pour la réduire 40 000 hommes conduits par Bugeaud. Les insurgés furent encerclés dans le quartier Saint-Martin et anéantis. Une colonne qui passait rue Transnonain, et qui avait essuyé quelques coups de feu, devait massacrer tous les habitants d'une maison. Daumier n'était pas loin. Il a laissé du carnage une image poignante.

L'insurrection de 1834 n'était pas la première du genre : deux ans auparavant, les obsèques du général Lamarque avaient été l'occasion d'un soulèvement des républicains de la capitale. Ils avaient été écrasés dans le cloître Saint-Merri. Thiers profitait du terrorisme pour intensifier la répression : la « machine infernale » de Fieschi, installée le 28 juillet 1835 au boulevard du Temple pour tuer le roi, avait fait vingt-huit victimes dans l'escorte.

De ces répressions, de la police omniprésente, du cynisme des ministres chargés de la surveillance continuelle du pays, la presse ne devait pas parler. Thiers avait à l'œil les journalistes. Certes la censure n'était pas rétablie, mais les journaux étaient muselés par des moyens sournois. Les peines qui les frappaient étaient considérables s'il était prouvé que leurs articles poussaient « à la haine contre le roi ». Les directeurs devaient pratiquer l'autocensure, plutôt que de voir disparaître leur journal. Les journaux à caricatures comme le *Charivari* étaient soumis à la censure et à l'autorisation préalable.

La presse républicaine ne devait guère survivre à ces mesures. Elle ne pouvait se passer de critiquer le pouvoir. Les légitimistes se maintenaient mieux, bien qu'ils eussent, eux aussi, beaucoup comploté contre le trône. Ils avaient essayé — rien de moins — d'enlever toute la famille royale au cours d'un bal dans le palais des Tuileries, en 1832... un peu plus tard la duchesse de Berri débarquait à Marseille pour déclencher une insurrection dans le Midi. De Marseille, où elle échouait, elle gagnait Nantes et la Vendée. Elle devait être capturée, et son aventure se termina dans le ridicule.

Elle est symptomatique d'un temps où le pouvoir se sentait à la merci de n'importe quel coup de main réussi, qu'il fût républicain, bonapartiste ou même légitimiste. C'était le temps des complots et des évasions : l'Arc de Triomphe fut inauguré un matin à 5 heures par Thiers, à la sauvette. Le roi ne s'était pas rendu à la cérémonie. Trop de mines d'anciens soldats ou de jeunes « bousingots » (ainsi appelait-on les républicains) rôdaient autour de l'Étoile.

Il est vrai que le régime tenait en main le pays légal. Il « organisait » périodiquement les élections. Les préfets fidèles n'hésitaient pas à utiliser tous les moyens en leur pouvoir pour faire « bien » voter les « bons » sujets du roi-citoyen. Que la police et les préfets protègent le roi, il n'avait que faire des agités de l'extrême gauche et de l'extrême droite. L'enrichissement et le bien-être général dissiperaient à la longue ces oppositions superficielles.

POUR UNE POLITIQUE DE PRESTIGE.

Et pourtant le roi et ses ministres savaient bien qu'il leur fallait en plus, pour asseoir le régime, un certain prestige. Il ne suffisait pas d'afficher les trois couleurs sur les bâtiments officiels : toute une partie de l'opinion voulait en finir avec l'humiliation, avec l'agenouillement des Bourbons devant l'étranger.

Louis-Philippe avait eu l'habileté d'attirer à lui les vieilles gloires de l'Empire, en leur donnant des honneurs et des places : sur les quatorze Premiers ministres de son règne, trois étaient des anciens officiers supérieurs de Napoléon : Soult, Gérard, Mortier... Le roi choisissait ses préfets parmi d'anciens serviteurs de l'Empire. Il faisait remettre en place la statue de Napoléon sur la colonne Vendôme. Il envoyait en décembre 1840 le prince de Joinville à Sainte-Hélène pour chercher les cendres de Napoléon. Le retour des cendres avait donné lieu à une belle cérémonie, de l'Étoile aux Invalides. Cela n'empêchait pas le pouvoir de briser aussi les « complots » bonapartistes, le soulèvement de Louis-Napoléon à Strasbourg par exemple, en 1836, ou son « débarquement » à Boulogne, en 1840. Le régime qui affichait son respect pour l'épopée napoléonienne tenait enfermé au fort de Ham le neveu de l'Empereur.

Le régime de Juillet était pareillement ambigu en matière de politique étrangère. Il proclamait partout son respect de la paix, mais ne manquait pas une occasion de rendre la présence de la France efficace dans le monde : c'est pendant le règne de Louis-Philippe que furent véritablement entrepris la conquête et le peuplement de l'Algérie. Bugeaud l'emporta sur Abd-el-Kader et 100 000 colons français entreprirent la mise en valeur. René Caillé, plus au Sud, explorait le désert. Les explorateurs français s'illustraient sous toutes les latitudes : Dumont d'Urville lançait des expéditions dans la région polaire, le père Huc découvrait le Tibet.

Une présence commerciale s'affirmait dans plusieurs parties du monde : le gouverneur du Sénégal, Bouet-Willaumez, multipliait les comptoirs. En Extrême-Orient la mission Lagrené obtenait en 1844 des avantages commerciaux. En Orient, la France soutenait le pacha Méhémet Ali et les Lyonnais tissaient des relations commerciales au Liban et en Syrie. Les Anglais voyaient d'un œil méfiant l'implantation française dans cette partie du monde. Il est vrai que le roi cédait, quand l'Angleterre remuait le sourcil. Ceux qui, comme Adolphe Thiers, voulaient le pousser à l'affrontement étaient toujours déçus : Louis-Philippe voulait la paix, et le développement économique. Comme les bourgeois de Liverpool et de Manchester, il pensait que la guerre n'était jamais une bonne affaire.

Guizot et le progrès dans l'ordre.

LE LENT DÉPART DU CHEMIN DE FER.

Il n'était pas simple de convertir l'opinion française à la révolution industrielle : les grands bourgeois avaient peur de perdre leur argent, les petits redoutaient la concurrence, et le public en général estimait que les innovations étaient inutiles et dangereuses. La mode n'était pas au changement, ni à l'expansion. Même les poètes écrivaient des vers contre les locomotives. La France repoussait les mécaniques.

Guizot encourageait le progrès comme il pouvait, sachant bien qu'une évolution trop rapide risquait de nuire à l' « harmonie sociale », partageant au fond sur l'évolution de la société les vues malthusiennes d'un Thiers. Il n'était pas souhaitable que trop de gens s'enrichissent trop vite, « sans raison », comme disait Thiers.

Aussi bien la « révolution industrielle », celle de la vapeur et des chemins de fer, devrait attendre un autre règne pour éclater. Ces Messieurs de Juillet se gardaient de précipiter le mouvement.

Sans doute aidaient-ils à la construction des lignes de chemin de fer, mais ils continuaient à investir, fort sagement, l'argent de l'État dans les canaux ou les voies navigables. Les canaux de l'Aisne et de la Marne seront creusés pendant la monarchie de Juillet. Pour les chemins de fer, le grand départ allait être donné par la loi Guizot de 1842 : l'État prenait en charge la construction de l'infrastructure des lignes, et donnait des concessions à des compagnies par actions qui se chargeaient du matériel roulant et de l'exploitation.

Dangereuse initiative, disaient les gens de finance : la loi fut suivie par une flambée de spéculations. Beaucoup de compagnies, réelles ou fictives, avaient lancé des actions, contribuant à provoquer, en 1847, une grave crise financière. Cette « manie du chemin de fer » donnait à penser que les malthusiens avaient raison : elle apportait le désordre sur le marché financier, sans donner vraiment de satisfactions à l'économie.

Beaucoup de responsables de la monarchie de Juillet affichaient une grande défiance à l'égard des chemins de fer. Les premières catastrophes (le Paris-Versailles en 1842) alimentèrent les polémiques contre le rail, dont Thiers était un adversaire déclaré. Le coût de la construction des lignes (375 000 francs au kilomètre) était trop élevé. On affirmait que le chemin de fer ne serait jamais rentable.

Dans ces conditions, la construction était fort lente. Les capitaux n'avaient guère été attirés que par les parcours les plus faciles, les plus immédiatement rentables : le Paris-Nord, par exemple, réalisé par James de Rothschild, le Paris-Rouen ou le Paris-Orléans.

Il était, il est vrai, difficile de mobiliser de grandes masses de capitaux sur un marché financier inexistant. Les grandes sociétés industrielles restaient, comme les banques, des affaires de familles. La Bourse de Paris avait certes progressé depuis 1830, mais le volume des échanges était dérisoire à côté de la Bourse de Londres ou d'Amsterdam. Les banques continuaient de prêter de l'argent à l'État et de spéculer prudemment sur un nombre limité de valeurs. La stabilité du franc et la solidité de la rente restaient un dogme. On craignait que la multiplication des valeurs industrielles ne remît en question cette stabilité financière, et, par voie de conséquence, l'équilibre social. Thiers se déclarait contre la multiplication du crédit, qui permettrait à de nouvelles entreprises de proliférer, d'engager une concurrence sauvage avec les vieilles maisons « installées depuis plus de cinquante ans ». La concurrence industrielle était, en somme, maudite.

Il ne faut pas s'étonner, dès lors, de la timidité de l'expansion industrielle : sans doute la production du fer avait-elle triplé, grâce à la construction de fours à coke. Les débuts des chemins de fer avaient provoqué le développement de l'industrie métallurgique et mécanique. Mais en 1847 la France ne comptait encore que cinq mille machines à vapeur. Les progrès de la production n'étaient vraiment nets que dans le textile, où la mécanisation s'accélérait. Et pourtant, même dans ce secteur, le travail à domicile et les métiers manuels gardaient toute leur importance. Grâce au blocus continental, la France avait développé sur son sol la culture de la betterave sucrière : l'industrie alimentaire avait fait de gros progrès mais il faut remarquer que le sucre de betterave ne représentait en 1847 que 13 % de la consommation totale de sucre en France. Le progrès des entreprises industrielles était lent et continu, il n'était pas, comme en Angleterre, spectaculaire.

LA COLÈRE OUVRIÈRE.

En dépit de la timidité de l'industrialisation, les ouvriers devenaient beaucoup plus nombreux en France : six millions en 1847, dont 1 300 000 travaillaient dans les « fabriques ». Les concentrations étaient suffisamment inquiétantes pour que certains se préoccupent du sort des ouvriers.

Les premiers « enquêteurs » agissaient pour leur compte, par curiosité ou par générosité sociale : en 1834 Villeneuve-Bargemont avait publié une étude sur le paupérisme, à Nantes le docteur Guépin avait montré la déchéance physique des ouvriers, logés dans d'immondes taudis. Le docteur Villermé entreprit une vaste enquête sur les travailleurs du textile, secteur le plus mécanisé, le plus concentré. Il obtint des résultats plus frappants encore que ses prédécesseurs : la « paupérisation » menaçait la classe ouvrière d'extinction physique. L'homme gagnait deux francs par jour pour treize heures au moins de travail ; la femme 20 sous, l'enfant dix sous. Un pain d'un kilo coûtait trente centimes, un costume d'homme quatre-vingts francs. 60 % des jeunes ouvriers étaient réformés pour déficience physique au conseil de révision. L'espérance de vie d'un ouvrier d'usine ne dépassait pas trente ans.

Les salaires misérables de l'industrie n'étaient pas protégés, ils pouvaient baisser en cas de crise. L'ouvrier n'avait aucune garantie, ni légale ni matérielle. Du jour au lendemain, il pouvait être un indigent. Depuis la révolte des canuts, matée par une division d'infanterie, il savait qu'il ne pouvait plus compter sur l'État pour le défendre.

Dans ces conditions, il était inévitable que la colère ouvrière devînt menaçante. Des intellectuels continuaient à s'intéresser aux causes de la misère ouvrière. Mais le ton avait changé. Les publications des premiers « socialistes » n'étaient plus des considérations abstraites sur les lois économiques : « la propriété, c'est le vol », lançait Proudhon, ancien prote d'imprimerie. Buchez, dans sa revue *L'Européen*, voulait éliminer tous les patrons. Buonarotti répandait les idées révolutionnaires et égalitaires des Babouvistes de 1793. Un journaliste, Pierre Leroux, prêchait le « socialisme » chez les républicains bourgeois. Il lançait la *Revue sociale* où écrirait George Sand. Louis Blanc demandait la création d'ateliers sociaux, pour garantir le travail aux ouvriers. Dans *Le Populaire* de Cabet, on vantait les joies de la vie collective. Le catholicisme lui-même devenait « social », avec Buchez et Ozanam. Lamennais, Lacordaire, Montalembert relançaient l'action catholique, dans un sens, il est vrai, plus « libéral » que « social ». Ils demandaient la séparation de l'Église et de l'État, la liberté de la presse, la liberté de l'enseignement. Dans *Paroles d'un croyant*, Lamennais prenait avec chaleur le parti des ouvriers contre les « oppresseurs » :

> « Vous êtes, leur disait-il, dans la terre d'Égypte, courbés sous le sceptre de Pharaon et sous le fouet de ses exacteurs. Criez vers le Seigneur votre Dieu, et puis, levez-vous et sortez ensemble ! »

La préoccupation des militants catholiques était de détacher l'Église d'un régime qui n'était pas le sien, de rendre leur liberté aux « croyants ». Ainsi les chrétiens pourraient-ils être présents, eux aussi, sur les futures barricades. L'action du catholicisme social avait une efficacité certaine, puisqu'en 1847 la société « de Saint-Vincent-de-Paul », de Frédéric Ozanam, groupait 10 000 adhérents.

L'action des idées socialistes était d'autant plus efficace que des mouvements de résistance s'étaient constitués dans les milieux ouvriers : au début les ouvriers, qui avaient des contacts avec les sociétés républicaines, ne liaient pas leurs revendications à un programme politique. Mais la répression engagée à partir de 1834 contre les républicains touchait aveuglément les sociétés d'entraide ouvrière, elles aussi secrètes puisqu'elles n'étaient pas tolérées par la loi : de la sorte, ouvriers et républicains devenaient solidaires, la police les jetait dans les bras les uns des autres.

Les sociétés ouvrières se politisèrent rapidement, elles devinrent « société des familles » ou « société des saisons ». En même temps les républicains se sensibilisaient à l'action sociale. L'amalgame se faisait à la base. Blanqui et Barbès, chefs du mouvement républicain révolutionnaire, comptaient les sociétés ouvrières parmi leurs plus puissants soutiens. Comment en aurait-il pu être autrement, alors que rien n'était fait, dans les milieux dirigeants, pour améliorer la condition ouvrière ? Sous l'action des grèves violentes de 1840, la Chambre avait dû étudier un projet... de réglementation du travail des enfants. Elle n'avait pas été capable de mettre fin à cette forme d'exploitation particulièrement odieuse : on se bornait à limiter à huit heures la journée de travail des enfants de huit à douze ans ! Encore cette mesure restait-elle lettre morte, faute d'une inspection du travail efficace...

LES RÉPUBLICAINS ET LA RÉFORME.

L'homme qui tenait depuis 1840 les rênes du pouvoir était un Nîmois calviniste, ancien professeur à la Sorbonne, dont le père avait été guillotiné sous la Révolution. Guizot était convaincu que le progrès devait se faire dans l'ordre, et que l'État devait aider l'évolution de la société, sans la contrarier. Il ne devait pas, par exemple, prendre à tout prix le parti des ouvriers contre les patrons. Il devait seulement aider les ouvriers à s'élever dans la société, en leur donnant des armes.

Dans cet esprit, il avait entrepris une œuvre scolaire qui devait couper l'herbe sous le pied des républicains. Ceux-ci demandaient depuis longtemps l'alphabétisation du peuple français. Guizot allait l'entreprendre. Sa loi de 1833 avait posé les principes du développement de l'enseignement primaire : les communes devraient construire et entretenir une école. Dans chaque chef-lieu de canton, l'État ouvrirait une école primaire supérieure. Il y aurait une école normale d'instituteurs par département. Guizot avait ainsi porté la fréquentation scolaire dans le primaire de 2 000 000 d'élèves en 1830 à 3 500 000 en 1848. Ces résultats étaient encourageants. Toutefois, faute de locaux et de crédits, l'enseignement n'avait pu être rendu obligatoire et gratuit. Il n'y avait pas assez d'instituteurs laïques pour que l'enseignement fût vraiment homogène et universel. Des régions entières connaissaient encore l'analphabétisme.

On reprochait de toutes parts à Guizot de maintenir en place un système politique protégeant la société figée des grands bourgeois malthusiens. Le mouvement de la pensée scientifique ou littéraire était contre le « système ». On jugeait le pouvoir oppressif, démodé, accablant de conformisme et de cynisme. Ampère, Arago, Auguste Comte étaient les chefs de file de la pensée « positiviste », les phares du parti républicain. Rude le sculpteur avait représenté la République, sur l'Arc de Triomphe, comme une femme forte et décidée, qui brise ses chaînes. Gautier et Banville haïssaient le « bourgeois », Musset, dans les *Confessions d'un Enfant du Siècle*, faisait le portrait d'une jeunesse déçue, et prêtait à Lorenzaccio le dessein de l'assassinat politique, sans autre raison que métaphysique : il faut bien que l'homme retrouve un sens dans l'insensé, une forme dans la grisaille. « Si les républicains étaient des hommes »... rêvait Lorenzo.

Delacroix, Hugo et Dumas ne doutent pas des réserves en énergie de la France louis-philipparde. Ils attendent la révolte, ils l'espèrent. Delacroix peint, glorieuse, la *Liberté sur les barricades*. Hugo porte la Révolution sur les avant-scènes du théâtre. Michelet publie en 1846 *Le Peuple* où il décrit le chemin qui reste à parcourir aux « classes dangereuses » pour accéder à la dignité humaine. Le mouvement de la création, dans les années 40, met la révolte à la mode. Tout ce qui se joue ou se publie fait scandale : Berlioz fait jouer ses opéras devant des scènes vides. Courbet et Daumier peignent ou dessinent des œuvres engagées, qui opposent à la société du profit le noir tableau, réaliste et dru, de la misère humaine.

Le mouvement de protestation contre la société figée ne se limite pas aux artistes et aux écrivains. Dans les milieux d'affaires même, il y a des révoltés. Les jeunes cadres des banques et des grandes industries lisent Saint-Simon et Fourier. Ils enragent de voir la révolution industrielle démarrer sur une voie étroite, s'enliser dans l'affairisme et la timidité de conception. Jamais plus qu'en 1847 la parabole de Saint-Simon n'a eu d'écho : les « capacités » demandent le pouvoir.

Guizot est assis dessus. Imperturbable il s'oppose à tout ce qui provoque. Il est sourd aux cris, au tumulte des boussingots comme aux scandales des romantiques. Il refuse la « Réforme » électorale, qui élargirait le cens. Il rejette ainsi les libéraux, qui demandaient « le cens à cent francs », du côté des républicains, partisans du suffrage universel.

Pendant toute l'année 1847, le mouvement de protestation prit de l'ampleur. Les banquets, les discours, les manifestations exigeaient la « Réforme ». Ledru-Rollin avait fondé un journal qui défendait le programme du pays libéral. Guizot s'imaginait, à tort, qu'il suffisait de tenir le « pays légal » pour continuer à gouverner dans l'ordre, et qu'il ne fallait pas tenir compte, en politique, de la « mode » des salons parisiens. Pris dans ses habitudes de corruption électorale, décrites dans *Lucien Leuwen*, le régime refusait obstinément la « Réforme ». Il allait se trouver brusquement confronté à une révolution.

CHAPITRE 14

L'explosion politique de 1848

La disette joue, dans l'Histoire de France, un rôle prépondérant. Il faut beaucoup de misère, beaucoup de privations, pour que les hommes, les femmes et même les enfants arrachent les pavés des villes, bravant les balles. C'est le cas en 1789, comme en 1848.

L'Europe meurt de faim. La récolte de 1847 a été très mauvaise. Beaucoup d'hommes vont mourir pendant l'hiver redoutable de 1847-1848 : un million d'Irlandais au moins. A Berlin, les ouvriers tombent comme des mouches. Ils résistent mal au froid humide et rigoureux, avec le ventre creux.

En France, depuis 1846 on manque de céréales et surtout de pommes de terre. Une étrange maladie a pourri les tubercules dans le sol. La population française est encore en grande partie rurale : si les campagnes sont affamées, l'industrie est au chômage. Les ouvriers deviennent des chômeurs, puis des assistés. Même les financiers sont atteints. Les riches sont moins riches, et craignent pour leur or. Les spéculateurs sont en faillite. La Banque de France a brusquement relevé son taux d'escompte. 20 % des mineurs, 40 % des ouvriers du textile ne travaillent plus. Les chantiers des chemins de fer sont arrêtés, faute de crédits.

La crise secoue fortement l'Europe entière. C'est en France qu'elle aura les conséquences les plus spectaculaires, en posant à la fois le problème politique du changement de régime, et, pour la première fois peut-être en Europe, le problème social de la lutte des classes.

L'explosion de février.

Comme en 1789, les troubles éclatent d'abord dans les campagnes. Elles n'avaient jamais été aussi peuplées ; elles n'en étaient que plus sensibles à la disette. Dans les villes industrielles, les ouvriers, réduits au chômage, brisaient les « mécaniques ».

> « Regardez ce qui se passe au sein de ces classes ouvrières, disait au Parlement Alexis de Tocqueville... ne voyez-vous pas que leurs passions, de politiques, sont devenues sociales ? Ne voyez-vous pas qu'il se répand peu à peu dans leur sein des opinions, des idées, qui ne tendent point seulement à renverser telles lois, tel ministère, tel gouvernement même, mais la société. »

Commencée en effet aux cris de « vive la Réforme! » la Révolution de février 1848 allait rapidement devenir, sous l'action des républicains et des socialistes, une révolution contre la société de l'argent.

Un banquet pour la Réforme avait été prévu à Paris pour le 22 février. Il devait marquer la fin de la campagne nationale entreprise par les libéraux et par les républicains. Tous les députés de l'opposition avaient promis d'y participer. Les journaux hostiles au pouvoir annonçaient depuis longtemps l'événement.

Le 22, aux premières heures de la matinée, la troupe gardait la rue, où des groupes d'ouvriers manifestaient. Ils se mirent à dresser des barricades. Celle de la porte Saint-Denis avait 3 000 défenseurs. Les mots d'ordre des chefs de l'opposition étaient d'éviter toute provocation. Les forces de l'ordre, mises en place dans Paris le 23, avaient 30 000 soldats. Peu à peu le peuple descendait dans la rue, cherchant à la hâte des armes de fortune.

Aux Tuileries, le roi demandait la démission de Guizot, et rappelait le comte Molé. L'émeute, spontanément, se calmait, car Guizot n'était pas populaire. Le roi promettait la « Réforme ». Pour les bourgeois libéraux, il était dangereux d'aller au-delà.

Un accident mit le feu aux poudres. Brusquement un coup de fusil fut tiré sur un soldat qui gardait le ministère des Affaires étrangères, où Guizot avait trouvé refuge. La troupe riposta. En quelques secondes, il y eut trente-six hommes tués. Les corps furent promenés en charrettes dans tout Paris. Le 24, la capitale avait toutes ses rues barrées de barricades. Les ouvriers réclamaient la République.

Louis-Philippe tenta de nouveau d'apaiser l'émeute en demandant au comte Molé sa démission. Il appela Thiers et Odilon Barrot. Thiers était d'avis d'évacuer la capitale. Barrot ne pouvait empêcher le peuple d'assiéger les Tuileries. Il était trop tard pour quitter les lieux. Barrot commit la faute de retirer son commandement à l'énergique Bugeaud, adoré de ses soldats. Dès lors rien ne pouvait plus être opposé à l'insurrection. Deux régiments passaient aux insurgés. Le roi abdiquait en faveur de son petit-fils, le comte de Paris, et partait aussitôt pour l'Angleterre. La duchesse d'Orléans tentait en vain de faire proclamer la régence au Palais-Bourbon. Elle y trouvait les insurgés, qui acclamaient la République. Un gouvernement provisoire était constitué, avec Lamartine, Arago, Ledru-Rollin, Garnier-Pagès, le vieux Dupont de l'Eure, Marie et Crémieux, le journaliste Armand Marrast, le socialiste Louis Blanc, l'ouvrier Albert. La République était proclamée.

« LA PLUS SUBLIME DES POÉSIES. »

Dans l'Histoire de France, 1848 est une sorte d'avènement. Le suffrage universel, le droit au travail, l'école gratuite pour tous sont de brusques conquêtes du peuple en armes, vite remises en question quand la bourgeoisie récupère le pouvoir, mais aussi décisives que les conquêtes de 1789. Si l'on truque le suffrage universel, on ne peut plus manquer de lui reconnaître une certaine dette. Si l'on abolit, après juin 1848, le droit au travail, on ne tarde pas à accorder aux ouvriers le droit de grève et la protection légale. La révolution obtient en février 1848 beaucoup plus qu'elle n'aurait osé espérer. Une voie nouvelle était ouverte, celle de la dignité du travail dans les usines et dans les mines, celle de la dignité des citoyens enfin à égalité devant les urnes. Grâce à la peur sociale, une nouvelle classe se faisait admettre et reconnaître comme telle. La « classe ouvrière » remplaçait dans la terminologie politique les « classes douloureuses » ou les « classes dangereuses ».

A sa proclamation, la République n'avait fait peur à personne. L'Église applaudissait et les prêtres bénissaient les arbres de la liberté que l'on plantait en signe d'heureux avènement. La joyeuse kermesse qui suivit la victoire s'était déroulée, à Paris, dans une incroyable ambiance de clubs improvisés où chacun pouvait dire n'importe quoi. Flaubert, dans *L'Éducation sentimentale*, a longuement décrit Paris transformé pour quelques jours en un gigantesque Hyde Park où tous avaient la parole, même les fous. Le « prolétaire de Nazareth » était fêté par le peuple avec un bel enthousiasme, les curés bénissant. La société civile et la société religieuse se réconciliaient dans l'anarchie.

« Nous allons faire ensemble la plus sublime des poésies », disait Lamartine, membre du gouvernement provisoire, au peuple rassemblé devant l'Hôtel de Ville. Le nouveau gouvernement se désignait lui-même, les hommes choisissant leurs fonctions selon leurs compétences. Marrast s'occupait de la presse, Louis Blanc des ouvriers, Garnier-Pagès avait les finances et Marie les travaux publics. Les membres du gouvernement représentaient toutes les tendances, des républicains libéraux aux socialistes. Le ministre de l'Intérieur était le riche avocat Ledru-Rollin, ami de George Sand et des socialistes, ami aussi des libéraux et ennemi de tout excès. Lamartine, cet autre modéré, ouvert à toutes les générosités mais aussi à toutes les manœuvres politiques, prenait le portefeuille des Affaires étrangères, il était en fait l'âme du gouvernement.

Un gouvernement qui allait, en quelques jours, accomplir une œuvre brouillonne, mais considérable. Le poète faisait tout de suite abolir, en matière politique, la peine de mort. La contrainte par corps, héritage de la Restauration, était également supprimée, ainsi que l'esclavage dans les colonies (sur proposition de Victor Schoelcher). La liberté de la presse était rétablie, sans restriction. La liberté de réunion était proclamée. Tous les citoyens français faisaient partie, s'ils le désiraient, de la garde nationale. Tout Français majeur résidant depuis plus de six mois dans une localité était électeur. Les élus recevaient une indemnité parlementaire convenable. La France comptait d'un coup neuf millions d'électeurs, au lieu de 240 000.

LE DOULOUREUX PROBLÈME SOCIAL.

Là devait s'arrêter, provisoirement, la poésie. Le peuple en armes demandait le droit au travail et des vivres. La crise financière, économique, industrielle et agricole atteignait une telle acuité que l'argent disponible se cachait. Les banques fermaient leurs guichets. Les réserves de la Banque de France étaient réduites à néant. Les cours de la Bourse s'étaient écroulés. La rente elle-même, la sacrosainte rente, avait perdu les 2/3 de sa valeur. Le 3 % passait de 73 à 32 francs.

Les bourgeois découvraient dans l'organisation de la panique financière une arme efficace. En retirant l'argent disponible de la circulation, ils mettaient le gouvernement provisoire dans le plus grand embarras. Le retour à l'ordre, grâce à cette orchestration du désordre, serait souhaité, bientôt exigé, par les couches profondes de la nation.

Déjà le ministre Garnier-Pagès devait imposer le cours forcé des billets, rappelant ainsi à l'opinion les plus mauvais souvenirs de la grande Révolution. Il augmentait en même temps les impôts de 45 %. Le monde rural devenait brusquement hostile à cette république fiscale. En province, où les commissaires de la République exerçaient le pouvoir, les incidents locaux se multipliaient. Émile Ollivier à Marseille, Charles Delescluzes à Lille, faisaient flèche de tout bois pour désarmer les mécontentements qui se généralisaient à droite comme à gauche, dans un climat d'inquiétude et de pénurie.

Plus de la moitié des ouvriers parisiens étaient au chômage. La proportion était la même en province. Les chômeurs armés étaient dangereux. L'un d'entre eux, qui s'appelait Marche, présentait le 25 février au gouvernement une pétition exigeant le *droit au travail*. Ce droit était aussitôt reconnu. Le 26, le gouvernement décidait d'ouvrir des « ateliers nationaux » pour donner du travail aux chômeurs. Des chantiers de terrassement seraient ouverts, pour construire le chemin de fer de Clamart, la gare de l'Ouest et la ligne Orsay-Sceaux.

Les ouvriers ne s'estimaient pas satisfaits. Le 28, ils envahissaient l'Hôtel de Ville, demandant la création d'un ministère du Travail, et la limitation à dix heures de la journée de travail. Une « commission du gouvernement pour les travailleurs », dirigée par Louis Blanc, fut aussitôt mise en place. Elle siégeait au Palais du Luxembourg.

Prises dans la fièvre, ces mesures n'aboutiraient pas à des résultats concrets. La *Commission du Luxembourg* allait devenir, selon le mot cruel de l'époque, une « conférence sur la faim devant les affamés ». Les ateliers nationaux, organisés militairement par le gouvernement, devaient fournir pendant quelques jours des subsides aux chômeurs, sans qu'aucune réalisation sérieuse n'en sorte.

En réalité le gouvernement était partagé entre une tendance libérale bourgeoise, celle de Lamartine et d'Arago, et la tendance socialiste représentée par Louis Blanc et Albert. Les socialistes voulaient, par tous les moyens, réaliser sans tarder la démocratie sociale ; les bourgeois libéraux voulaient s'arrêter aux mesures d'ordre humanitaire, et réaliser seulement une démocratie politique. Ils ne voulaient pas modifier gravement l'ordre social.

LA JOURNÉE DU 17 MARS 1848.

Le gouvernement n'avait ni argent ni police. Ledru-Rollin, conscient de la nécessité pour la République de disposer le plus vite possible d'une force armée organisée, fit constituer 24 bataillons de 1 000 jeunes gens, qui touchaient une solde quotidienne. Les ouvriers, craignant la mise en place d'un appareil répressif, descendirent dans la rue le 17 mars. Le but de leur manifestation était de reculer le plus possible la date des élections. Les chefs socialistes savaient en effet que le peuple parisien se trouvait prisonnier de sa conquête essentielle : le suffrage universel. Les Français ne voteraient certainement pas, dans leur majorité, pour une démocratie sociale. Il y avait risque, dans les campagnes, que de nombreux candidats antirépublicains fussent élus. Il fallait empêcher la bourgeoisie et les grands notables d'utiliser le suffrage universel, conquête du peuple parisien, contre lui. Il fallait avoir le temps de faire l'éducation politique des masses, de développer la propagande.

Le gouvernement provisoire était lui-même divisé sur la question des élections : comme l'a écrit Lamartine, « les chefs de secte socialistes et les tribuns de la classe industrielle tremblaient de voir leurs tribunes renversées et leur empire détruit par l'avènement des provinces à Paris ». Louis Blanc et Albert voulaient retarder les élections, mais la majorité du gouvernement provisoire voulait en finir : ils décidèrent qu'on voterait au plus tôt. L'échec de la « journée » du 17 mars, organisée par Blanqui et ses amis, ouvrit la voie des urnes. La garde nationale avait crié : « A bas les communistes ! » Force était restée à l'ordre républicain modéré. On voterait le 23 avril, jour de Pâques.

LE PREMIER SCRUTIN AU SUFFRAGE UNIVERSEL.

Le peuple aux urnes! Depuis trente ans, les républicains attendaient l'événement. Les neuf millions d'électeurs furent convoqués dans les chefs-lieux de canton. A la campagne, il fallait parfois deux heures de marche pour se rendre aux urnes. Les hommes y allaient ensemble, comme à la guerre. On votait dans le cadre des départements, par scrutin de liste. 16 % seulement des Français s'abstinrent. La consultation était tout de suite un succès populaire. Les élections furent calmes, sauf dans quelques villes comme Limoges. On avait transporté les infirmes et les malades sur des charrettes. Partout les notables et les prêtres avaient souligné l'importance du scrutin, et fait voter pour les candidats modérés. Les socialistes, par contre, n'avaient pu développer leur propagande que dans quelques villes industrielles. Naturellement, les candidats des notables, les « républicains modérés », l'emportaient massivement.

Le journal d'Armand Marrast, le *National*, avait orchestré la campagne des modérés. Ils obtenaient 550 sièges sur 880. Les conservateurs subissaient une défaite : ils étaient seulement 200, avec 130 légitimistes. Quelques orléanistes s'étaient fait élire, ainsi qu'une cinquantaine de catholiques libéraux groupés derrière Montalembert : tous ceux-ci constituaient la droite. Vaincus, les socialistes avaient tout de même une centaine d'élus ; Barbès, Blanqui et Cabet, qui étaient candidats, avaient été battus. Il est vrai qu'à droite, Adolphe Thiers était une des victimes du suffrage universel. Lamartine et les membres du gouvernement provisoire s'étaient fait élire dans la Seine. Lamartine avait obtenu un triomphe.

LA RÉVOLTE OUVRIÈRE.

Les socialistes savaient qu'ils avaient été manœuvrés : aussi tentèrent-ils d'organiser, le 15 mai, une nouvelle « journée » dans la tradition de 1793. La Constituante, réunie le 4 mai pour la première fois, avait proclamé solennellement la République. Larmartine avait fait décider la création d'une « commission exécutive » qui devait être présidée par Arago. Lamartine, Garnier-Pagès, Marie et Ledru-Rollin en faisaient partie, mais Louis Blanc et le mécanicien Albert étaient éliminés. La bourgeoisie avait récupéré le pouvoir par des voies légales. Les socialistes ne disposaient plus que du recours de la rue.

Un manifeste de Blanqui avait circulé, peu avant le 15 mai, dans les quartiers populaires, convoquant les émeutiers. A la Bastille, les manifestants criaient : « Vive la Pologne! » car la Révolution de 1848 avait gagné toute l'Europe, et la Pologne était un symbole. Le cortège, au matin du 15, se dirigea vers la place de la Concorde, Blanqui en tête. Il gagnait la Chambre des députés qu'il occupait trois heures durant. Les « jeunes gens » en armes de Ledru-Rollin ne bougèrent pas, attendant les ordres.

Les chefs de la manifestation proclamèrent l'Assemblée nationale dissoute « au nom du peuple ». Ils nommèrent un gouvernement provisoire qui comprenait tous les chefs socialistes : Louis Blanc, Albert, Blanqui, Raspail et Barbès... Au gouvernement bourgeois s'opposait désormais un contre-gouvernement populaire. L'épreuve de force était inévitable.

L'initiative vint de Lamartine et de Ledru-Rollin. A cheval, le poète ralliait la garde nationale, la lançait sur les émeutiers. Les ouvriers des ateliers nationaux, dans leur majorité, rejoignaient Lamartine. Barbès et Albert étaient incarcérés. La manifestation se dispersait dans l'amertume. La rupture était consommée entre les socialistes et les libéraux bourgeois. La garde avait tiré sur le peuple.

LA CONTRE-RÉVOLUTION DE JUIN.

Cavaignac, nommé le 17 mai ministre de la Guerre, assurait la reprise en main des forces de l'ordre. Il faisait arrêter Blanqui et les autres responsables du « complot » du 15 mai. La province, dans sa grande majorité, approuvait la répression. Les meneurs n'avaient-ils pas voulu contester les résultats du suffrage universel ?

Les chômeurs parisiens n'avaient pas tous suivi les mots d'ordre de Blanqui, mais ils restaient réceptifs à la propagande socialiste, même après l'échec de l'émeute. Les valeurs bourgeoises, la rente, les loyers s'effondraient, provoquant un vif mécontentement chez les possédants. L'affrontement des classes sociales risquait de se renouveler, dans un climat particulièrement dangereux, les ouvriers parisiens étant à bout de nerfs. L'armée, tenue bien en main par Cavaignac, était prête à intervenir. La province soutiendrait une fois de plus la répression, par haine du désordre.

La faillite des ateliers nationaux allait se précipiter en juin. L'État n'avait plus de quoi payer les 120 000 chômeurs qui étaient des assistés à un franc par jour. Désœuvrés, les hommes étaient sensibles au découragement. Ils risquaient d'être embrigadés indifféremment d'un côté ou de l'autre, ils étaient disponibles pour la guerre civile.

Le Comité du travail, dirigé maintenant par un catholique très conservateur, Falloux, redoutait cette masse d'ouvriers inoccupés. Il décida de fermer les ateliers. On offrit aux ouvriers congédiés un enrôlement dans l'armée. Ceux qui refusaient pouvaient trouver du travail en province, sur de grands chantiers d'intérêt national, les chemins de fer par exemple.

La nouvelle de la fermeture des ateliers fut très mal accueillie par les travailleurs. Pendant un mois entier, la propagande révolutionnaire leur démontra qu'ils étaient les victimes du « pouvoir occulte de la finance ». Quand le projet de dissolution des ateliers vint en discussion devant l'assemblée, le 21 juin, les dirigeants socialistes préparèrent une nouvelle insurrection.

De fait, le 22 juin, une manifestation groupait un millier de participants devant le Palais du Luxembourg. D'autres réunions se constituèrent spontanément dans les quartiers populaires. Cavaignac donna ordre de les disperser.

La première barricade fut dressée le 23 juin au matin dans la rue Saint-Denis. De proche en proche, tout l'Est de la capitale était bientôt en état d'insurrection. Les chômeurs constituaient le gros des troupes de la nouvelle Révolution. Ils étaient 20 000 en tout, sans véritables chefs, derrière un journaliste obscur et un cordonnier sexagénaire. Cavaignac disposait des gardes, des gendarmes et des régiments de la ligne : la partie, dès le départ, n'était pas égale. Les gendarmes étaient des ruraux qui voulaient « en découdre » avec la Révolution parisienne. Les gardes venaient des quartiers bourgeois et brûlaient de rétablir l'ordre. La garde nationale des quartiers Est avait pris parti pour les insurgés.

Cavaignac ne veut pas renouveler l'erreur de Bugeaud. Il garde ses troupes rassemblées, abandonne les monuments menacés par les émeutiers. Il commande comme à la bataille, divisant son armée en trois corps : Lamoricière, sur les grands boulevards, Bedeau à l'Hôtel de Ville, Damesne sur la rive gauche... L'offensive est déclenchée le 24, quand Cavaignac est assuré de ses troupes. Il attaque d'abord le faubourg Poissonnière, dégage l'Hôtel de Ville et le Panthéon. La lutte est chaude, il y a plus de 400 barricades. Plusieurs généraux sont tués, le général Bréa est fusillé.

Cavaignac fait venir des renforts, des gardes nationaux de province. Il assiège le faubourg Saint-Antoine. L'archevêque de Paris, qui tente une intervention, trouve la mort dans des conditions confuses. Les modérés prétendent que monseigneur Affre a été fusillé par les insurgés. La nouvelle, en tout cas, désarme les combattants du faubourg, qui craignent d'être allés trop loin. Ils voulaient faire une « journée », ils ne voulaient pas d'une guerre civile, d'autant que Cavaignac promettait maintenant la clémence à tous ceux qui mettraient bas les armes.

Dans la journée du 26, le faubourg Saint-Antoine fut repris par les forces de l'ordre. C'était le gros de l'insurrection. Un foyer secondaire, à la Villette, était réduit plus facilement. Il y eut environ 1 000 morts de part et d'autre. Plus de 15 000 Parisiens furent arrêtés, 4 000 d'entre eux furent déportés en Algérie. Paris restait gardé militairement. En province, seule Marseille avait bougé, et les insurgés avaient été facilement matés.

L'ORDRE RÉPUBLICAIN.

Comme par miracle, la tendance financière se renversait dès la fin de l'insurrection. Le crédit renaissait de ses cendres ; la Bourse, rouverte, connaissait une grande animation. La Banque de France retrouvait ses disponibilités, la rente son étiage antérieur aux événements. Tocqueville l'a dit :

> « L'insurrection ne fut pas une lutte politique, mais un combat de classe, une sorte de guerre civile. »

Les socialistes français n'avaient pas pris, au total, une part directe dans une insurrection largement spontanée, ou, comme dirait Henri Guillemin, largement provoquée. C'est Lamartine lui-même qui accusait Cavaignac d'avoir laissé se développer l'émeute, pour parfaire sa répression. Thiers voulait laisser Paris aux insurgés, pour le reprendre ensuite. Les insurgés n'avaient ni chefs, ni organisation efficace, ni mots d'ordre. Ils se fiaient à l'improvisation, à la légende des journées réussies du temps passé. Marx avait lancé à Londres le fameux manifeste communiste. Inconnu en France, il était totalement étranger à cette révolte de la faim, qui poussait les « classes douloureuses » contre l'ordre social. Marx devait ensuite tirer la leçon de l'événement :

> « C'était, dirait-il, une lutte pour le maintien ou l'anéantissement de l'ordre bourgeois... Les représentants officiels

de la démocratie française étaient tellement prisonniers de l'idéologie républicaine qu'il leur fallut plusieurs semaines pour commencer à soupçonner le sens du combat de juin. Ils furent comme hébétés par la fumée de la poudre dans laquelle s'évanouissait leur République imaginaire. »

De fait les fusils du général Cavaignac n'avaient pas détruit seulement les rêves des socialistes utopiques, mais ceux des Lamartine et des Ledru-Rollin : l'énergique Cavaignac, bon et loyal républicain qui devait remettre son épée au pouvoir civil dès l'insurrection terminée, croyait lui-même avoir défendu un régime, alors qu'il sauvait un ordre. La répression de juin condamnait la République de février, qui avait fait, pour les bourgeois, la preuve de son incapacité.

Même les ouvriers ne reconnaissaient plus une République qui les avait réduits au silence : vainqueurs en février, matraqués en mars, massacrés en juin, ils laisseraient désormais s'accomplir sans résistance une évolution inéluctable de la démocratie vers le pouvoir personnel. Quant aux paysans, ils avaient été particulièrement sensibles à la propagande du « parti de l'ordre » qui représentait les ouvriers parisiens comme des « partageux », avides de s'approprier les terres et les biens, et d'établir un État communiste. Ils soutiendraient de leurs votes et de leurs bras tout régime d'ordre qui se présenterait comme le protecteur de la propriété.

Les vainqueurs de juin étaient les notables républicains, ces « modérés » qui n'avaient su ni prévoir, ni réprimer. Ils tiraient les marrons du feu. La bourgeoisie orléaniste, très proche de ces notables, attendait, tapie dans l'ombre, l'occasion de sa revanche. Cavaignac lui avait ouvert la voie. Elle comptait bien en profiter.

La République des notables.

LA RÉPUBLIQUE EN TRANSIT.

La répression légale devait suivre à peu d'intervalle la victoire du parti de l'ordre. Un certain nombre de mesures législatives, votées dans la hâte, avaient pour but d'empêcher toute nouvelle explosion populaire : la liberté de la presse était supprimée d'un trait de plume, l'état de siège était maintenu le temps nécessaire pour effectuer en toute tranquillité l'épuration qui s'imposait. Les réunions privées étaient interdites, les sociétés secrètes dissoutes. La durée de la journée de travail était portée à douze heures. On voulait faire payer à la classe ouvrière le prix de juin.

Tocqueville, Odilon Barrot et le juriste Cormenin rédigeaient une constitution sur le tambour. Il ne fallait pas prolonger longtemps l'illégalité de février, il fallait faire sortir la République de l'instable et de l'informel. Le comité constitutionnel, travaillant dans la fièvre, fit voter le 12 novembre un texte définitif, qui fondait la seconde République. Le Président, élu au suffrage universel direct pour quatre ans, était chargé de nommer les fonctionnaires et les ministres, il commandait l'armée et la diplomatie, il signait les traités et déclarait la guerre. Il n'était pas rééligible.

Cette constitution présidentialiste n'était pas du goût de tous les notables. Les républicains faisaient des réserves. Jules Grévy, par exemple, redoutait l'élection au suffrage universel : un prince héritier de la monarchie ou de l'Empire ne pouvait-il pas s'emparer du pouvoir par les voies légales, avant d'étrangler la République ? « Il faut laisser quelque chose à la Providence », répondait, lyrique, Lamartine.

Rien n'était prévu en cas de conflit entre le Président et le pouvoir législatif. Celui-ci appartenait à une assemblée unique, élue pour trois ans au suffrage universel. L'Assemblée votait les lois et ne pouvait être dissoute. Elle ne pouvait abattre le gouvernement, responsable seulement devant le Président. Un conflit éventuel ne pouvait être tranché que par un coup de force.

L'idéologie de la constitution restait conforme à l'inspiration libérale et démocrate des notables républicains. Un préambule proclamait la souveraineté du peuple, marquant ainsi que l'instauration du suffrage universel était une conquête décisive et définitive de la République de février. La séparation des pouvoirs, vieux principe de 1789, était solennellement réaffirmée, interprétée avec une rigueur qui menaçait, d'entrée de jeu, la survie du nouveau régime. Ce principe permettait en fait d'instaurer un pouvoir présidentiel fort, qui n'avait jamais existé pendant la Révolution de 1789.

Les ouvriers étaient gardés par la constitution elle-même : celle-ci ne reprenait pas en compte le « droit au travail ». Elle parlait seulement d'un « droit à l'assistance ». Par contre elle réaffirmait avec force la « liberté » du travail, ce qui permettait de condamner les coalitions ouvrières. La rédaction de la constitution gardait des traces des combats de juin. Pour l'appliquer, il fallait aussitôt élire un Président.

La République ne manquait pas de candidats : il y avait Cavaignac, le « boucher de juin », chef du pouvoir exécutif provisoire. Il avait la faiblesse de croire que la bourgeoisie lui saurait gré de sa fermeté. Elle était en fait effrayée par l'âpreté de la répression et n'aimait guère les généraux républicains. Les modérés du journal *Le National* soutenaient seuls la candidature de Cavaignac, qui promettait de « réduire les impôts de moitié » et de « supprimer l'impôt sur les boissons ».

Les démocrates soutenaient Ledru-Rollin. Les orléanistes avaient constitué un comité électoral, baptisé *Comité de la rue de Poitiers*, animé par Thiers, ancien ministre de Louis-Philippe. Fort habilement, au lieu d'aller chercher un candidat parmi les gloires usées du régime de juillet, les orléanistes avaient désigné le prince Louis-Napoléon Bonaparte, dont Thiers disait avec mépris : « C'est un nigaud que l'on mènera. »

L'HÉRITIER.

Évadé du fort de Ham, Louis-Napoléon vivait à Londres. Après la Révolution de février, il avait pris le bateau et s'était installé fort discrètement à Paris, attendant son heure. Le gouvernement provisoire n'avait pas toléré sa présence dans la capitale. Il avait dû disparaître. Mais, après juin, tout avait changé pour lui : deux de ses cousins avaient été élus à l'Assemblée. Lui-même, quelques semaines avant l'insurrection, avait recueilli des voix dans les provinces et à Paris.

La bourgeoisie, désorientée, avait accepté la suggestion de Thiers. Elle avait financé la campagne du prince, qui avait dépensé beaucoup d'argent pour sa propagande. L'ingénieux Persigny, son homme de confiance, s'employait à réveiller les souvenirs de la légende napoléonienne. On frappait à l'image de Louis-Napoléon des médailles distribuées gratuitement dans le commerce ; on tirait son portrait sur des boîtes d'allumettes et des gravures. On lançait des journaux bonapartistes, des brochures et des chansons.

Des élections complémentaires avaient permis au prince d'être candidat à Paris en septembre, ainsi que dans quatre départements. La Constitution n'interdisait pas, en effet, les candidatures multiples. Le prince faisait campagne pour la démocratie, il ne prétendait nullement s'emparer du pouvoir. Les républicains le soutenaient parfois contre les orléanistes, leurs vieux ennemis, quand les orléanistes ne faisaient pas voter pour lui contre les républicains.

Le personnage du prince, grâce à ses premiers succès électoraux, devenait crédible. On s'y intéressait de plus en plus dans les milieux influents. Émile de Girardin, dans *La Presse*, prenait son parti. *La Liberté* devenait le journal officiel du candidat. Les monarchistes de la *Gazette de France* le soutenaient contre les républicains.

Il avait prononcé à l'Assemblée un discours fort adroit :

> « Je ne suis pas, disait-il, un ambitieux qui rêve tantôt l'Empire et la guerre, tantôt l'application de théories subversives. Élevé dans des pays libres à l'école du malheur, je resterai toujours fidèle aux devoirs que m'imposeront vos suffrages. »

Son programme électoral rassurait les bourgeois, il se déclarait pour la défense de l'ordre et de la propriété, pour la liberté de la presse et la paix à l'extérieur. Le Comité de la rue de Poitiers mettait à son service sa puissante organisation électorale. On ferait voter pour lui les notables de province, les gentilshommes campagnards et leurs troupes. Toute la France réactionnaire, indignée par les événements de 1848, trouvait en Louis-Napoléon un sauveur rassurant. Les ouvriers, las des républicains de juin, voteraient pour lui par dépit et non, comme on le dit souvent, parce qu'ils avaient lu *L'Extinction du paupérisme*. Les paysans voteraient pour l'héritier du grand Napoléon, pour le nom sacralisé par la légende de Bonaparte.

Le 10 décembre 1848, peu de mois après juin, le Prince recueillait 5 400 000 suffrages sur 7 500 000. Cavaignac et le parti républicain n'avaient pas plus d'un million et demi de voix ; Ledru-Rollin en avait 370 000, Raspail 36 000. Les départements « rouges » avaient voté Louis-Napoléon, la Creuse et la Haute-Vienne par exemple. L'Ouest légitimiste avait seul choisi Cavaignac, par haine des hommes de la rue de Poitiers. Karl Marx interprétait l'événement à sa manière : Pour lui l'élection du 10 décembre était une sorte de grande jacquerie, une revanche des paysans sur les « messieurs » de l'orléanisme, qui pourtant faisaient voter pour le prince.

« Napoléon, écrit-il, ce n'était pas un homme pour les paysans, mais un programme. » C'est avec des drapeaux et au son de la musique qu'ils allèrent aux urnes, aux cris de « plus d'impôts, à bas les riches, à bas la République, vive l'Empereur! » Derrière l'Empereur se cachait la jacquerie... Le 10 décembre, ce fut le coup d'État des paysans... Il y avait aussi la revanche des ouvriers car « l'élection de Napoléon, c'était pour le prolétariat la destitution de Cavaignac, l'annulation de la victoire de juin ». En réalité, c'est l'ensemble du personnel dirigeant de la Seconde République que les électeurs avaient destitué :

> « Aussi différent que pouvait être le sens du nom de Napoléon dans la bouche des différentes classes, chacune d'elles écrivait avec ce nom sur son bulletin : " à bas le parti du *National*, à bas Cavaignac, à bas la Constituante, à bas la République bourgeoise! ". » (Karl Marx.)

LE PARTI DE L'ORDRE ET LE POUVOIR.

Le 20 décembre, un Bonaparte devenait officiellement Président de la Seconde République.

> « Le nom de Napoléon est à lui seul tout un programme, devait déclarer à l'Assemblée le Prince-Président. Il veut dire, à l'intérieur, ordre, autorité, religion et bien-être du peuple ; à l'extérieur, dignité nationale. »

La composition du gouvernement donnait des satisfactions au comité de la rue de Poitiers : Odilon Barrot en était le chef, Thiers et Molé étaient parmi les ministres. Pour ne négliger aucun parti, le prince avait nommé ministre le légitimiste Falloux, ainsi que le républicain Bixio. Un général populaire, Changarnier, commandait la division de Paris. Le cabinet une fois constitué, Louis-Napoléon se hâtait de préparer les élections législatives, qui devaient avoir lieu le 13 mai 1849.

Ces élections confirmeraient l'écrasement des républicains modérés : sur 6 700 000 votants (32 % d'abstentions) ils avaient seulement 500 000 voix et 80 élus. Lamartine, Garnier-Pagès étaient battus, ainsi que Marie. Les gagnants étaient les candidats du parti de l'ordre, qui regroupait toutes les droites : il avait 490 députés et 3 300 000 voix! L'Ouest, le Centre, le Nord et une partie du Sud-Ouest avaient voté pour l'ordre. Les démocrates sociaux avaient fait une campagne active : Agricol Perdiguier, Eugène Sue avaient rédigé leurs brochures et leurs journaux électoraux. Ils avaient réussi à recueillir 2 300 000 suffrages. 180 députés d'extrême gauche entraient ainsi à l'Assemblée, bien décidés à ne pas laisser étrangler la République. Pour les socialistes ou « républicains avancés », c'était un notable succès.

Cette opposition gênait le « parti de l'ordre », qui saisit la première occasion pour la décapiter. Une République venait d'être proclamée à Rome, à l'instigation de Mazzini. Elle avait exilé le pape. Le gouvernement français, qui n'avait rien à refuser au pape, décidait d'envoyer à Rome le général Oudinot, avec 7 000 soldats. Au début de juillet, les Français rétablissaient le pape dans la «Ville éternelle ».

Les républicains reçurent la nouvelle comme un soufflet. Ledru-Rollin demanda la parole à l'Assemblée, soutenu par les socialistes et ceux que l'on appelait les « Montagnards », pour déclarer l'expédition d'Oudinot «contraire à la Constitution». Elle allait à l'encontre de la liberté d'un peuple... Les Montagnards étaient souvent les élus, sur les bancs de l'Assemblée, des quartiers est de Paris, ceux qui avaient résisté à Cavaignac. Songèrent-ils un moment à reprendre le pouvoir « dans la rue » ? Le 13 juin 1849, ils provoquèrent en tout cas un rassemblement populaire à la Bastille. Ils rendirent publique une déclaration qui mettait « hors la loi » le gouvernement et le Président de la République. Ils demandaient l'aide de la garde nationale et celle de l'armée pour défendre la Constitution.

LA DERNIÈRE JOURNÉE.

La manifestation, partie de la Bastille, fut dispersée par les soldats de Changarnier, qui étaient des ruraux, alors qu'elle se dirigeait sur les Champs-Élysées. La tentative de Ledru-Rollin pour installer aux Arts-et-Métiers un gouvernement insurrectionnel fut un fiasco. Les ouvriers redoutaient de s'engager dans une nouvelle insurrection, avec pour chef un des responsables du gâchis de juin 1848. Faute de troupes, les Montagnards des Arts-et-Métiers abandonnaient le combat. Dix députés étaient arrêtés aussitôt.

Ledru-Rollin réussissait à s'enfuir en Angleterre. Trente-six Montagnards étaient exclus de l'Assemblée. La gauche était décapitée.

Dès lors Paris avait cessé de compter dans l'échiquier politique français, et il en serait ainsi jusqu'à la Commune de 1871. Les députés de gauche en fuite ou en prison, l'électorat flottant, les troupes impuissantes à dresser de nouveau des barricades n'avaient plus d'armes contre la répression qui s'abattit sur la capitale. Les survivants de la Montagne avaient désormais pour chefs des députés obscurs, comme le maçon Martin Nadaud ou l'avocat Michel, de Bourges. Pourtant la manifestation parisienne avait eu cette fois des échos en province, dans les villes ouvrières : il y avait eu une bataille de rues à Lyon, avec mort d'hommes. Des troubles avaient éclaté dans de nombreuses villes et même dans des villages, dans l'Allier notamment.

LES LOIS RÉACTIONNAIRES.

Un arsenal de lois répressives aidait désormais le Président et le gouvernement. Il n'était pas question de toucher au principe du suffrage universel, mais il fallait bien éviter l'élection des députés de gauche, si encombrants : En avril 1850 l'auteur des *Mystères de Paris*, Eugène Sue, feuilletonniste à succès, s'était fait élire à Paris contre un candidat du parti de l'ordre. Le temps aidant, la gauche risquait de prendre un jour le pouvoir par des voies légales. La loi du 31 mai excluait du scrutin les électeurs qui ne résidaient pas dans les communes depuis au moins trois ans. Les ouvriers, qui changeaient souvent de travail et de résidence, perdaient ainsi le droit de vote. Trois millions d'électeurs étaient écartés des urnes. A Paris, 1/3 du corps électoral était réduit au silence. La proportion était de 50% dans les villes du Nord, de 40 % à Rouen. Les circonscriptions rurales gardaient par contre le plein de leurs effectifs.

Ayant ainsi purgé le corps électoral, la réaction pouvait s'attaquer à la presse, accusée des plus noirs desseins. La presse socialiste n'était-elle pas responsable des succès de la gauche aux élections ? Il fallait la réduire au silence. Rouher s'en chargea. La loi qu'il fit voter rétablissait le timbre, augmentait le cautionnement et les frais de publication. Il fallait être riche pour s'offrir le luxe de publier un journal, et riche aussi pour l'acheter. On condamnait les journaux pauvres, ceux qui survivaient grâce à des collaborations bénévoles. L'autorisation du préfet était nécessaire pour afficher les journaux dans les rues. Les articles publiés dans la presse devaient tous porter signature, pour qu'on puisse en poursuivre les responsables devant les tribunaux. Parallèlement, une législation répressive frappait les clubs, qui devaient fermer, et les théâtres, qui devaient solliciter, pour donner un spectacle, l'autorisation du ministre de l'Intérieur.

Une loi sur l'enseignement, préparée par le légitimiste Falloux, complétait l'arsenal réactionnaire : il s'agissait de préserver la jeunesse de toute influence des idées de gauche. A l'Assemblée, Montalembert expliquait pourquoi la loi Falloux allait « faire rentrer la religion dans l'éducation »... non pas pour tuer la raison, mais pour la régler, pour la discipliner, pour l'éclairer et pour l'épurer.

> « Il fallait, disait Montalembert, aider " le curé dans la défense de l'ordre ", contre l'instituteur qui rêvait de le troubler, en répandant les doctrines socialistes. »

Les instituteurs étaient vraiment les cibles du parti de l'ordre. Thiers voulait qu'on les licencie, il se disait prêt à abandonner l'enseignement primaire à l'Église, plutôt que de livrer la jeunesse aux « antisociaux ». Les catholiques libéraux, avec Montalembert et monseigneur Dupanloup, militaient pour la « liberté de l'enseignement », c'est-à-dire pour l'abandon par l'État de son monopole universitaire. Ils ne voulaient pas utiliser le monopole au seul profit de l'Église. La loi Falloux, du 15 mars 1850, donnait aux préfets le droit de nommer les instituteurs. Ceux-ci pouvaient être des religieux. L'enseignement devait être contrôlé par les autorités civiles et religieuses du département. Quiconque justifiait de certaines capacités pouvait ouvrir une école primaire. Tout bachelier pouvait ouvrir une école secondaire. Le Conseil supérieur de l'Instruction publique, ainsi que les conseils d'Académie étaient ouverts aux représentants du clergé.

La loi devait rendre au clergé la disposition de l'enseignement. Les frères des écoles chrétiennes reprenaient toutes leurs prérogatives dans le premier degré, où la loi Guizot les avait un moment menacés. L'Église ouvrait en peu de temps plus de 250 écoles secondaires. Plus de 600 instituteurs laïques étaient révoqués. Les écoles primaires religieuses qui recevaient 15 % des petits Français en

1850, en recevraient 15 ans plus tard 21 %. Pour les filles, la proportion serait de 55 contre 44. Dans le secondaire, les garçons, pour
près de la moitié, recevaient une éducation religieuse. Massivement,
la bourgeoisie retrouvait, pour ses enfants, le chemin des collèges
de jésuites, même si elle restait incroyante. Par peur de classe, elle
oubliait le vieil anticléricalisme. Seul l'enseignement supérieur
échappait encore à la contagion cléricale.

Le conflit du Président et des députés.

LES TROIS DROITES.

Assurée de sa domination en profondeur sur la société, la classe
dominante n'était guère satisfaite des incertitudes du climat politique. Les droites, la gauche une fois abattue, étaient plus que jamais
divisées : la droite légitimiste, par passion antiorléaniste, avait fait
voter républicain. Elle haïssait pêle-mêle les socialistes et les
chemins de fer, les banquiers du règne de Louis-Philippe et les
notaires anticléricaux. Elle ne défendait pas « la » société mais
« sa » société, l'ordre de Dieu, mais non l'ordre social. Si elle avait
finalement, et à contrecœur, rallié le parti de l'ordre, c'était
dans l'espoir d'une restauration conforme à ses vœux. Elle détestait autant Thiers que le Prince-Président. Rien n'était plus éloigné
d'elle que le cynisme et le « positivisme ». Elle voulait une politique
de l'idéal.

Les orléanistes se trouvaient réduits à l'optique d'Adolphe Thiers,
réaliste et malthusienne. Le petit homme à la bouillante ambition
n'avait pas renoncé à rétablir la monarchie. Mais il sentait qu'il
fallait gagner du temps, et laisser parader un moment le Bonaparte.
Les orléanistes étaient trop rendus responsables des désordres pour
qu'ils ne paient pas leur dette par le silence. Il fallait qu'ils se rallient
aux solutions d'ordre, même si elles étaient provisoires. La seule
droite qui soutînt sans arrière-pensée le Prince-Président était donc
la droite autoritaire, celle qui rêvait de plébiscites, de dictature et de
reprise en main de l'Assemblée. Les notables du parti de l'ordre,

très attachés à leurs libertés et au contrôle parlementaire, allaient entrer nécessairement en conflit avec le prince et ses amis, qui commençaient à songer à un coup d'État.

Les monarchistes ne pouvaient pas se mettre d'accord sur un candidat unique au trône. Les légitimistes tenaient ferme pour Henri V, comte de Chambord, héritier de Charles X. Les orléanistes, n'obtenant des partisans de Chambord aucune garantie, songeaient à présenter le prince de Joinville comme candidat aux prochaines élections présidentielles. Louis-Napoléon ne restait pas inactif : conscient de l'impopularité dans le pays de toute tentative de restauration, il remaniait son cabinet, et développait sa propre propagande. Il excluait du gouvernement les ministres orléanistes comiquement baptisés « Burgraves », et faisait entrer des amis sûrs, Rouher, Bineau, Achille Fould. Il faisait le tour de la France, se montrant dans toutes les villes, et surtout dans les régions industrielles, qu'il entendait rallier à sa personne. Il remettait des décorations dans les communes rurales, saisissait toutes les occasions de faire des déclarations en public, où il réaffirmait sa confiance dans le peuple et sa foi dans un ordre social qui ne soit pas celui de la droite réactionnaire, qui favorise le progrès. Les tournées en province lui permettaient de visiter méthodiquement l'ensemble du pays. Il donnait çà et là ses vues personnelles sur l'avenir politique. Il se prononçait pour un Exécutif fort, seul capable de mettre fin aux divisions, pour une limitation des pouvoirs du Parlement, qu'il ne manquait aucune occasion de discréditer. Il fallait, disait-il, une révision constitutionnelle. Le peuple serait consulté surtout par plébiscite.

> « La France, disait-il à Dijon, ne veut ni le retour à l'Ancien Régime, quelle que soit la forme qui le déguise, ni l'essai d'utopies funestes et impraticables. C'est parce que je suis l'adversaire de l'un et de l'autre qu'elle a placé sa confiance en moi. »

LE COUP DU 2 DÉCEMBRE.

Louis-Napoléon ne négligeait pas de donner à l'armée des signes d'attachement : en octobre 1850, à la Revue de Satory, la troupe avait crié : « Vive l'Empereur ! ». Changarnier, qui commandait, était ulcéré. Il devait tenter de réagir contre les symptômes évidents de *pronunciamiento*. Le Prince-Président le destituait aussitôt, applaudi par les officiers. Les monarchistes comprirent alors que l'armée était mûre pour un coup d'État. « L'Empire est fait », dit Thiers.

Quelques mesures démagogiques précipitèrent les événements. En novembre 1851, le Prince-Président proposait aux députés de rétablir le suffrage universel, amputé par la loi électorale. Les députés refusèrent, pour ne pas rendre le droit de vote aux ouvriers. L'Assemblée se trouvait ainsi discréditée, elle avait refusé de modifier la Constitution, pour rendre le Prince-Président rééligible. Elle tentait en vain d'obtenir le droit de requérir directement la force armée, pour lutter contre la menace de coup d'État. La majorité des députés avait voté contre ce projet, qui pouvait sauver le régime parlementaire. On était en pleine folie.

Un comité de fidèles préparait le coup d'État dans l'entourage du prince : Morny, son demi-frère, Persigny, le général de Saint-Arnaud, qui avait commandé en Afrique, et le préfet de police Maupas. La date fut fixée au 2 décembre, anniversaire d'Austerlitz. L'idée était d'arrêter d'un coup tous les députés de l'opposition, de neutraliser la garde nationale et les imprimeries, de lancer deux proclamations à l'armée et au peuple.

Le 1ᵉʳ décembre, on donna un grand bal à l'Élysée. Dans la nuit 30 000 soldats furent mis en place dans Paris, en particulier autour de la Chambre des députés. Thiers, Lamoricière, Cavaignac et Changarnier furent arrêtés. La proclamation du prince était affichée partout. Elle affirmait que le suffrage universel était « rétabli », et que l'état de siège était décrété. Le coup d'État se présentait comme une opération dirigée contre les parlementaires du parti de l'ordre. On proposait au peuple de demander au Prince-Président de préparer une nouvelle constitution.

LA RÉSISTANCE DANS LE PAYS.

La résistance ne put s'organiser : 250 parlementaires eurent à peine le temps de se réunir à la mairie du Xᵉ arrondissement pour proclamer la « déchéance » du Président de la République. Ils furent aussitôt arrêtés. Le 3 décembre, les députés républicains tentèrent de soulever les arrondissements de l'Est. Quelques barricades furent dressées, où devait trouver la mort le député Baudin. Mais Saint-Arnaud écrasa toute résistance. Dans la nuit du 4, Paris était soumis.

La province résista sporadiquement dans les régions industrielles et aussi dans les régions agricoles « rouges » comme les Basses-Alpes, la Creuse, l'Allier : trente-deux départements furent mis en état de siège. Cette opposition justifiait la répression. Les ouvriers avaient voté pour le prince : il fit arrêter les chefs républicains. Des commissions constituées dans chaque département se chargèrent de dresser les listes de suspects. 26 000 opposants furent arrêtés, 10 000 déportés, la plupart en Algérie. Il n'y avait plus de républicains en France. Victor Hugo, qui avait en vain protesté contre le coup d'État, partait pour l'exil où il devait rester dix-neuf ans.

Par plébiscite, Louis-Napoléon recevait le 20 décembre les pleins pouvoirs pour modifier la constitution. Près de 7 500 000 oui contre 640 000 non approuvaient le coup d'État. La IIᵉ République avait vécu.

LE NOUVEAU RÉGIME.

Dans toutes les couches de l'opinion publique, le résultat du plébiscite était accueilli avec soulagement. La Révolution de février 1848 n'était pas une simple révolte politique comme celle de 1830. Elle avait mis gravement en question l'ordre social, comme la Révolution de 1789 ne l'avait jamais osé, même en 1793. La propriété, la liberté, le libéralisme étaient les victimes désignées de l'insurrection populaire. A ce titre, la Révolution de 1848 pouvait passer pour la première révolte ouvrière, pour la répétition de la Commune de Paris. Car cette Révolution restait largement parisienne. Elle n'avait été suivie que faiblement en province, où la défense de l'ordre avait été plus facile. Il avait été relativement simple de braquer la province, éprise de paix sociale, contre l'agitation parisienne. Ce travail avait été accompli par la bourgeoisie des notables de la rue de Poitiers.

C'est aussi sur la province que s'était appuyé le Prince-Président, quand il avait songé à se débarrasser des « Burgraves ». Il savait bien que les orléanistes étaient pour lui des ennemis sans troupes parce que leurs troupes préféraient le pouvoir réel d'un chef populaire au pouvoir de carton de parlementaires discrédités.

Tout le jeu du prince avait été d'achever ce discrédit, de le répandre à la fois dans les milieux ouvriers de gauche et dans les campagnes du vieux pays. Il était ainsi l'élu des faubourgs et des villages. La France, lasse des parlementaires bavards, des vieilles familles et des récentes querelles, était mûre pour l'Empire.

Mais l'Empire avait modernisé ses couleurs. Il n'avait plus grand-chose à voir avec le monument de style gréco-romain édifié par le fondateur de la dynastie. Certes le prince se flattait de recevoir l'héritage du grand Napoléon, cela servait son prestige dans les campagnes et dans l'armée. Mais il fallait aussi conquérir les classes nouvelles, les gens d'affaires, de négoce, écartés des urnes par les grands bourgeois depuis trente ans. Il fallait rallier les cadres et même les troupes des entreprises industrielles. Cette clientèle était disponible. Elle n'avait pas de liens très solides avec les vieux notables du parti républicain. Elle ne souhaitait pas la restauration et détestait le désordre. Pour tous ces Français « réalistes », l'Empire n'était pas la résurgence du passé, mais la promesse d'une révolution en profondeur, celle qu'annonçait avant 1830 un prophète baroque, le comte de Saint-Simon : la révolution industrielle.

Enfin l'Empire pouvait se flatter de voler aux républicains leur clientèle populaire dans les milieux urbains. Le socialisme avait valu le bagne aux leaders ouvriers. La République avait apporté la ruine, le chômage, l'assistance précaire. L'Empire promettait la prospérité, l'activité et bientôt le droit de grève. L'Empire se voudrait social.

Il se disait aussi démocratique. Louis-Napoléon insistait sur les origines populaires du nouveau régime. Les notables républicains avaient truqué la consultation électorale. Les orléanistes préten-daient utiliser l'institution démocratique à leur profit. L'Empire se flattait de réaliser, par le plébiscite, le véritable avènement du suffrage universel, sans truquage.

Entre les intentions affichées et les réalités électorales il y avait, certes, un abîme. Les préfets de l'Empire sauraient mieux que ceux de la monarchie de Juillet manipuler un électorat singulièrement élargi. L'Empire inventerait des méthodes pour dominer le suffrage universel. Louis-Napoléon ferait preuve, à l'égard de la démocratie, du même cynisme que jadis son oncle avait manifesté à l'égard de l'Église. La France retrouvait Machiavel au pouvoir.

L'ambiguïté du « coup du 2 décembre » était évidente, il ne don-nait satisfaction à aucun parti mais donnait à chacun l'impression que son adversaire avait encore plus de raisons que lui d'être mécontent. Les républicains avaient été frappés, certes, mais le coup d'État avait d'abord discrédité les monarchistes. Ceux-ci avaient leurs chefs en prison et leurs cadres en exil, mais leurs troupes avaient la satisfaction de voir les républicains condamnés à la déportation en Algérie.

La neutralisation des oppositions était dans la corbeille du nouveau règne. Il y avait aussi la promesse d'un bond en avant de l'industrie, et d'un retour en force de la France sur la scène internationale. Après plus de trente-cinq ans de repli, ce n'était pas une mince consolation.

CHAPITRE 15

La révolution du Second Empire

A la révolution des hommes, celle de 1848, succède pendant vingt ans une profonde révolution des choses. L'homme qui s'installe au pouvoir, en 1852, sous un dais comiquement décoré à la mode de l'ancien Empire, surmonté d'un aigle gras aux plumes luisantes, n'a pas grand-chose de commun avec son oncle, en dehors du décor de son règne : de l'Empire, il hérite, en quelque sorte, du mobilier. Il n'a pas l'intention d'enfourcher le cheval d'Alexandre, ni de prendre le chemin de Moscou. Comme Louis-Philippe, le pays qu'il admire le plus au monde est l'Angleterre.

Car Louis-Napoléon Bonaparte est un homme sans préjugés, mais non sans éducation. A la brutalité militaire de l'oncle succède, aux Tuileries, l'élégant dandysme d'un héritier riche, qui n'a plus besoin de tirer l'épée pour se faire sa place. Il porte la barbiche, la moustache fine, il aime les chevaux anglais et prend le temps de faire la cour aux dames, ce qui, dit-on, n'était pas l'habitude du « grand » Napoléon.

Louis-Napoléon, en politique, a deux expériences : celle des livres et celle des conspirations. L'ancien carbonaro a utilisé les recettes de la vie clandestine et les amitiés des sociétés secrètes pour arriver au pouvoir. Chez les hommes, il estime au moins autant la fidélité que la compétence. Il n'a que faire des notables et des « hommes d'État », il préfère les hommes de main, ses compagnons.

L'Empereur a de la lecture, insolite, prophétique, philosophique. Emprisonné longtemps par Louis-Philippe au fort de Ham, « l'université de Ham » comme il dit, il a lu Saint-Simon, la littérature « sociale », les ouvrages positivistes. « La tête de Napoléon est une garenne où les idées se renouvellent comme les lapins », disait Palmerston. Ses maîtres ne sont pas Montesquieu et Rousseau, mais Auguste Comte et Saint-Simon. Il croit à la science et à l'organisation, parce qu'il

croit à l'avenir. En cela, il est vraiment l'homme de sa génération.
A peine au pouvoir, sans se préoccuper trop du décor politique, il
s'attache à réaliser ce dont rêvait Guizot : l'expansion de l'économie
et de la société. Mais au départ, il a jeté aux orties les craintes et les
préjugés de la vieille bourgeoisie française.

Le progrès dans l'ordre : 1852-1860.

LE DÉCOR POLITIQUE.

De la démocratie, il ne garde que la forme, le suffrage universel.
Après le coup du 2 décembre, la Constitution du 14 janvier 1852
enlevait tout espoir à une éventuelle restauration orléaniste. Un
Président de la République était élu pour dix ans au suffrage universel. De lui seul dépendaient le pouvoir exécutif et l'initiative
des lois.

Les trois assemblées mises en place étaient des monuments de
l'ancien Empire : le *Corps législatif* votait les lois, examinées par le
Sénat, qui devait les déclarer conformes ou non à la constitution.
Cent cinquante sénateurs étaient nommés à vie par le Président de
la République. Certains d'entre eux étaient des membres de droit.
Les solides traitements attribués aux sénateurs garantissaient le
régime contre toute velléité de critique ou d'opposition. Ils étaient
les pensionnés du règne.

Les députés du *Corps législatif* étaient élus pour six ans au suffrage universel. Ils votaient l'impôt et discutaient les projets de
lois du Président, qui nommait lui-même le président du Corps
législatif. Il fixait aussi la durée et la date d'ouverture des sessions.
Certaines mesures législatives, les *senatus consultes*, n'étaient pas
soumises à l'Assemblée. Elles étaient approuvées directement par
le Sénat. Les projets de loi soumis au Corps législatif n'étaient
susceptibles d'aucun amendement. Les débats n'étaient ni publics
ni publiés. Le gouvernement n'était responsable que devant le
Président de la République.

Une troisième assemblée, le *Conseil d'État*, avait un rôle purement technique : quarante ou cinquante conseillers préparaient les projets de lois soumis à l'approbation du Président, et les défendaient devant les deux autres assemblées.

Cette constitution était, en fait, impériale. Il suffisait de transformer le Président en *empereur* pour installer le nouveau régime. Quelques manifestations, des vœux plus ou moins spontanés émis par les conseils généraux suffirent à justifier l'organisation d'un *plébiscite* : un discours prononcé à Bordeaux devait rassurer l'Europe. « L'Empire, disait-il, c'est la paix. »

L'EMPIRE, C'EST L'ORDRE.

Le 21 novembre 1852, par 7 800 000 *oui* contre 250 000 *non* et 2 millions d'abstentions, l'Empire était accepté par le peuple français. Il était solennellement proclamé le 2 décembre, pour l'anniversaire du coup d'État. Napoléon III devenait, comme son oncle, *empereur des Français*.

Le but politique qu'il affichait à l'intérieur était la réconciliation dans l'ordre :

> « J'ai, comme l'Empereur, disait-il à Bordeaux, bien des conquêtes à faire. Je veux, comme lui, conquérir à la conciliation les partis dissidents et ramener dans le courant du grand fleuve populaire les dérivations hostiles qui vont se perdre sans profit pour personne. »

L'Empire s'installait ainsi dans une sorte de légitimité populaire, celle du plébiscite et du suffrage universel. Les opposants étaient présentés comme des marginaux, qui cherchaient, au profit d'intérêts particuliers, à mettre en question l'harmonie et le consensus national.

Le suffrage universel, dûment utilisé, était donc l'alibi de l'ordre nouveau. Le régime n'avait plus la mauvaise conscience du *cens*. Il n'avait pas à protéger les notables, qui étaient ses ennemis. Il se servait, pour les frapper, d'une référence constante à l'appel au peuple. Pourquoi maintenir en liberté les journaux des notables qui disaient tant de mal de l'empereur ? La presse était muselée par un régime de surveillance et de répression extrêmement strict (décret du 17 février 1852). Le Corps législatif n'avait aucun droit de contrôle du budget, qu'il devait voter en bloc, ministère par ministère. Le ministre de l'Intérieur, Persigny, organisait un système des « candidatures officielles ». Il fallait bien protéger le peuple contre la propagande insidieuse des notables. Il fallait qu'il reconnût tout de suite les « bons » candidats.

> « Comment huit millions d'électeurs, disait Persigny, pourraient-ils s'entendre pour distinguer entre tant de candidats recommandables à divers titres ? Il importe que le gouvernement éclaire à ce sujet les électeurs. »

Les préfets recevaient donc des instructions pour favoriser exclusivement la campagne des candidats du pouvoir. Ils avaient les affiches blanches, les mieux placées, leurs frais électoraux étaient pris en charge. La presse officielle, seule maîtresse du terrain, les soutenait.

Grâce à ces méthodes, les élections ne pouvaient apporter la moindre surprise. Le ministre de l'Intérieur en avait averti les préfets dans une circulaire célèbre : le gouvernement n'avait que faire de députés contestataires.

> « Le gouvernement, disait-il, ne se préoccupe pas des antécédents politiques des candidats qui acceptent avec franchise et sincérité le nouvel ordre des choses. Mais il vous demande en même temps de ne pas hésiter à prémunir les populations contre ceux dont les tendances connues ne seraient pas dans l'esprit des institutions nouvelles. »

Les élections, dans de telles conditions, ne pouvaient être que favorables à la majorité : les opposants étaient découragés. A droite, les légitimistes recommandaient l'abstention. Les comtes et les marquis de l'Ouest se retiraient dans leurs châteaux, abandonnant leurs fonctions publiques de maires ou de conseillers généraux. C'était, comme le dit René Rémond, une « troisième émigration ». Les militants républicains qui avaient échappé aux répressions successives avaient été déportés en Algérie. Il n'y eut, aux élections de 1852, que trois opposants élus, qui refusèrent de prêter serment. En 1857 ils étaient cinq, avec Jules Favre, Ernest Picard et Émile Ollivier. 65 % seulement des Français avaient voté, mais ceux-là avaient suivi les conseils des préfets.

Cette conception du suffrage universel aboutissait donc à la neutralisation de fait du Parlement : non seulement il gardait peu de pouvoirs, non seulement on lui retirait l'essentiel de son pouvoir législatif, mais ses membres étaient recrutés à la suite d'une formidable pression électorale. L'ordre politique ne supportait pas la moindre menace. Louis-Napoléon s'y connaissait en complots et en sociétés secrètes : il fit interdire les associations, sauf celles qui recevaient une autorisation du gouvernement. L'attentat d'Orsini, en janvier 1858, permit aux partisans de la fermeté d'accentuer encore la puissance de l'appareil répressif : une loi de *sûreté générale* donnait au gouvernement le pouvoir d'arrêter les opposants et de les déporter sans jugement.

L'ordre était ainsi assuré avec la plus grande vigueur, comme Guizot n'aurait pas osé le souhaiter. Il est vrai que Guizot n'était pas démocrate! Les vieux principes libéraux étaient mis à la fourrière, allègrement. Ils avaient trop servi le système des castes pour que les masses populaires les regrettent. Que l'Empire se voulût pleinement autoritaire réjouissait le cœur des foules : qu'ils fussent ouvriers ou paysans, les Français ne pleuraient pas sur les brimades que devaient subir les amis de M. Thiers, et s'ils avaient, comme disait Saint-Simon, « le cœur sensible », ils avaient oublié complètement, en 1860, les proscrits républicains de 1851.

L'EMPIRE, C'EST LA GUERRE.

Le prestige militaire des premières années du règne suffit à faire oublier la répression, en rendant à la France et à son armée un certain panache. L'empereur ne ménagea rien dans ce domaine : l'armée retrouva ses fanfares, ses bonnets à poil, et les nouveaux uniformes des « cent gardes » n'avaient rien à envier aux tenues de la « vieille garde » : même les officiers avaient des noms qui rappelaient les victoires.

Les victoires furent pourtant difficiles à obtenir : en Crimée, Napoléon III s'était assuré de l'alliance anglaise. Un corps expéditionnaire mixte s'y était engagé, sous prétexte — du côté français — de protéger les Lieux saints menacés par le tsar. La guerre dura deux ans et c'est la prise de Sébastopol par Mac-Mahon en 1856 qui permit de signer la paix de Paris : la mer Noire était neutralisée, l'Empire turc était garanti par les puissances européennes. Le nouveau règne sortait grandi de l'épreuve.

Plus dure encore fut la guerre d'Italie, plus spectaculaire aussi.

Les Français, une fois de plus, n'avaient pas de raison évidente de s'y rendre, mais l'empereur avait toujours nourri pour l'Italie l'amour des Bonaparte. En plus, il était convaincu que l'avenir de l'Europe passait par la formation des nouvelles nations. Il avait lu le *Mémorial de Sainte-Hélène*.

Une fois de plus, les Français déconseillaient au prince l'aventure transalpine. Un habile Piémontais, Cavour, sut le convaincre et trouva les moyens de l'émouvoir. L'unité italienne valait bien une intervention. Une alliance fut conclue entre la France et le royaume de Piémont-Sardaigne, à la suite de l'entrevue de Plombières entre Cavour et Napoléon. La guerre était déclarée à l'Autriche, puissance occupante en Italie.

La guerre fut brève (avril à juin 1859) mais extrêmement meurtrière. Mac-Mahon l'emporta à Magenta, plus difficilement à Solferino : 17 000 Français y laissèrent la vie. Le traité de Zurich, qui arrêtait les combats, donnait le Milanais au Piémont, mais l'Autriche gardait, avec la Vénétie, un pied en Italie. Il est vrai qu'un royaume de l'Italie du Nord se constituait bientôt autour du Piémont, avec la Toscane et l'Émilie. La France organisait, avec l'accord de Cavour, un plébiscite dans le comté de Nice et la Savoie. L'Italie n'avait pas encore réalisé son unité, mais la France avait perfectionné l'hexagone. Le prestige de l'Empire n'avait jamais été plus grand.

On se réjouissait, dans la presse officielle, de ce que la France avait enfin effacé la « honte » de 1815. De fait la diplomatie française avait été au centre de la paix européenne, au congrès de Paris, comme au traité de Zurich. On avait oublié depuis quarante ans que la France restait en Europe la principale puissance continentale, tant que les nouvelles nations n'étaient pas constituées. Le paradoxe est que l'Empire, avec sa politique des nationalités, allait faire la preuve du contraire.

La révolution des choses.

LES SAINT-SIMONIENS FONT SAUTER LA BANQUE.

C'est dans le domaine des affaires et de l'économie que se réalisait une révolution dont l'empereur était, il faut bien le dire, le complice. La guerre de Crimée, la brève intervention en Italie étaient coûteuses en hommes et rapportaient du prestige, mais elles n'engageaient pas le pays dans ses profondeurs. Les chemins de fer, au contraire, qui devaient se construire en dix ans, mobilisaient aussitôt l'ensemble des forces de la nation, et remuaient de fond en comble la vie quotidienne des Français.

Pour accomplir cette révolution, il fallait que les banques puissent réaliser, selon le mot des Péreire, le « suffrage universel des capitaux ». L'épargne, depuis 1848, était gelée. La baisse passagère de la rente avait terrorisé les petits porteurs. Mais l'Empire allait bénéficier de l'afflux régulier et massif de l'or australien et californien. La quantité de métaux en circulation serait en augmentation constante, provoquant une hausse continue des prix, stimulant toutes les entreprises pour longtemps. Pour débusquer l'or thésaurisé, il suffisait d'avoir les moyens de mettre en place un nouveau système bancaire, organisé pour l'investissement, et non, comme la vieille banque orléaniste, pour le profit familial à risque limité. Les Péreire, anciens employés du baron de Rothschild, avaient lu Saint-Simon. Avec Olindes Rodriguez, Enfantin et les autres disciples du « Père », ils étaient convaincus que la révolution industrielle, pour se développer, devait faire sauter la vieille banque.

Leur *Crédit mobilier*, créé en novembre 1852 grâce à l'aide de Napoléon III, devait apporter les capitaux énormes de la petite épargne aux grandes affaires du siècle : chemins de fer, navigation à vapeur, entreprises industrielles nouvelles. Pour les saint-simoniens, l'argent qui dort est coupable, le thésauriseur est un voleur. Le seul argent légitime est celui qui circule, qui crée de l'activité, du travail, de la vie. L'argent doit rapporter, non du profit seulement, mais de l'activité et du profit. Il faut renverser la malédiction du Moyen Age sur le prêt à intérêt. Le profit n'est pas maudit, s'il aide les hommes à mieux vivre.

Une loi du gouvernement permettant aux sociétés à responsabilité limitée de se constituer sans son autorisation fit qu'Henri Germain, homme d'affaires de Lyon, put créer en 1863 le *Crédit lyonnais*, qui devait largement dépasser le cadre régional pour devenir une grande banque d'affaires nationale. Depuis décembre 1852 le *Crédit foncier* consentait des prêts à long terme sur première hypothèque, qui devaient servir à financer, moins les travaux agricoles que les grands chantiers urbains. D'autres banques se constituaient dans le désordre, avides de jouer un rôle dans l'expansion formidable des affaires : la *Compagnie immobilière*, la *Société générale de crédit industriel*...

La haute banque orléaniste gardait, il est vrai, sa puissance et son crédit. La *banque Rothschild* par exemple, qui faisait aux Péreire une guerre acharnée dans le domaine des chemins de fer, la banque Fould, la banque Mallet... Le privilège de la *Banque de France*, qui restait la banque de l'État, était renouvelé en 1857. Elle avait pour mission de régulariser le marché monétaire. Le papier de l'État, depuis la guerre de Crimée, était directement placé dans le public, sans l'intermédiaire des guichets de la Haute Banque. C'était de loin la forme de placement la plus répandue chez les Français. En 1860 on calcule que 20 milliards d'investissements se sont portés en majorité sur le papier d'État, la rente à 5 % (9 milliards) et le chemin de fer (6,5 milliards), enfin, en dernière position, sur les valeurs industrielles. C'est une des caractéristiques du tempérament national : contrairement aux Anglo-Saxons, les épargnants français ont davantage confiance aux rentes de l'État qu'aux actions industrielles. Les Péreire et autres saint-simoniens n'ont pas pu modifier cet état d'esprit.

LE FAR-WEST FRANÇAIS.

Les chemins de fer devaient traduire, d'une manière spectaculaire, les affrontements d'une brutalité inouïe entre les groupes bancaires, à l'occasion de la construction du réseau. L'Empereur avait promis l'expansion dans son discours de Bordeaux :

> « Nous avons, disait-il, d'immenses territoires incultes à défricher, des routes à ouvrir, des ports à creuser, des rivières à rendre navigables, notre réseau de chemin de fer à terminer. »

En réalité, ce réseau allait être l'objet d'une attention vigilante de l'État, et d'une rivalité sans merci entre l'ancienne et la nouvelle banque.

L'empereur, en bon saint-simonien, voulait aussi « rectifier la géographie » en creusant des tunnels sous les montagnes, en lançant des ponts en fonte sur les fleuves. Il savait que le réseau français était très insuffisant, avec 4 000 kilomètres de rail en 1848. Il devait être doublé en cinq ans, quintuplé en dix-huit ans. Les locomotives très timides et peu sûres des débuts feraient place rapidement à des engins fonçant à 100 km/heure. Les usines Cail, à Paris, sortiraient pendant une certaine période une locomotive par jour! La France avait moins de 1 000 locomotives au début de l'Empire. Elle en aurait cinq fois plus à la fin. Pour aller de Paris à la Méditerranée, il fallait, avec le chemin de fer, seize heures de train, au lieu d'une semaine de diligence.

Ces résultats avaient été obtenus dans un climat de rivalité acharnée entre les Rothschild, qui exploitaient depuis la monarchie de Juillet le parcours le plus rentable : Calais-Lille-Paris, et les Péreire qui avaient dû se contenter de lignes d'intérêt mineur. Dans la bataille pour le contrôle du P.L.M. (Paris-Lyon-Marseille), les Rothschild avaient gagné, grâce à Paulin Talabot. Les Péreire avaient réussi à « enlever » le Paris-Toulouse, qu'ils avaient inauguré dans un style très américain : chacun des frères avait fait la moitié du parcours, juché sur une locomotive. La presse était convoquée au point de jonction, où ils se donnaient l'accolade sous les flons-flons... Le lancement du « grand central » qui devait « doubler » le P.L.M. à travers le Massif central avait donné lieu à une vaste opération publicitaire. Les Péreire avaient souscrit des actions dans tout Paris. Mais les difficultés techniques étaient telles que l'entreprise devait se révéler une bien mauvaise affaire.

Pour mobiliser l'épargne, et recueillir les capitaux nécessaires, les compagnies avaient émis un grand nombre d'obligations pour petits porteurs. En 1859 le gouvernement avait favorisé le regroupement des sociétés ferroviaires en six grandes compagnies : le Nord, entre les mains de James de Rothschild, la Compagnie d'Orléans, celle du P.L.M., les compagnies de l'Ouest, de l'Est et du Midi. Le tracé en étoile autour de Paris devait être achevé à la fin du règne. L'empereur inaugurerait lui-même le Paris-Strasbourg. Le Paris-Bayonne et le Paris-Marseille étaient en exploitation à la fin de l'Empire. Les Anglais pouvaient aller de Calais à Marseille par le train.

Les gares, appelées « embarcadères », allaient jouer désormais un rôle capital dans l'expansion urbaine. Construites généralement en lisière des villes, elles devenaient rapidement le centre de villes nouvelles. Les chemins de fer multipliaient les emplois : au siège des compagnies, dans les gares, sur le matériel roulant il fallait engager de nouveaux salariés, les former, les retenir. L'impulsion donnée à l'industrie métallurgique par la construction des voies et du matériel était déterminante. Mais les travaux publics avaient fait aussi un sérieux bond en avant. Certains travaux d'art avaient entraîné des innovations techniques décisives : le tunnel du Mont-Cenis, par exemple, dû à l'ingénieur savoyard Sommeiller, qui avait permis l'invention du marteau piqueur à air comprimé. La technique de réalisation des gros ouvrages en fonte avait fait des progrès remarquables grâce à la construction des gares et des viaducs. Enfin les rails du chemin de fer exigeaient la production de plus en plus massive d'acier, et non pas de fonte, entraînant la sidérurgie dans des voies nouvelles.

LA NOUVELLE CARTE INDUSTRIELLE.

La progression des machines à vapeur était dans tous les domaines considérable : dans l'industrie, le nombre des engins à vapeur devait passer, en vingt ans, de 5 000 à 28 000. Le nombre des navires fonctionnant à la vapeur allait seulement doubler, en raison de la concurrence toujours active des grands voiliers des lignes de l'Atlantique Nord, les « clippers », mais aussi en raison de l'absence de canaux interocéaniques. L'inauguration du canal de Suez, œuvre du saint-simonien Ferdinand de Lesseps, n'eut lieu qu'en 1869 seulement. Deux grandes compagnies de navigation s'étaient cependant créées en France, la *Compagnie générale transatlantique*, fondée par les Péreire, qui concurrençait la Cunard Line vers l'Ouest américain, et les compagnies de Hambourg vers les pays de la Baltique — les *Messageries maritimes* qui travaillaient pour l'Orient et l'Extrême-Orient à partir de Marseille, puis de Bordeaux.

Les ports avaient été l'objet d'investissements massifs : ils étaient à la fois l'aboutissement des nouvelles lignes de chemin de fer et le point de départ des grosses unités de la nouvelle flotte à vapeur, dont les tonnages s'accroissaient rapidement, en même temps que le tirant d'eau : le tonnage moyen était de 148 tonneaux en 1820, il était en 1870 de 317. Les paquebots de l'Atlantique Nord dépassaient 3 000 tonnes. Tous les grands ports furent modernisés ; pourvus de bassins plus profonds, de môles plus étirés, de matériels de levage efficaces, souvent mus par la vapeur. Marseille, Bordeaux, mais surtout Le Havre, Dunkerque et Saint-Nazaire furent préparés à leur mission internationale. En fin de règne, c'était chose faite.

Le développement de la vapeur avait bouleversé toutes les vieilles industries. Le textile était en 1848 l'essentiel de l'activité. La mécanisation devait y faire des progrès constants dans les centres cotonniers d'Alsace et de Normandie, dans la soierie lyonnaise et même dans la laine, malgré la subsistance des habitudes artisanales, et le maintien assez large du travail à domicile dans les régions rurales.

Quelle que fût la puissance des groupes textiles français en 1870, ils n'étaient pas le secteur le plus dynamique de l'activité industrielle. Sainte-Claire Deville avait inventé en 1854 le traitement de la bauxite, l'industrie de l'aluminium. On savait fabriquer le sodium en grandes quantités. On explorait de plus en plus vite le domaine encore mystérieux de l'électricité. Déjà le télégraphe électrique avait pu être ouvert au public. L'invention du procédé Bessemer, en 1856, permit de quadrupler très rapidement la production d'acier, de tripler la production de fonte.

Les progrès de l'industrie se faisaient sentir, même dans l'agriculture : grâce au chemin de fer, les paysans en surnombre sur les terres gagnaient facilement les villes.

A la campagne, la tendance était au regroupement des terres, dont la valeur augmentait. Les ouvriers agricoles étaient moins nombreux, leur salaire s'accroissait de près de moitié. Les grands propriétaires, devant la hausse continue des prix agricoles, pouvaient se permettre d'investir. Ils achetaient du matériel moderne, des charrues de Fowler, toutes en fer, des batteuses à vapeur, des moissonneuses Mac Cormick et des engrais naturels comme le nitrate du Pérou, ou artificiels comme le phosphate de chaux.

Napoléon III se préoccupait d'accroître les surfaces utiles, en faisant drainer la Sologne, en asséchant les Dombes et la Brenne. Jamais les travaux agricoles d'importance nationale n'avaient atteint une telle ampleur. Dans les Landes, on fixait les dunes pour planter la magnifique forêt de pins. La France prenait peu à peu son visage actuel. Une singulière révolution affectait aussi les paysages.

Le Languedoc se couvrait de vignes, en raison de la tendance à la monoculture, développée par le chemin de fer. La betterave sucrière gagnait toutes les plaines du Nord et l'industrie du sucre n'avait jamais été aussi prospère. Les villes s'entouraient d'une ceinture de cultures maraîchères. Des régions entières se spécialisaient dans l'élevage, la Normandie, le Charolais, le Morvan. La culture des céréales devenait industrielle dans les plaines du Nord et du Bassin parisien. Le seigle était abandonné au profit du blé ou du froment.

La vie s'améliorait dans les campagnes, où les villages n'étaient plus des centres de production isolés. Grâce aux gares proches, au développement des routes et des chemins vicinaux, le grand commerce pouvait y faire parvenir ses produits. On commençait à couvrir les maisons rurales de tuiles, partout où il y avait encore du chaume. On achetait des meubles, on équilibrait l'alimentation en consommant moins de céréales, plus de viande, en buvant du vin. Le paysan commençait à devenir un consommateur. On pouvait lui vendre les textiles et les objets manufacturés des villes.

AU BONHEUR DES DAMES.

L'accroissement du commerce était général, mais une innovation devait marquer profondément les mentalités : celle des « grands magasins ». Zola décrivait, dans *Au bonheur des dames*, cette croissance irrésistible des grands ensembles qui décimaient les « boutiques ». Le Printemps, le Louvre, la Samaritaine, le Bon-Marché, la Belle-Jardinière sont des créations du Second Empire. Un parc de voitures impressionnant, une véritable armée de cochers, de palefreniers, de vendeurs, de manutentionnaires s'agitait tous les jours dans chacune de ces ruches. Dans les nouveaux « rayons », tenus par des employés, les clients pouvaient trouver au meilleur prix la quasi-totalité des produits fabriqués en France.

Napoléon III se préoccupait lui-même de faire connaître les produits français au public étranger en organisant de grandes « expositions universelles » à Paris. Celle de 1855, qui reçut plus de cinq millions de visiteurs, avait révélé au public les lingots d'aluminium de Sainte-Claire Deville. Celle de 1867 au Champ-de-Mars, qui accueillit plus de onze millions de personnes, présentait les dernières innovations techniques, comme par exemple les machines à air comprimé.

L'empereur, en matière commerciale, était un libéral. Il pensait que l'abolition des frontières douanières ne pouvait que servir, en l'accélérant, le progrès industriel, et parfaire le mouvement de concentration des entreprises. Dans cet esprit, le traité de libre échange signé en 1860 avec la Grande-Bretagne avait été très soutenu par l'opinion saint-simonienne, qui voulait que la concurrence éclate, et que le meilleur gagne. Michel Chevalier du côté français, Richard Cobden pour l'Angleterre avaient négocié l'accord : les marchandises anglaises ne seraient plus prohibées en France. Elles seraient seulement taxées, selon un tarif décroissant dans le temps. Les produits français, et notamment les vins, seraient admis en franchise dans les ports anglais. D'autres traités, analogues dans leur esprit, devaient être conclus avec la Belgique, l'Allemagne, l'Italie et les autres nations européennes. Le pacte colonial était aboli. La France abordait l'âge industriel les mains nues.

L'AGE D'OR DE L'IMMOBILIER.

Le mouvement de la société française était plus lent que celui de l'économie : la stabilité des masses rurales était remarquable. Malgré les chemins de fer, 69 % des Français restaient des ruraux à la fin de l'Empire. L'industrie ne touchait, numériquement, qu'une minorité de la nation et non, comme en Angleterre, une majorité. L'enrichissement n'avait pas encore comme conséquence le gonflement des classes moyennes.

Certes la spéculation tentait tous les bourgeois, petits et grands, mais elle profitait surtout aux grands. Et cependant le Second Empire fut l'âge d'or des hommes nouveaux, des agitateurs, des nouveaux riches de la bourse, du rail et de l'immobilier.

La spéculation immobilière favorisait les fortunes rapides. On construisait beaucoup dans les villes, à Lyon, à Marseille, à Lille. Ces villes gardent encore leur physionomie de l'époque. La rue Paradis à Marseille, comme l'avenue Foch à Paris, date du Second Empire.

Mais c'est surtout le Paris du baron Haussmann qui allait devenir un gigantesque chantier, grâce au Crédit foncier qui finançait les travaux. Deux axes étaient créés : l'un, Nord-Sud, de la gare de l'Est à l'Observatoire, par les boulevards de Sébastopol et Saint-Michel — l'autre Est-Ouest, de la Nation à l'Étoile, par le faubourg Saint-Antoine, la rue de Rivoli, l'avenue des Champs-Élysées, était doublé sur la rive gauche par le boulevard Saint-Germain. Les Grands Boulevards ceinturaient Paris, avec de larges carrefours, comme celui de l'Opéra, qui, en cas de besoin, pouvaient permettre aux troupes de manœuvrer facilement dans la capitale. Des bois étaient créés en périphérie, bois de Boulogne et bois de Vincennes. On bâtissait le théâtre de l'Opéra, on dégageait les monuments anciens comme Notre-Dame, on les restaurait à l'instigation de Viollet-le-Duc.

Dans la ville de Paris, les « grandes familles » prenaient l'habitude de se fixer dans les « beaux quartiers » de l'Ouest. Les villages d'Auteuil, de Passy, les abords du Trocadéro se construisaient à toute allure. Les ouvriers se réfugiaient sur les hauteurs de Belleville et de Ménilmontant, dans tous les quartiers de l'Est, dans la plaine des Batignoles au Nord, dans la plaine de Grenelle au Sud-Ouest. Aux vieux quartiers et aux anciens faubourgs, toujours habités par les artisans parisiens, s'opposaient désormais les quartiers neufs des mécanos des barrières.

CLASSES DOULOUREUSES ET CASTES TRIOMPHANTES.

La condition des ouvriers s'était partiellement améliorée sous l'Empire : les ouvriers spécialisés parisiens avaient vu leur salaire s'accroître de près d'un quart. Il est vrai que la hausse générale des prix annulait l'augmentation purement nominale des salaires. La hausse des loyers dans le centre de Paris avait rejeté les ouvriers dans les quartiers éloignés des lieux de travail. La ségrégation sociale commençait.

L'ouvrier du Second Empire qui travaillait à plein temps et gagnait des heures supplémentaires était un homme mieux nourri, mieux habillé, plus heureux, que son « ancêtre » de la monarchie de Juillet. Le mode de vie avait changé. Les Parisiens avaient plus de distractions et des moyens de transport plus pratiques. Mais la part du profit était infiniment plus grande.

La société bourgeoise avait presque complètement absorbé l'ancienne société aristocratique. Les filles des banquiers commençaient à épouser les ducs. Le profit nivelait les hautes classes, comme il avait exilé les pauvres. La « fête » parisienne, que Zola décrit dans ses romans et qu'il appelle la « haute noce », déroulait ses fastes de l'Opéra au palais des Tuileries, des hôtels particuliers de la « nouvelle Athènes » (l'ancien quartier de Pigalle, alors habité par les banquiers et les artistes) aux riches calèches de l'avenue du Bois, aux petits palais des grandes « cocottes ». La Païva n'avait-elle pas pignon sur rue aux Champs-Élysées ? Théophile Gautier, et tout ce que Paris comptait de gens illustres, ne se précipitait-il pas dans son salon, où son image, nue, était peinte au plafond par Baudry ? L'élite allait jadis chez les duchesses. Sous l'Empire, elle se précipitait chez les cocottes.

Zola pourfendait, sous la République, la haute société de l'Empire, qui condamnait très vertement Baudelaire, pour *Les Fleurs du Mal*, et Flaubert, pour *Madame Bovary*, à des dommages et intérêts. N'avaient-ils pas, par leurs fictions immorales, causé du tort à la société ? La noce parisienne échevelée n'empêchait pas les procureurs de condamner les artistes, ni la foule des badauds parisiens de conspuer les toiles de Manet. N'avait-il pas eu l'audace, avec l'*Olympia*, de présenter, au lieu d'une déesse nue, une sorte de domestique indécente ? Dans son *Déjeuner sur l'herbe*, n'avait-il pas déshabillé entièrement l'une des invitées, les autres restant vêtus ? Que signifiait cette mascarade, sinon une incitation à la débauche ? L' « art vivant » de Courbet ne trouvait pas davantage grâce devant les critiques. On le trouvait trop « peuple », trop « vulgaire ». *L'Enterrement à Ornans* paraissait triste, le portrait de « son ami » Proudhon, inquiétant. L'époque aimait à voir construire, près des gares, de grandes églises en fonte pour les ouvriers. Elle n'aimait pas que l'art inquiète. Il devait rassurer, comme les toiles un peu tristes de Millet ou les tableaux de la vie mondaine de Constantin Guys.

L'Empire, qui voulait la paix, voulait aussi la paix sociale. Il comptait beaucoup sur l'Église pour apaiser les ouvriers :

> « Je veux conquérir à la religion, disait Napoléon III dans le discours de Bordeaux, à la morale, à l'aisance, cette partie encore si nombreuse de la population qui, au milieu d'un pays de foi et de croyance, connaît à peine les préceptes du Christ. »

Napoléon devait être déçu : dans les années 60, l'Église lui fit défaut : sa politique italienne, qui isolait le pape devant les nationalistes unitaires, mécontentait les catholiques. Peu à peu le Piémont avait annexé toute l'Italie, y compris les États du pape. L'empereur avait beau écrire sous pseudonyme des libelles de justification, personne ne voulait l'entendre : « plus le territoire sera petit, disait-il, plus le souvenir sera grand », mais le pape n'appréciait pas le soin qu'il prenait de ses affaires. Les ultramontains de France soutenaient le pape contre l'empereur. Louis Veuillot critiquait âprement, dans *L'Univers*, la politique romaine du régime.

Le patronat catholique, qui pratiquait à l'égard de ses ouvriers une politique sociale de paternalisme, avait très mal accueilli le traité libre-échangiste, qui obligeait la France à chercher une compétitivité plus grande devant l'Angleterre concurrente. Ni l'Église ni le patronat ne soutenaient plus le règne. Ils étaient à la recherche d'une autre solution politique, qui garantît à la fois l'ordre et leurs intérêts. Napoléon III devait se chercher de nouveaux alliés parmi les classes nouvelles, spontanément anticléricales : les ouvriers, les cadres, les commerçants, les employés. Pour se gagner cette clientèle, il devait libéraliser le régime.

Vers l'Empire parlementaire : 1860-1870.

LE DIALOGUE DU POUVOIR ET DE L'OPPOSITION.

L'Empire ne pouvait longtemps subsister sur des bases autoritaires. Il fallait qu'il recherche une assise politique solide, soit en s'ouvrant aux « nouvelles couches » de la société industrielle, soit en se libéralisant pour admettre l'opposition « libérale », c'est-à-dire bourgeoise, celle des notables longtemps jetés en prison ou condamnés au silence.

L'Empire « libéral » fut inauguré par une petite phrase prononcée par l'empereur lui-même, en novembre 1860 : il admettait que le Sénat et le Corps législatif pussent voter tous les ans une *adresse* sur l'ensemble de la politique du gouvernement. Cette adresse à l'empereur risquait de devenir un événement, puisqu'elle permettrait au Parlement de s'exprimer. En outre, le Corps législatif recevait le droit d'amendement.

C'était rendre du prestige au Parlement et faire un premier pas vers un Empire parlementaire. Le *Journal officiel* devait publier *in extenso* le compte rendu des séances parlementaires. En 1861 on décidait de faire voter le budget de chaque ministère par secteur, au lieu de le présenter en bloc. Ainsi les députés auraient-ils plus de facilités de contrôle et d'intervention dans les projets du gouvernement. Ils avaient le pouvoir de surveiller efficacement les dépenses de l'État.

Un parti d'opposition se constituait aussitôt. Il s'appelait l'*Union libérale*. D'anciens notables orléanistes et de jeunes républicains, souvent de profession libérale, faisaient des actes du pouvoir une critique vigilante. Aux élections de 1863 l'Union libérale eut 32 députés élus, avec 2 millions de voix, contre 5 millions pour les « candidats officiels ». Ce n'était pas un mince résultat. En quelques mois, l'opposition des notables avait prouvé qu'elle existait dans le pays. Parmi les 32 élus, la moitié étaient des républicains modérés, les autres, comme Thiers ou Berryer, étaient des royalistes.

Aussitôt élu, Thiers réclamait avec éloquence les « libertés nécessaires » : liberté « individuelle », liberté de la presse, liberté « électorale » : il ne faut pas, disait-il, que le gouvernement « puisse dicter les choix et imposer sa volonté dans les élections ». Il demandait le droit d'interpeller les ministres au Parlement et souhaitait qu'un véritable régime parlementaire fût instauré, avec responsabilité du gouvernement devant le Corps législatif.

Le discours de Thiers eut un énorme retentissement. Mais les temps n'étaient pas mûrs pour l'établissement d'un Empire libéral. Le pouvoir continuait à rechercher une clientèle élargie sur sa gauche. Dans ce but, un *Tiers-Parti*, dirigé par Émile Ollivier, s'efforçait de canaliser les suffrages des mécontents qui voulaient changer la politique, mais non le régime. Ce Tiers-Parti, également libéral, aurait 63 députés au Parlement, qui demanderaient des réformes. Ils étaient en concurrence avec les élus de l'Union libérale, qui, en 1865, avaient adopté à Nancy un programme commun de décentralisation et de liberté. Ce programme était approuvé par des notables républicains comme Carnot ou Jules Simon et par des monarchistes comme Falloux, Berryer et Montalembert. Les oppositions de droite se rejoignaient contre le régime.

LE POUVOIR JOUE LA CARTE SYNDICALE.

Napoléon III n'était pas soucieux de donner trop vite satisfaction aux notables libéraux. Par contre il cherchait par tous les moyens à rallier les ouvriers. Déjà, en 1862, il avait facilité le voyage à Londres d'une délégation de 183 représentants des métiers parisiens à l'exposition industrielle. Certains d'entre eux, comme

Tolain, avaient une grande expérience des luttes ouvrières. Ils connaissaient les œuvres de Proudhon et des autres écrivains socialistes. Leur voyage à Londres leur permit d'étudier sur place le fonctionnement du syndicalisme libéral à l'anglaise, le trade-unionisme, qu'ils souhaitaient acclimater en France.

Napoléon III connaissait aussi l'Angleterre et ses mœurs politiques. Il avait remarqué, en 1863, que les ouvriers avaient fait voter, en France, pour l'opposition à l'Empire. Il savait qu'il devait détacher très vite la classe ouvrière des notables libéraux, sous peine de voir se gonfler l'électorat de l'opposition aux prochaines élections. Une bataille de vitesse s'engageait.

En février 1864, les anciens délégués à Londres publièrent le *Manifeste des soixante*, qui demandait les libertés syndicales. Elles furent partiellement accordées par la loi du 24 mai 1864 : les ouvriers avaient le droit de grève. Ils n'avaient pas encore le droit d'association.

Cette mesure partielle suffirait-elle à provoquer le ralliement électoral de la classe ouvrière ? En 1864 fut fondée la *Première Internationale*. En liaison avec le *Comité permanent* installé à Londres, et influencées en partie par Karl Marx, des sections nationales furent créées partout. Tolain organisa la section française. Elle eut vite plus de 3 000 adhérents, avec des bourgeois comme Jules Simon : les républicains noyautaient. Mais ils se heurtaient à des leaders très durs comme Vallès et Longuet, qui détestaient le réformisme bourgeois. La section française, sous l'influence de cette aile « dure », prit rapidement position sur le terrain politique, décourageant à la fois les républicains réformistes et la politique officielle d'ouverture : les syndicalistes condamnaient les lois militaires et les armées permanentes. Ils critiquaient l'intervention française en Italie. Le ralliement de la classe ouvrière n'était pas pour demain. En 1868 la Section française de l'Internationale était dissoute.

LES POINTS « NOIRS » A L'EXTÉRIEUR.

La politique extérieure aventureuse allait empêcher le ralliement des notables libéraux. Thiers serait dans ce domaine le plus sévère des censeurs pour l'Empire.

En Italie, Napoléon III ne pouvait laisser les Piémontais envahir les États du pape sans protester. Il envoya un corps expéditionnaire qui battit les volontaires garibaldiens à Montana en 1867. Il se fâchait ainsi avec les nationalistes italiens sans se réconcilier pour autant avec les catholiques, qui le rendaient responsable du gâchis italien. Thiers et les notables ne manquaient pas de souligner les flagrantes contradictions de la politique italienne.

Ils s'emportaient aussi, avec de beaux effets de tribune, contre les aléas de la politique d'intervention armée au Mexique, imprudemment décidée par l'empereur. On avait dépensé plus de 300 millions et perdu 6 000 hommes pour mettre sur le trône du Mexique un autrichien, Maximilien. L'expédition, qui avait pour but déclaré de recouvrer au Mexique une lourde créance française, sentait l'affairisme. Bazaine, qui commandait l'armée, avait failli déclencher, à la mode du pays, un *pronunciamiento*. En définitive, Maximilien était mort fusillé par les troupes du chef mexicain nationaliste Juarez. Les Français avaient dû rembarquer dans la confusion.

Le prestige international de l'empereur ne cessait de s'amoindrir. Il avait laissé, en 1866, la Prusse battre l'Autriche à Sadowa sans intervenir. La présence d'une grande Prusse sur le Rhin devenait une menace pour la France. L'unité allemande risquait de se faire contre nous. Napoléon III avait soutenu en Europe, conformément au *Mémorial de Sainte-Hélène*, le principe des nationalités. Et voici que les jeunes nations, à peine nées, devenaient ennemies.

Ces déconvenues, qui attiraient au pouvoir des critiques de plus en plus vives, donnaient à l'empereur le sentiment que, pour désarmer l'opposition intérieure, il fallait aller plus avant dans le sens des réformes. L'Empire avait donc tendance à se libéraliser sous le poids des défaites, des mécomptes, des déconvenues.

Pourtant la politique étrangère ne manquait pas de motifs de satisfaction, mais ils étaient mal exploités par le pouvoir, tandis que les échecs étaient admirablement mis en relief par les ténors de l'opposition. L'Empire, sous l'impulsion de l'habile Rouher, avait reconstitué un domaine colonial qui n'était pas négligeable. Gouverneur du Sénégal de 1854 à 1865, Faidherbe avait conquis tout le pays, jetant là les bases solides d'une future expansion. Une expédition en Chine avait permis au général Cousin-Montauban d'imposer aux Chinois le traité de Tien Tsin qui ouvrait au commerce français sept grands ports. La marine avait fait, en 1867, la conquête de la Cochinchine et obtenu du roi du Cambodge la signature d'un traité de protectorat.

La politique menée en Égypte avait permis à Ferdinand de Lesseps de mener à bien la percée du canal, qui devait être inauguré en 1869. Les Français possédaient plus de la moitié des actions de la compagnie. Une possibilité d'influence française en Méditerranée se précisait, avec comme points d'appui l'Égypte, l'Algérie durement maintenue dans l'obéissance, et des Lieux saints. Par Suez, la France s'ouvrait la route de l'Extrême-Orient où elle avait acquis, conjointement avec l'Angleterre, de bonnes positions commerciales. Ce que l'empereur avait raté au Mexique, il l'avait réussi en Méditerranée : Marseille devait être la grande bénéficiaire de cette politique.

UN NOUVEAU TRAIN DE RÉFORMES.

En 1868, ces bienfaits semblaient minces, en regard des échecs manifestes essuyés ailleurs. Quand l'empereur consentit à donner au Parlement le droit d'interpellation, en janvier 1867, cette mesure fut ressentie et commentée comme une preuve de faiblesse. La loi sur la presse de 1868, qui supprimait la demande d'autorisation préalable et réduisait le droit de timbre, ne fut pas mieux accueillie. L'opposition y vit seulement l'occasion de développer sa propagande politique. Enfin la loi sur les réunions publiques, promulguée la même année, permettait en fait aux partis de se reconstituer, aux notables de récupérer toute leur influence sur leurs troupes. De nouveau l'argent dominerait la presse, et les châteaux la politique. L'Empire était-il tombé si bas ?

En réalité l'espoir et le calcul du régime résidaient dans l'attitude des « nouvelles couches sociales » qui profitaient du bien-être et de l'enrichissement. Celles-là, normalement, devaient soutenir l'Empire. Elles étaient acquises à une politique de progrès, de paix sociale. En réalité, elles pouvaient être aussi bien favorables à un Empire libéral qu'à une République d'ordre. Elles étaient une clientèle disponible. Les républicains le savaient.

L'opposition républicaine était essentiellement une affaire de presse : l'ensemble des journaux républicains totalisait en 1869 le chiffre, énorme pour l'époque, de 100 000 exemplaires. Les frères Hugo publiaient *Le Rappel*, l'avocat Jules Ferry dirigeait *L'Éclaireur*, Delescluzes *Le Réveil ; La Lanterne*, du polémiste Rochefort, était fort lue, car fort insolente. *Le Réveil* avait osé lancer une souscription pour élever un monument à la mémoire du député Baudin, mort « pour vingt-cinq francs » sur les barricades

du 2 décembre. Le défenseur du *Réveil*, poursuivi en correction-
nelle, s'appelait Gambetta. Tous les tempéraments littéraires et
politiques de la nouvelle génération se retrouvaient dans les feuilles
républicaines de la fin de l'Empire. Tous ces jeunes adoptaient
la boutade de Rochefort :

> « Comme bonapartiste, je préfère Napoléon II, c'est mon
> droit ! »

Les républicains avaient formulé, avant les élections de 1869,
le célèbre *Programme de Belleville* : celui-ci dosait très habilement
les revendications purement libérales : liberté individuelle, liberté
totale de la presse, application honnête du suffrage universel, droit
d'association et de réunion, instruction gratuite, séparation de
l'Église et de l'État — avec des revendications inspirées par les
jeunes chefs du mouvement ouvrier : par exemple la suppression
des armées permanentes et l'élaboration d'une fiscalité sociale.
L'interdiction par le pouvoir de la Section française de l'Internationale avait rejeté les ouvriers vers les républicains. Inversement,
la multiplication des grèves sanglantes décrites dans *Germinal*,
devait faire des jeunes avocats républicains les défenseurs naturels
des grévistes. Les républicains prendraient ainsi en charge la
revendication pour le droit syndical. L'ouverture de l'Empire aux
notables était un échec, comme la tentative de ralliement des
ouvriers.

LE DERNIER SUCCÈS DU RÉGIME.

Les élections de 1869 furent défavorables à l'Empire : les partisans du régime étaient 500 000 de moins (4,5 millions au lieu de 5).
Les opposants réunissaient 3 300 000 suffrages. Il y avait une
trentaine de républicains et 40 libéraux d'opposition. Les « inconditionnels » de l'Empire, que l'on appelait encore les « Mame-
lucks », étaient une centaine seulement, les libéraux dynastiques du
Tiers-Parti constituaient une autre centaine. Les républicains
étaient essentiellement les élus des grandes villes, Paris, Marseille,
Lille. Les campagnes avaient, une fois de plus, voté pour l'ordre.

A la suite de ce scrutin, les fondateurs de l'Empire estimaient
qu'ils devaient passer la main ; « quant aux hommes du 2 décembre,
comme moi, disait Persigny, leur rôle est fini ». Le 2 janvier 1870,

l'empereur appelait au pouvoir le chef du Tiers-Parti, Émile Ollivier.

Avec Ollivier, le régime avait trouvé en son sein un réformateur possible. Le « rouhernement », ou gouvernement de Rouher, prenait fin. Un nouveau train de réformes poussait plus loin la libéralisation : le Corps législatif recevait le droit d'élire son bureau et son président. Il avait l'initiative des lois, votait le budget par chapitres, élargissait encore son droit d'amendement. Le gouvernement pourrait être composé de ministres choisis parmi les députés. Ollivier voulait qu'il fût directement responsable devant la Chambre. Napoléon III refusa cette ultime étape de la réalisation d'un véritable régime parlementaire, mais il laissa Émile Ollivier constituer librement son cabinet, se réservant seulement la désignation des ministres de la Guerre et de la Marine.

Une nouvelle étape dans la voie de la libéralisation du régime fut franchie en avril 1870 : par *senatus consulte* l'empereur faisait du Sénat une véritable assemblée parlementaire, perdant son pouvoir constituant.

> « La Constitution, était-il précisé, ne peut être modifiée que par le peuple, sur la proposition de l'empereur. »

Le Sénat n'avait plus qu'un simple pouvoir de contrôle législatif. Il cessait d'être le gardien des destinées du régime.

L'empereur s'était engagé à consulter le pays, par voie de plébiscite, sur l'ensemble des mesures de libéralisation. Le choix de cette voie populaire impliquait en fait que Napoléon III voulait retrouver sa légitimité devant les urnes.

Les républicains ne s'y trompèrent pas. Ils se lancèrent à corps perdu dans une vigoureuse campagne contre le régime. Les notables libéraux, au début de 1870, ne les suivaient plus guère : ils avaient trop peur de la poussée révolutionnaire. L'Empire sortait vainqueur de la consultation avec 7 300 000 voix contre 1 570 000 à l'opposition et plus de 2 000 000 d'abstentions. Une fois de plus l'opposition n'avait rallié que les suffrages des grandes villes. Les campagnes fidèles avaient plébiscité l'Empire. Il se trouvait, selon le mot de Gambetta, « fondé une seconde fois ». La défaite allait l'emporter.

UN RÉGIME ENTRAÎNÉ A LA GUERRE.

La France était mal préparée à une véritable guerre européenne. La Prusse était devenue une grande puissance militaire, grâce aux canons Krupp et aux chemins de fer. Elle l'avait emporté facilement sur l'Autriche à Sadowa. L'armée active de 800 000 hommes bien entraînés dont disposait le roi de Prusse était très supérieure à n'importe laquelle des armées européennes.

La France ne pouvait aligner que 300 000 hommes. La loi Niel, votée en 1868 par le Corps législatif avec de sensibles atténuations, s'efforçait d'établir un service militaire de neuf ans par tirage au sort, avec une réserve de quatre ans. On levait chaque année 80 000 hommes, ce qui donnerait à la France, en année de paix, une armée théorique de 500 000 hommes, avec une réserve de 300 000. Les « bons numéros » pourraient être levés en cas de besoin dans la garde mobile. Celle-ci ne devait jamais être sérieusement organisée.

Les seuls éléments favorables de l'armée française étaient l'armement : le nouveau fusil se chargeant par la culasse, le chassepot, et la première mitrailleuse. Mais l'artillerie était inférieure à celle des Allemands et la logistique était très insuffisante.

Surtout, la Prusse avait un moral extraordinaire, et les autres pays allemands qui la rejoindraient dans le combat avaient conscience de mener une lutte « nationale » pour la constitution d'une nation rassemblée.

Bismarck avait fort bien utilisé dans l'opinion allemande les demandes de médiation formulées par Napoléon III lors du conflit avec l'Autriche. L'empereur des Français voulait faire payer sa neutralité par la session de terres allemandes ; il voulait, sur la rive gauche du Rhin, le Palatinat, territoire bavarois. Il convoitait le Luxembourg, et promettait en échange à Bismarck de tolérer l'annexion des États du Sud de l'Allemagne. Mis au courant du marchandage, ces États s'empressèrent de s'entendre avec la Prusse. Bismarck avait fort bien su réveiller un climat patriotique très hostile aux Français.

Dès lors, l'occasion du conflit était de peu d'importance : la Prusse s'y était préparée, aussi bien sur le plan militaire que sur le terrain politique. Le prince Léopold de Hohenzollern était candidat au trône d'Espagne, qui était vacant. Le 3 juillet 1870, en dépit de l'hostilité de la France, Bismarck avait fait reconnaître officiellement cette candidature par l'Europe. La presse française trouvait alors à son tour des accents guerriers. Mais le gouvernement Ollivier mesurait parfaitement les dangers d'une aventure guerrière. L'ambassadeur de France avait été envoyé à Ems, où le roi de Prusse prenait les eaux, avec pour mission de rechercher l'apaisement, en demandant au roi de bien vouloir désavouer cette candidature. Le 11 juillet, le roi de Prusse faisait savoir que la candidature Hohenzollern était retirée.

Un véritable parti de la guerre se démasquait alors aux Tuileries, dans l'entourage de l'impératrice. Elle avait jadis reproché à l'empereur de n'avoir pas aidé l'Autriche catholique contre la Prusse. Le ministre des Affaires étrangères, Gramont, sous l'influence de l'impératrice, télégraphiait à l'ambassadeur de France Benedetti pour qu'il demande au roi de Prusse des assurances pour l'avenir. Le roi acceptait de nouveau d'apaiser les esprits, approuvant « sans réserve » la renonciation du prince de Hohenzollern au trône d'Espagne. Il télégraphiait aussitôt à Bismarck pour le mettre au courant.

Délibérément, Bismarck voulait la guerre, pour achever l'unité allemande aux dépens de la France. Il truqua le texte du télégramme impérial, le présentant comme le récit d'un brutal refus d'audience. L'ambassadeur de France aurait fait à la Prusse des propositions infamantes. Elle aurait refusé avec hauteur. C'était allumer l'incendie nationaliste, en même temps à Paris et à Berlin.

LA DÉBACLE DES FRANÇAIS.

Aussitôt la France prenait ses dispositions. Le général Lebœuf, ministre de la Guerre, tentait de lever 350 000 hommes. Les diplomates s'efforçaient d'obtenir l'alliance de l'Italie et de l'Autriche, la neutralité des États allemands du Sud. En dépit de l'opposition de Thiers et de Jules Favre, le Corps législatif approuvait la déclaration de guerre, le 17 juillet.

Le 2 août, à la frontière, le général Lebœuf n'avait pu aligner que 265 000 soldats. Grâce à une utilisation judicieuse du chemin de fer, les Prussiens et leurs alliés étaient déjà 500 000 sur le Rhin, avec une puissante artillerie.

Les forces françaises étaient réparties en plusieurs groupes : l'armée d'Alsace, commandée par Mac-Mahon, avait 67 000 combattants. Bazaine avait l'armée de Lorraine, avec 130 000 hommes. Le reste devait se concentrer plus près de Paris. L'empereur voulait commander en personne.

Dès le 4 août, les Prussiens bousculaient Mac-Mahon, dont les officiers n'avaient pas même de cartes d'état-major de la région des combats. Battu à Wissembourg, puis, le 6, à Frœschwiller, Mac-Mahon avait en vain accepté le sacrifice des « turcos » et des cuirassiers. La charge héroïque de Reichshoffen était particulièrement inutile et inefficace, les lourds cavaliers s'empêtrant dans les vergers de la plaine d'Alsace, sous le feu redoutable des fusiliers bavarois. Mais elle hanterait longtemps l'imagination populaire.

L'armée faisait retraite, abandonnant l'Alsace à l'ennemi, qui pouvait franchir le Rhin comme bon lui semblait. Seuls Strasbourg et Belfort résistaient encore. L'armée Bazaine était déjà au contact des Prussiens, qui avançaient rapidement. Après la déroute d'Alsace, Mac-Mahon songeait à replier toutes ses forces sur Metz. Il reçut l'ordre de l'empereur de se diriger sur Châlons, pour y rejoindre le reste des forces françaises. De fait, au camp de Châlons, les troupes en retraite formaient, avec les effectifs qui s'y concentraient depuis quelques jours, une force de 145 000 hommes qui disposait d'au moins 400 canons. Que faire de cette armée ?

Mac-Mahon, se sachant poursuivi par les Prussiens, songeait à la replier sur Paris, pour défendre la capitale, abandonnant à son sort Bazaine. Celui-ci avait livré bataille à Borny, Rezonville, Gravelotte et Saint-Privat. Mais au lieu de profiter de son avantage, il s'était laissé enfermer dans Metz. Fallait-il l'y rejoindre ?

L'impératrice avait aussi des idées sur la guerre : avec le général Cousin-Montauban, qui avait remplacé Émile Ollivier à la tête du gouvernement, elle sut convaincre l'empereur, très affaibli et malade, qu'il devait avec Mac-Mahon porter secours à Bazaine. Le retour de Napoléon III vaincu à Paris aurait été un désastre politique.

Les Prussiens attaquèrent à Sedan l'armée de secours. 240 000 hommes et 500 canons prirent sous leur feu l'interminable et confuse colonne française, qui comptait 110 000 soldats. Mac-Mahon fut blessé au début du combat, ce qui porta le désordre à son comble. Jamais l'empereur ne sut dominer la situation. Les canons prussiens bombardaient sans arrêt la cuvette de Sedan. Les magnifiques charges de cavalerie des chasseurs de Margueritte et de Galliffet ne purent dégager l'armée, enserrée dans l'étau prussien. Napoléon III décida de rendre son épée, et de capituler sans condition devant Moltke. L'armée française avait 25 000 tués et blessés. Les Allemands devaient commémorer longtemps le « Sedantag », victoire inouïe par sa rapidité, et aussi par sa brutalité.

En quelques heures, l'héroïsme déployé de part et d'autre était destiné à devenir légendaire : l'épisode des dernières cartouches, du côté français, est l'exemple du souvenir de Sedan, combat perdu, combat désespéré, dans les mentalités populaires d'après 1870.

Le 2 septembre 1870, Napoléon III était donc le prisonnier du roi de Prusse. Et pourtant la guerre continuait : Strasbourg résistait toujours, comme Sélestat, Phalsbourg, Rocroi. Bazaine tenait toujours dans Metz, avec ses 170 000 hommes et ses 1 600 canons. Tout était-il vraiment perdu ?

L'ÉCROULEMENT DE L'EMPIRE.

A Paris, le 4 septembre, la foule envahit le Corps législatif. Elle demandait la déchéance de l'empereur prisonnier, rendu responsable du désastre. Gambetta et Jules Favre entraînèrent la foule à l'Hôtel-de-Ville. Ils formèrent aussitôt un *gouvernement de Défense nationale* composé de onze membres du Corps législatif : Jules Simon, Rochefort, Crémieux et Garnier-Pagès, des survivants de 1848, en faisaient partie. On offrait à Trochu, général populaire dans Paris, la présidence du gouvernement. L'impératrice avait déjà pris la fuite vers l'Angleterre. Le *Sedantag*, célébré dans la joie par l'armée allemande victorieuse, était aussi le premier jour de la nouvelle République, en tout cas le dernier jour de l'Empire.

Avait-il été réellement abattu par la guerre ? Le régime avait-il une chance de se prolonger longtemps s'il avait pu maintenir la paix ? On peut remarquer qu'il avait sensiblement échoué dans la conquête des « nouvelles couches sociales ». Il avait perdu pied dans les villes, qui avaient suivi les mots d'ordre républicains. Ses partisans, en fin de parcours, avaient été finalement les notables et les habitants des campagnes, qui préféraient voter pour l'ordre impérial, même en avril 1870, que pour l'aventure républicaine ou l'inefficacité orléaniste.

La force de l'Empire venait de la faiblesse des oppositions : l'opposition d'hier, celle des vieux républicains, des amis de Thiers ou des royalistes, avait en commun la nostalgie d'un passé politique que, dans leur grande majorité, les Français ne voulaient plus voir renaître, car il était l'image de leurs divisions. Quant à l'opposition de demain, celle qui risquait un jour de prendre le pouvoir, elle n'existait encore, en 1870, qu'à l'état de promesse. Elle n'était présente, dans le gouvernement provisoire de septembre, que dans la confusion. Les jeunes loups comme Gambetta y côtoyaient les fossiles de 1848.

Il y avait du reste beaucoup d'ambiguïté dans la position des jeunes opposants à l'Empire : s'ils tendaient la main aux socialistes, jusqu'où iraient-ils dans l'élaboration d'une démocratie sociale ? Les Gambetta et autres rédacteurs du *Programme de Belleville* n'étaient certes pas des socialistes, mais des démocrates libéraux. Ils s'étaient hâtés de constituer le gouvernement provisoire, parce que, précisément, ils avaient peur d'avoir à y faire entrer, s'ils tardaient, les socialistes.

Il y avait risque de conflit évident entre ces jeunes futurs notables et les chefs révolutionnaires surgis de l'ombre qui, demain, dirigeraient l'insurrection de la Commune de Paris. La République, avant de s'installer, devrait lever l'hypothèque socialiste. Elle n'avait donc pas les moyens politiques de se substituer à l'Empire, puisque, pour l'opinion publique, en 1869, elle était synonyme de démocratie sociale.

Les vieux notables n'avaient pas plus que les jeunes les moyens d'abattre le régime. Thiers pourrait-il faire un roi ? Les monarchistes étaient plus divisés que jamais, entre légitimistes et orléanistes. Ils n'étaient d'accord ni sur les formes politiques ni sur la conception de la société. Toutes les oppositions n'étaient d'accord que dans la lutte commune contre l'Empire. L'empereur prisonnier, elles sortaient des décombres, dans le désordre, dans l'impatience du pouvoir.

La République du 4 septembre était bien fragile : enfant prématurée, elle était en outre menacée, et ce n'était certes pas le moindre risque, par le canon des Prussiens. Fallait-il laisser au régime républicain le soin de signer une paix de capitulation ? Les républicains, ainsi que leurs adversaires, en débattaient. Mais pour éloigner cette calamiteuse éventualité, ils avaient eu la faiblesse de penser qu'une nouvelle levée en masse, dans le style de 1793, pourrait réconcilier tous les Français dans une nouvelle guerre de libération. Dans les pires conditions, la République, à peine née, partait en guerre.

CHAPITRE 16

La République de la honte

PP 87 - 124

L'Empire avait été soutenu presque jusqu'au bout par la province, et c'est encore des jeunes ruraux qui s'étaient battus pour lui sur les champs de bataille d'Alsace, de Lorraine et de l'Ardenne. Pourtant l'État, sous Napoléon III, était profondément conforme au modèle centralisateur hérité de Napoléon Ier. Les préfets faisaient plus que jamais la loi, et la province, pour s'exprimer, devait passer souvent par le canal des notables d'opposition.

C'est dans le but de donner la parole aux intérêts légitimes, qui pouvaient être à la longue menacés par un gouvernement trop bureau-cratique et parisien, du type Rouher, que l'empereur avait accepté la libéralisation, et favorisé la naissance d'une opposition régimiste, celle d'Émile Ollivier. Les événements de 1870-1871 allaient porter un coup redoutable au centralisme parisien. L'État bonapartiste ne survivrait pas à la défaite, et le jacobinisme républicain ne survivrait pas à la Commune. La « République de la honte » allait être prise en main, dans ses destinées ambiguës, par les notables de province. Elle serait, selon le mot de Halévy, la « République des ducs ».

Guerre prussienne et guerre civile.

LES ARMÉES DE GAMBETTA.

« Nous ne céderons ni un pouce de notre territoire, disait Jules Favre, ni une pierre de nos forteresses. »

Le même Jules Favre devait négocier clandestinement au château de Ferrières, avec Bismarck, les conditions de la capitulation, le 28 janvier 1871. Les républicains auraient du mal à faire oublier qu'ils avaient fait prolonger la guerre pour rien.

Car la province, dans son ensemble, ne comprenait pas les raisons de cette prolongation. Quand le vin est tiré, il faut le boire, disaient les notables. Le vin de la défaite était amer. Plus on tardait, plus il était imbuvable.

Mais Paris était ivre de revanche. Dirigé par les républicains, il retrouvait la mythologie du chant du départ. Hélas! dès le 19 septembre 1870, Paris était investi par les Prussiens. Il devait connaître les souffrances d'un long siège. Gambetta et deux autres membres du gouvernement provisoire avaient dû quitter la ville en ballon, pour chercher du secours en province. Ils avaient réussi à constituer quelques armées, sur la Loire avec Chanzy, et d'Aurelle de Paladines ; dans le Nord avec Faidherbe, dans l'Est avec Bourbaki. Au total près de 500 000 hommes. Mais, le 27 octobre, Bazaine capitulait dans Metz avec tous ses soldats.

Les armées républicaines ne soutiendraient pas longtemps le choc des Prussiens : la première armée « de la Loire » était vaincue le 8 décembre. Celle de Chanzy était battue en janvier au Mans. Faidherbe ne parvenait pas à dégager Paris et Bourbaki, renonçant à libérer Belfort assiégée, laissait ses soldats passer en Suisse où ils étaient faits prisonniers. A Paris, toute tentative de sortie échouait. Il fallait demander l'armistice. La guerre républicaine avait été une série d'échecs. L'ardeur patriotique ne pouvait compenser l'insuffisance de l'instruction.

LE PARTI DE L'ORDRE ET LA CAPITULATION.

Bismarck voulait négocier avec un gouvernement responsable. Il fallait donc organiser rapidement des élections. Elles eurent lieu le 8 février. Les mesures prévues par Gambetta pour exclure des candidatures tous ceux qui avaient exercé des fonctions officielles sous l'Empire ne furent pas acceptées par les républicains modérés, comme Jules Simon, qui voulaient une consultation loyale. Les républicains eurent tout juste le temps de changer les préfets, et de lancer, à la hâte, leur propagande.

Le 2 février on lança l'appel, le 8 le scrutin était ouvert; en un jour, tous les députés étaient désignés. On ne pouvait pas aller plus vite.

> « Pauvre peuple ainsi convoqué, note Halévy, artisans, paysans, bûcherons rappelés du fond des bois, pêcheurs de la haute mer, tous sommés de répondre sur des questions immenses, pour eux mal saisissables, la paix, la guerre, la liquidation du passé, l'institution de l'avenir, la monarchie, la République, l'Empire... Depuis vingt ans... ils exerçaient le droit de vote et leur constante habitude avait été de suivre les indications des préfets, des maires ou des curés. Or, en ces circonstances rapides, les préfets étaient sans autorité, l'administration défaillait. »

Pour qui voter ? Les bonapartistes étaient rendus responsables du désastre. Personne n'en voulait plus. Les républicains venaient de perdre leur guerre, et qui donc aurait pu souhaiter, dans la France ruinée de 1870, le retour des rois ?

Le « pauvre peuple » de Halévy vota ce jour-là pour ses maîtres ; non pas les brillants orateurs parisiens, qu'il ne connaissait pas, mais les maîtres des châteaux, des usines, des mines et des bois, les « patrons », capables de protéger les pauvres, de leur fournir travail et assistance. Dans la France ruinée et envahie, les humbles retrouvaient les réflexes des « humiliores » du Bas-Empire. Ils se cherchaient des défenseurs raisonnables.

On vit donc revenir à la Chambre les grands noms des terroirs de France : les La Rochefoucauld, les Noaille, les Broglie, les d'Harcourt, les grands entrepreneurs comme Casimir Périer ou Ernoul, les princes des autres régimes, d'Aumale, de Joinville. Les droites traditionnelles se retrouvaient entre elles, réunies autour de la table du pouvoir par l'angoisse des Français.

La majorité était évidemment royaliste. Seuls les Parisiens et les habitants des grandes villes avaient voté pour les républicains. Ils n'étaient que 200, contre 200 orléanistes et 200 légitimistes, et une trentaine de bonapartistes. Le succès des royalistes tenait largement à la promesse de paix qu'avaient faite tous les candidats. On avait refusé des voix aux républicains parce qu'ils voulaient continuer la guerre. Les royalistes avaient eu beau jeu de faire la démonstration de l'inutile résistance des républicains, ainsi que des dangers de la fièvre jacobine parisienne. De nouveau s'était affirmée la volonté d'ordre, mais avec plus de force que jamais.

Le nouveau parti de l'ordre, devenu le parti de la paix, était unanime sur les grands choix politiques et moraux, mais il n'était pas d'accord sur la forme du régime à instaurer. Les légitimistes étaient des fanatiques de la réaction. Désireux de gommer à tout prix le passé, ils tenaient au drapeau blanc, symbole de l'ancienne société théocratique qu'ils voulaient encore restaurer. Ils étaient partisans d'un retour au pouvoir du comte de Chambord. Ces « chevau-légers » n'aimaient pas le système capitaliste, qu'ils rendaient responsable de la « société sans Dieu » et des troubles révolution-naires. Ils accusaient les orléanistes, partisans du comte de Paris, d'avoir partie liée avec les grandes affaires et de faire passer leurs intérêts avant ceux de la morale et de la religion.

Les républicains n'étaient unis qu'en apparence. Ceux d'extrême gauche, les *radicaux*, restaient fidèles au *Programme de Belleville* : Gambetta, Clemenceau voulaient rompre définitivement avec l'Église, instaurer une véritable société civile. Ils partaient à la conquête des « nouvelles couches sociales » et voulaient réaliser des réformes hardies qui rallient la classe ouvrière et la détournent des rêveries dangereuses du socialisme.

Les républicains *modérés* étaient les plus nombreux. Ils sui-vaient les « Jules », Ferry, Grévy, Favre, qui étaient beaucoup plus proches des orléanistes que des radicaux. Ils voulaient comme eux la paix, et l'ordre social. Ils reprochaient aux radicaux leur goût immo-déré de l'aventure, leur autoritarisme jacobin. Ils étaient des notables de province, épris de justice, de liberté, de société cons-tituée. Ils étaient les héritiers des grands juristes de 1789, tandis que les bouillants radicaux se réclamaient plus volontiers des tribuns démagogues et patriotes de 93.

Élu de vingt-six départements, Adolphe Thiers était l'homme fort de cette Assemblée : ancien orléaniste, son opposition conti-nuelle à l'Empire l'avait rendu sympathique aux républicains modérés. Aussi se gardait-il de se prononcer sur l'avenir du régime. Peu lui importait, au fond, que ce fût une monarchie constitution-nelle ou une République de notables. Il souhaitait simplement que le nouveau régime fût résolument conservateur.

La nouvelle Assemblée était évidemment détestable, du point de vue des républicains avancés. Les jeunes journalistes se mo-quaient des « ruraux » qui siégeaient à Versailles « au milieu d'un décor de théâtre », disait Zola, qui écrivait dans *La Cloche* :

> « La droite est formidable ; ces messieurs sont venus en
> toute hâte pour la curée du pouvoir. Mais Garibaldi en casaque

rouge, avec son large feutre, l'air rude et calme d'un soldat, excite une curiosité autrement vive que les crânes nus de la majorité que les campagnes viennent d'envoyer à l'Assemblée. »

Les « ruraux » se hâtent de voter la ratification des préliminaires de paix : ils désignent Thiers comme « chef du pouvoir exécutif de la République française ». Ils lui demandent de ne rien faire qui engage l'avenir constitutionnel du pays, tant que la paix et l'ordre ne sont pas rétablis. C'est le « pacte de Bordeaux », qui laisse la République en suspens. Les 250 grands propriétaires fonciers qui dominent toute l'Assemblée veulent avoir le temps de se mettre d'accord pour organiser un régime selon leurs vœux. Ils ne veulent pas que la nouvelle monarchie qu'ils attendent ait pour premier devoir de mettre une signature déshonorante en bas du manuscrit de la paix de Francfort.

PARIS SE RÉVOLTE.

A Paris cependant, les résultats des élections avaient été ressentis comme une humiliation. L'enthousiasme du vote des ruraux pour la paix immédiate faisait bon marché des souffrances des Parisiens, de leur résistance désespérée. Les 260 bataillons en armes de la garde nationale constituaient une force politique dont il faudrait tenir compte. La garde avait mis en place des « comités de vigilance » dans les quartiers de Paris. Un « comité central » faisait office de gouvernement. Il exerçait une autorité de fait sur les membres du gouvernement provisoire du 4 septembre restés dans la capitale. Un « Comité de salut public » s'était constitué à l'Hôtel-de-Ville. Paris était prêt pour la révolte.

L'installation à Versailles de l'Assemblée de Bordeaux avait mis le feu aux poudres : délibérément, la province ignorait Paris. Elle faisait confiance à Thiers, détesté des Parisiens, ancien chef du comité de la rue de Poitiers, ancien complice des massacreurs de juin 1848.

Les mesures prises par l'Assemblée avaient été immédiatement impopulaires. Elle avait abrogé le moratoire des loyers : ceux-ci devenaient exigibles immédiatement. Dans une ville qui sortait d'un long siège, où l'activité économique était inexistante, des milliers de commerçants et d'artisans risquaient la faillite. La suppression de la maigre solde des gardes nationaux privait 350 000 combattants de toute ressource. Le climat devenait explosif.

Il semble que Thiers, délibérément, ait provoqué la rupture, recherchant l'incident. Mieux valait un choc rapide qu'une atmosphère de confusion et de menaces. Il décida d'envoyer l'armée pour reprendre les canons rassemblés par la garde nationale à Belleville et à Montmartre. Ces canons devaient être, après l'armistice, livrés aux Prussiens. Mais Paris ne voulait pas les rendre.

Dans la nuit du 17 au 18 mars 1871, les soldats envoyés par Thiers fraternisèrent avec la population. Les généraux qui les commandaient furent capturés, insultés, fusillés. La guerre civile était déclarée.

LA COMMUNE DE PARIS.

Thiers organisa un nouveau siège de Paris. Il fit encercler la capitale, mise en état de blocus, avec la complicité des Prussiens. Il fit rentrer précipitamment 100 000 soldats des camps de prisonniers, les fit armer et mettre en condition par les chefs. Le général marquis de Galliffet, qui s'était bravement conduit à Sedan, prit la tête de ces « Versaillais ». Tout était prêt pour un nouveau massacre.

A Paris, le 26 mars fut élue une « Commune » qui s'empara de tous les pouvoirs civils et militaires. Elle ne prétendait pas seulement commander à Paris, mais à la France entière, et demandait aux différentes villes de se constituer, à son exemple, en « Communes ». Elle prenait pour emblème le drapeau rouge et changeait le calendrier, remettant sur le tapis le vieux calendrier révolutionnaire.

A l'évidence, les tendances les plus extrêmes dominaient la Commune. Thiers s'en réjouissait, connaissant les divisions qui opposaient depuis longtemps les révolutionnaires de toutes chapelles. De fait, le conseil de la Commune comptait même des modérés! Ceux-ci (ils étaient 23) devaient renoncer à siéger et laisser la place à 67 révolutionnaires de toutes tendances : des blanquistes comme Rigault et Ferré, partisans de la violence et de la dictature, des vieux jacobins comme Delescluzes, qui s'était illustré dans l'opposition à l'Empire ; des socialistes, membres de l'Internationale, comme Varlin et Vaillant, qui, à côté des blanquistes, faisaient figures de modérés ; quelques anarchistes, comme

Jules Vallès. La division des tendances devait s'exprimer rapidement par une divergence des politiques, d'autant que la Commune vivrait en vase clos, sans contact avec le reste du pays : les appels à la révolte avaient été entendus dans quelques villes de province, mais à Lyon comme à Marseille ou à Saint-Étienne, les troubles avaient été vite réprimés. Pour Paris, l'épisode de la Commune apparaissait comme une prolongation du siège. La capitale était encerclée, assiégée. Elle serait bientôt investie.

LE PROGRAMME DES « COMMUNARDS ».

Le comité central de la garde nationale avait réuni 200 000 insurgés dont 30 000 seulement étaient en état de combattre. Les Communards savaient qu'ils n'avaient pas une chance de réaliser leur programme s'ils ne le faisaient pas largement connaître dans le pays. Ce programme était ambitieux dans sa générosité. Il avait été défini, le 26 mars, par le « manifeste du comité des vingt arrondissements de Paris ». Il se réclamait de la tradition révolutionnaire décentralisatrice, anti-étatique. Il fallait fédérer les communes libres pour constituer un nouvel État, qui ne soit pas oppressif.

> « La Commune est la base de tout État politique, disait-on, comme la famille est l'embryon des sociétés. »

Cette commune devait être « autonome » et garder sa liberté et sa souveraineté.

> « L'autonomie de la Commune garantit au citoyen la liberté, l'ordre à la cité, et la fédération de toutes les communes augmente, par la réciprocité, la force, la richesse, les débouchés et les ressources de chacune d'elles, en la faisant profiter des efforts de toutes. »

La Commune s'affirmait ainsi en désaccord profond avec le jacobinisme centralisateur, elle cherchait ses racines dans les plus lointaines révoltes du Moyen Age :

> « C'est cette idée communale poursuivie depuis le XIIᵉ siècle, affirmée par la morale, le droit et la science, qui vient de triompher le 18 mars 1871. »

Pour donner le bon exemple, la Commune de Paris, marquant sa volonté de rompre avec un passé oppressif, supprimait la Préfecture de police et l'armée permanente. Elle faisait élire par les soldats les officiers de la garde nationale, responsable de l'ordre. En réalité, elle devait prendre des mesures d'urgence, pas toujours conformes aux principes, mais destinées à rétablir l'ordre dans Paris et à donner confiance aux Parisiens : le moratoire des loyers était maintenu ; ceux qui avaient emprunté, pour survivre, dans les « Monts de piété » avaient droit à des délais supplémentaires pour s'acquitter de leurs dettes. La Commune sollicitait une avance à la Banque de France, ne voulant pas disposer illégalement de ses réserves en or!

LA GUERRE CIVILE ET LA RÉPRESSION.

Les Versaillais avaient déclaré, selon la formule du général de Galliffet, la « guerre sans trêve et sans pitié » à Paris insurgé. La Commune devait faire face, avec toutes les forces dont elle pouvait disposer. Pour répondre aux provocations versaillaises, elle s'était emparée d'otages, essentiellement des prêtres. Cette mesure ne put empêcher les Versaillais de fusiller presque tous les insurgés capturés.

La violence engendre la violence. Dans la peur de la répression, dans la terreur d'un retour aux « journées de juin » 1848, les insurgés parisiens se déchaînèrent. La colonne Vendôme, symbole de la tyrannie, fut déboulonnée, Napoléon jeté à bas, les Tuileries incendiés. On se mit à raser les hôtels particuliers, pour porter des coups aux bourgeois dans leurs biens. Celui de Thiers, place Saint-Georges, fut anéanti. Les otages furent passés par les armes. Parmi eux, monseigneur Darbois.

La terreur ne donnait pas aux Communards des armes contre l'armée fanatisée du marquis, qui présentait à ses soldats les Communards comme des traîtres et des voleurs. Une sortie des Communards sur Versailles, le 3 avril, échoua devant le mont Valérien. Dès lors la Commune était réduite à la défensive.

Sous l'œil des Prussiens commença, le 21 mai, la « semaine sanglante » : les forts d'Issy et de Vanves furent emportés. Par la porte de Saint-Cloud, qui n'était pas gardée, les Versaillais entrèrent dans Paris. Ils durent enlever d'assaut plus de 500 barricades. Les combats se prolongèrent jusqu'au dimanche 28 mai. Les derniers affrontements eurent lieu parmi les tombes du cimetière du Père-Lachaise : 20 000 hommes furent tués ou fusillés sans jugement; 13 000 furent condamnés à la déportation en Algérie ou en Nouvelle-Calédonie. Le mouvement révolutionnaire était décapité. Le socialisme disparaissait de France pour dix ans.

Symbole de la résistance ouvrière, la Commune de Paris apparaîtrait comme la première insurrection révolutionnaire se donnant pour but la prise du pouvoir politique par le prolétariat. Mais Marx lui-même, dans un ouvrage d'analyse critique, devait montrer en quoi la Commune n'était pas vraiment prolétarienne : trop de tendances divisaient les révolutionnaires, qui n'avaient pas de leur action une vue suffisamment précise. Pour Jacques Rougerie, historien de la Commune, c'est « la dernière Révolution du XIXe siècle, point ultime et final de la geste révolutionnaire française du XIXe siècle ». Il faudrait ajouter : de la geste parisienne. Paris cesserait d'être le point central d'éclosion des révolutions. Jamais plus Paris ne dicterait à la France sa loi révolutionnaire. Ce que Charles X n'avait pu faire, ce que Louis-Philippe n'avait pas voulu faire, Thiers l'avait enfin réalisé. Il pouvait se flatter, en reprenant Paris, d'en avoir extirpé la révolution. Les républicains reconnaissants lui tresseraient des couronnes avant de reconstruire, pierre par pierre, son hôtel incendié de la « Nouvelle Athènes ».

La République indécise : 1871-1877.

ADOLPHE THIERS, LE RESTAURATEUR.

Désormais l'avenir n'était pas douteux : le nouveau régime qui s'installerait en France, qu'il fût ou non républicain, serait conservateur.

C'était une évidence pour les républicains eux-mêmes. Thiers, le triomphateur de 1871, était-il devenu républicain? Son passé orléaniste lui faisait mesurer les difficultés qu'il pourrait y avoir à unifier le camp royaliste. Si les républicains étaient pour l'ordre, pourquoi le pays ne voterait-il pas pour eux?

Les élections partielles du 2 juillet 1871, qui suivirent presque immédiatement la répression de la Commune de Paris, devaient confirmer ce jugement. Sur 114 députés élus, le pays avait désigné 99 républicains.

Le sentiment national avait basculé en leur faveur, quelques semaines seulement après la signature de la paix. Le 10 mai, en pleine insurrection, les conditions très dures de Bismarck étaient rendues publiques : la France, au traité de Francfort, perdait l'Alsace, une partie de la Lorraine, elle devait payer aux Prussiens une indemnité de guerre de 5 milliards ! Elle abandonnait 1 600 000 Alsaciens-Lorrains, les richesses en houille, en fer, en sel, en terres labourables, en forêts, les industries cotonnières florissantes de la plaine d'Alsace. Les pertes en hommes, du fait de la guerre et de la Commune, s'élevaient à 140 000 morts. Le vote du pays signifiait à l'évidence qu'il en avait assez des querelles politiques. Puisque les royalistes, qui avaient vanté partout le retour à la paix de Bismarck, n'étaient pas d'accord entre eux, les républicains paraissaient désormais les mieux placés pour assurer l'ordre et surtout pour rendre au pays sa dignité.

La loi Rivet, votée le 31 août 1871, faisait de Thiers le « Président de la République », bien qu'il restât le chef du gouvernement. Pendant deux ans, il serait le maître incontesté du pays, le premier « sauveur » d'un régime qui devait en connaître beaucoup d'autres.

Le premier objectif de Thiers était la libération du territoire : il réussit à lancer un emprunt qui permit de couvrir le paiement intégral des 5 milliards-or exigés par Bismarck. En septembre 1873, avec une avance de 18 mois sur le calendrier, les troupes prussiennes d'occupation quittaient le territoire national. L'ordre intérieur était maintenu grâce à la prolongation de l'état de siège dans Paris, et grâce à la loi Dufaure, qui réprimait durement toute action socialiste.

Le deuxième objectif était de réorganiser l'État. Allait-on prendre le parti de reconstituer l'État bonapartiste centralisé, ou faire au contraire bonne mesure au goût des notables pour une certaine autonomie régionale ? Thiers, certes, avait l'oreille des provinces. Mais il avait aussi le devoir de rendre à la nation-France, contre l'Allemagne impériale, l'efficacité d'un État moderne.

Les solutions adoptées tenaient du compromis : l'administration préfectorale héritée de l'Empire était intégralement maintenue. Les préfets renforçaient leur autorité de tutelle sur les conseils généraux. Mais ceux-ci étaient élus, comme les conseils municipaux qui élisaient leurs maires, sauf à Paris et dans les grandes villes, où le choix des maires était à la discrétion du pouvoir. Ainsi les intérêts locaux avaient leurs défenseurs, qui éliraient bientôt leurs représentants au Sénat. Mais ils devaient céder le pas aux intérêts nationaux représentés par le préfet, qui avait toujours comme mission principale le maintien de l'ordre et la préparation des élections.

La réorganisation de l'État s'inspirait dans tous les domaines du souci de ménager les intérêts de la bourgeoisie dominante. Dans l'administration fiscale, par exemple, Thiers avait privilégié les impôts indirects, qui frappaient l'ensemble de la consommation, et non les impôts directs, qui auraient pu frapper la fortune ou les hauts salaires. La loi militaire favorisait aussi les bourgeois : elle établissait (en juillet 1872) un service de cinq ans, avec incorporation de la moitié seulement du contingent annuel. Les titulaires du baccalauréat faisaient un service réduit de douze mois. Les dispenses étaient nombreuses et profitaient surtout aux conscrits des familles riches, ainsi qu'aux soutiens de familles.

Thiers songeait aux intérêts de l'agriculture et de la jeune industrie : il rétablissait les tarifs douaniers, restreignant les importations en matières premières. Toujours malthusien, il était partisan d'un développement économique modéré, qui ne rendît pas la France dépendante de l'étranger, et qui mît à l'abri la bourgeoisie possédante contre les concentrations ouvrières trop lourdes. Il amorçait ainsi une évolution qui devait conduire au tarif Méline de 1892, abolissant totalement la législation libre-échangiste de l'Empire.

LE NOUVEAU PARTI RÉPUBLICAIN.

Pour Thiers, cette restauration était, en profondeur, celle de l'État libéral qu'il avait servi pendant toute sa carrière. Peu lui importait que cet État fût investi par les républicains. Ils progressaient constamment aux élections partielles, et développaient d'élection en élection une propagande de plus en plus conservatrice.

« Les voici, dit Halévy, ces sous-officiers de l'armée républicaine qui vont transformer la France... Ces hommes capables d'agir avec ensemble sur toute l'étendue du pays, d'où sortaient-ils ? »

Pour Halévy, leur origine n'est pas douteuse : ils viennent des nouvelles sociétés secrètes.

« Derrière Gambetta et ses amis, dit-il, la franc-maçonnerie est présente, et puisqu'il faut enfin à tous les régimes une classe dirigeante, c'est elle qui se prépare à en fournir les membres. »

La République des maçons, c'est celle des « comités », hier comités de défense nationale, devenus du jour au lendemain comités électoraux.

« On ne manifeste plus, dit encore Halévy, on vote, on porte aux urnes le bulletin qu'a préparé le comité, que les républicains du bourg, le vétérinaire, le marchand de vin conseillent de porter. »

La prise en main de l'électorat par les républicains est lente, mais sûre. En face du candidat des châteaux, il y aura désormais partout celui du comité, à droite on dit : celui du café du commerce.

Gambetta, pour sa part, écrivait régulièrement des articles dans la *République française*, le journal des notables de son parti. Il parcourait la France, multipliant les discours lors des immenses banquets républicains, où les orateurs devaient claironner leurs formules :

« Pour ma part, disait-il, je crois à l'avenir républicain des campagnes et des provinces. C'est l'affaire d'un peu de temps et d'instruction mieux répandue. »

Car les instituteurs sortis des Écoles normales mises en place sous l'Empire par Victor Duruy allaient être les propagandistes zélés de l'idée républicaine. Le but politique de la lutte contre l'analphabétisme était d'amener chaque jour de nouveaux lecteurs à la presse électorale et aux quotidiens régionaux rédigés par les amis des comités. Les instituteurs étaient en même temps les secrétaires des mairies, et les correspondants locaux des journaux. Ils allaient influencer les choix du personnel politique, en mettant au premier plan la lutte contre les écoles chrétiennes, contre l'Église. Si les républicains pouvaient espérer un jour prendre le pouvoir, c'est en militant contre l'école libre, qui faisait de ses enfants de futurs électeurs monarchistes.

Un grand nombre de brochures républicaines fut édité dans les années 70 pour faire la propagande du parti et du régime. La *Bibliothèque démocratique*, la *Bibliothèque populaire*, la *Librairie*

Franklin, la *Bibliothèque républicaine,* la *Société d'Instruction républicaine* éditaient de petits ouvrages simples, accessibles à tous, où l'on racontait l'histoire de la « Grande Révolution », où l'on illustrait les grands mythes de la société civile : justice, égalité, nation.

La République se voulait rassurante, et les républicains s'efforçaient de s'intégrer dans la vie des campagnes, des villages, par toutes sortes de petits moyens. Par exemple ils éditaient des cartes de vœux et de félicitations pour les nouveaux mariés ou pour les naissances, ils organisaient au village des cercles ou des associations républicaines, dans les quartiers urbains des bibliothèques de prêts. Une propagande en profondeur se développait dans le pays. Elle utilisait, bien sûr, le canal des loges maçonniques de plus en plus nombreuses au sein des « nouvelles couches sociales ».

L'ÉCHEC DE THIERS.

Thiers devait apporter sa caution à la cause républicaine qu'il jugeait de plus en plus plausible. Il le fit à sa manière, avec fracas. En pleine tribune, le 13 novembre 1872, il déclarait :

> « La République existe. Elle est le gouvernement légal du
> pays. Vouloir autre chose serait une nouvelle Révolution, et
> la plus redoutable. »

Il devenait dès lors l'ennemi déclaré de la majorité monarchiste. Quels que fussent les progrès du parti républicain, il ne dominait pas encore l'Assemblée. Il n'était donc pas en mesure de soutenir Thiers. Les monarchistes n'étaient pas d'accord sur la forme du régime, mais ils étaient parfaitement d'accord pour rejeter la République. Contre Thiers, ils s'unirent autour du duc de Broglie, qui devint le chef d'une majorité conservatrice, comprenant les deux formations royalistes et le petit groupe bonapartiste.

Le 13 mars, l'Assemblée votait une loi qui interdisait à Thiers de prendre la parole à la tribune sans en avoir sollicité l'autorisation. On se méfiait désormais de ses éclats. On se méfiait aussi des progrès de la gauche républicaine.

Les élections partielles confirmaient son avance régulière, et, dans le clan républicain, les radicaux n'étaient pas défavorisés, en dépit de leurs idées « avancées ». A Paris l'ami de Thiers, le comte de Rémusat, avait été battu par le radical Barodet, qui venait de

Lyon. L'élection avait fait grand bruit car le comte de Rémusat était le ministre des Affaires étrangères en exercice. A Lyon un autre radical, ancien membre de la Commune de Paris, Ranc, avait été élu sans difficulté. Les radicaux étaient désormais 90 à la Chambre.

Les monarchistes avaient beau jeu de reprocher à Thiers une politique qui faisait entrer à la Chambre non des républicains modérés et conservateurs, mais des extrémistes radicaux. De Broglie était monté à la tribune, pour demander à l'Assemblée de faire prévaloir, en raison du péril, une « politique résolument conservatrice ». Aussitôt l'Assemblée votait contre le gouvernement : Thiers était renversé. Il démissionnait. Le maréchal de Mac-Mahon était élu Président de la République. Le duc Albert de Broglie devenait le chef du gouvernement. L'ordre moral était instauré.

L'ORDRE MORAL.

« Avec l'aide de Dieu, le dévouement de notre armée, l'appui de tous les honnêtes gens, nous continuerons l'œuvre de libération du territoire et le rétablissement de l'ordre moral de notre pays. »

Cette petite phrase du maréchal de Mac-Mahon ferait fortune : on baptisa « régime de l'ordre moral » la « République des ducs ».

L'Église et la vieille société entreprenaient de nouveau la reconquête, contre le radicalisme, le socialisme, l'anticléricalisme et tous les fléaux « modernes de la société civile issue de la Révolution », que le pape Pie IX avait formellement condamnés. Il s'agissait de rétablir Dieu dans l'État, dans la cité, dans la famille.

La France était redevenue pour l'Église une terre de missions. Les « erreurs » civiles, les Révolutions successives, les troubles, les émeutes ouvrières rendaient nécessaire cette reconquête en profondeur qui était bien, dans sa démarche, une restauration. Les masses ouvrières et paysannes en étaient l'objectif principal et l'Église y jouerait un rôle essentiel, avec des moyens modernes.

Car elle s'était parfaitement adaptée aux nouvelles techniques d'orientation de l'opinion. Aux côtés de la grande presse, du *Figaro*, de *L'Union*, de *L'Univers*, du *Soleil*, de nombreux journaux catholiques, édités sous la direction des assomptionnistes, les *Croix*, *Le Pèlerin* et d'innombrables livraisons allaient soutenir le mouvement de l'ordre moral.

Le gouvernement prenait des mesures immédiates pour aider à la « reconquête ». Les enterrements civils étaient interdits de jour. Les débits de boisson, ces antres du radicalisme rural, étaient soumis à une stricte surveillance. Les journaux républicains comme la *République française* de Gambetta *Le Rappel* des fils Hugo, *Le Siècle*, organe républicain de gauche, *Le Petit Parisien* d'Andrieux étaient interdits à la criée.

Les assomptionnistes et les autres ordres religieux organisaient spectaculairement la propagande de l'Église : ils multipliaient les processions, plantaient solennellement des croix dans les villages, lançaient des « missions » pour développer le culte de la Vierge Marie auquel le Vatican donnait depuis 1870 une vive impulsion. De cette époque datent des pratiques religieuses comme le « mois de Marie » ou le culte de « l'immaculée conception ». Les miracles, dûment répertoriés et authentifiés, étaient l'occasion de donner à la ferveur populaire des thèmes nouveaux. Lourdes, un peu négligée sous l'Empire, devenait un lieu de culte, ainsi que Pontmain, Paray-le-Monial, La Salette. On posait la première pierre de la basilique du Sacré-Cœur de Montmartre à Paris, « en expiation aux crimes de la Commune ». Tous les députés monarchistes se rendaient à la procession de Paray-le-Monial, en chantant le cantique du Sacré-Cœur de Jésus.

Des mesures politiques accompagnaient la réaction religieuse. On plaçait les instituteurs, comme sous le Second Empire, sous la tutelle des préfets. On épurait les administrations, et particulièrement la justice. On abrogeait la loi qui soumettait à l'élection par le conseil municipal la nomination des maires. L'ordre moral prenait possession de l'État.

Le duc de Broglie voulait se hâter d'en finir. La propagande républicaine, avec le développement des manifestations religieuses devenait furieusement anticléricale. Une *Ligue de l'Enseignement* regroupait les instituteurs et les parents d'élèves hostiles à l'école libre. Les républicains, au lieu d'être impressionnés par l'ampleur de la réaction, s'organisaient pour la combattre. Le temps jouait en leur faveur.

Les monarchistes comprirent qu'il fallait au plus tôt réaliser l'unité de candidature au trône. Le 5 août 1873, le comte de Paris avait rendu visite au comte de Chambord : dans un esprit de conciliation, et pour ne pas faire échouer la restauration, il lui avait offert de prendre la tête du mouvement monarchiste.

« Henri V, répondit Chambord, ne peut pas renoncer au drapeau d'Henri IV. »

Sur cette absurde question de drapeau, la restauration monarchiste devait échouer.

« Le comte de Chambord est le Washington français, lançait Thiers, il fonde la République! »

De Broglie tenta de nouveau de gagner du temps. Il fit voter la loi du 20 novembre 1873 qui fixait la durée du mandat présidentiel à sept ans. Une commission de députés, dûment choisis dans le parti de l'ordre, étudiait la prochaine constitution.

Les légitimistes en voulaient au duc de Broglie qu'ils rendaient responsable de l'échec de la restauration. Ils votèrent contre le projet du gouvernement, ajoutant leurs voix à celles des républicains. Le 16 mai 1874, le duc de Broglie fut mis en minorité.

LA RÉPUBLIQUE ENTRE PAR LA FENÊTRE.

Une seule majorité était possible, celle qui unirait les orléanistes aux républicains modérés. C'est cette majorité qui vota les lois constitutionnelles ambiguës de 1875, qui définissaient un régime pouvant indifféremment devenir une monarchie constitutionnelle ou une république de notables. Un des constituants républicains, Wallon, réussit à introduire un amendement, reçu à une voix de majorité, la sienne, qui introduisait le mot « République » dans les textes, à propos d'un article fixant les conditions de l'élection du Président.

Cette république honteuse, qui osait à peine dire son nom, était bicaméraliste : un Sénat conservateur réunissait 75 sénateurs nommés à vie par l'Assemblée et 225 élus au suffrage universel indirect, très avantageux pour les ruraux. La Chambre des députés était élue au suffrage universel direct. Le Président de la République était élu par les deux chambres réunies. Il disposait du Pouvoir exécutif, nommait aux emplois civils et militaires, partageait avec les Chambres l'initiative des lois. Il pouvait dissoudre la Chambre après avis favorable du Sénat. Il était irresponsable et les gouvernements étaient directement responsables devant le Parlement. La Constitution était d'inspiration libérale, orléaniste.

L'Assemblée monarchiste n'avait plus qu'à se séparer. En mars 1876 la nouvelle Chambre donnait la majorité aux républicains. Les comités électoraux étaient désormais plus forts que les préfets. Les républicains étaient 360 contre 155 monarchistes et bonapartistes. Les légitimistes étaient écrasés. Seul le Sénat restait encore monarchiste.

Mac-Mahon avait choisi comme chef du gouvernement un républicain modéré, Dufaure, ancien ministre de Louis-Philippe. Dufaure n'avait pas réussi à dominer la majorité, qui voulait un gouvernement entièrement républicain. Il avait fallu appeler Jules Simon.

Jules Simon était pris entre les feux de l'Élysée et du Sénat, qui étaient monarchistes, et l'aile marchante du parti républicain, qui voulait la fin de l'ordre moral. Gambetta menait la charge, exigeant l'engagement immédiat d'une politique résolument anticléricale. Les évêques n'avaient-ils pas organisé une manifestation en faveur d'un retour au pape des États de l'Église ? Jules Simon accepta un ordre du jour de Gambetta. Le 16 mai, Mac-Mahon refusait de l'admettre. Il saisit le premier prétexte pour se défaire du cabinet. La crise était ouverte.

LA CRISE DU 16 MAI.

Le 18 mai, Mac-Mahon envoyait un message aux chambres pour expliquer son attitude : il se voyait contraint de dissoudre la Chambre. Jules Simon avait donné sa démission le 16 mai. Mac-Mahon avait demandé au duc de Broglie de former un gouvernement. Les républicains avaient fort mal pris cette provocation, 363 députés avaient aussitôt signé une « adresse » de protestation.

> « Le ministère, disait l'adresse, n'a pas la confiance des représentants de la nation. »

Ainsi, pour l'Assemblée, le chef du gouvernement ne pouvait-il gouverner qu'en accord avec la majorité. Mais pour Mac-Mahon, il n'était pas question d'admettre un gouvernement qui ne fût pas en conformité avec les vues politiques du Président. Le principe présidentiel s'opposait ainsi à la règle du régime parlementaire. L'Assemblée et le Président n'avaient pas du régime la même conception.

Dans ses explications du 18 mai, Mac-Mahon rappelait qu'il

avait le pouvoir constitutionnel de dissoudre la Chambre, s'il n'était pas en accord avec la majorité. Il entendait user de ce pouvoir.

> « Cette grave mesure, disait-il, me paraît aujourd'hui nécessaire. Aucun ministère ne saurait se maintenir dans cette Chambre sans rechercher l'alliance et subir les conditions du parti radical. Un gouvernement astreint à une telle nécessité n'est plus maître de ses actions... C'est à quoi je n'ai pas voulu me prêter plus longtemps. »

Le 25 juin, la dissolution était en effet prononcée.

« SE SOUMETTRE OU SE DÉMETTRE. »

La crise était sans issue, si le pays renvoyait à la Chambre une nouvelle majorité républicaine. Il faudrait alors que le Président s'en aille. Le régime ne manquerait pas d'en subir, dans son principe, les conséquences.

A peine née, la République était mise en question par les monarchistes. Ils rêvaient d'en finir avec elle. Les républicains, au contraire, voulaient en finir avec la fiction présidentielle, et instaurer un régime d'assemblée. Ils voulaient une démocratie triomphante.

De part et d'autre, on prépara passionnément les élections. Les préfets de l'ordre moral reçurent des consignes pour déployer le plus grand zèle en faveur des « bons » candidats, par ailleurs recommandés chaudement dans les colonnes de la presse catholique et dans les prêches des curés. Dans la fièvre, on révoqua, on muta des fonctionnaires. On poursuivit des journaux républicains. Mac-Mahon lui-même se jeta dans la lutte, et fit le tour du pays pour soutenir ses candidats, à la manière de Napoléon III.

Gambetta faisait flèche de tout bois. Il était l'âme de la résistance républicaine. Il utilisait à fond le dynamisme des jeunes militants républicains, le dévouement des instituteurs, le zèle des loges maçonniques. Il répondait à l'impatience des « nouvelles couches », qui voulaient chasser de l'État les réactionnaires. « Quand le pays aura parlé, lançait-il à Lille, il faudra se soumettre ou se démettre. » Il allait ainsi, de banquet en banquet, infatigable, jetant des formules à l'emporte-pièce, confondant les « ennemis de la République ». La presse républicaine reprenait ses mots, martelait ses consignes, comparait Mac-Mahon à Louis-Napoléon, à «Badinguet». L'enterrement de Thiers, le 3 septembre, à Paris, fut l'occasion d'une imposante manifestation républicaine. On sentait que ces élections devaient être décisives pour l'avenir du régime.

Elles furent décevantes pour tout le monde : les deux France s'affrontaient, presque à égalité. Les républicains n'obtenaient qu'un demi-succès. Ils étaient 363, ils revinrent 323. Ils totalisaient 4 200 000 voix contre 3 600 000 aux monarchistes. Ils gardaient toutefois la majorité à la Chambre et c'était pour Mac-Mahon un grave échec.

De Broglie dut démissionner, le 20 novembre. Le problème se posait à nouveau, dans les mêmes termes : Mac-Mahon avait-il les moyens d'imposer à la Chambre un gouvernement qu'elle ne voulait pas ? Elle accepta finalement Dufaure et Mac-Mahon reconnut sa défaite :

> « L'exercice du droit de dissolution, dit-il, ne saurait être érigé en système de gouvernement. »

L'aveu était de taille. Il fondait le régime parlementaire : désormais les gouvernements de la République, conformément d'ailleurs à la Constitution, ne seraient responsables que devant les chambres seulement. Les pouvoirs du Président de la République étaient strictement mesurés, jamais plus, jusqu'à la fin du régime, un Président n'oserait user de son droit de dissolution. Les républicains vainqueurs avaient vidé la fonction présidentielle de son contenu.

La République aux républicains.

L'INVESTISSEMENT DE L'ÉTAT.

La crise du 16 mai fondait véritablement la IIIe République. Encore fallait-il que les républicains s'emparent du pouvoir.

La conquête commença par la base, à l'échelon des municipalités. La « révolution des mairies » portait au pouvoir, dans le moindre village, les représentants des « couches nouvelles » dont parlait

Gambetta : les instituteurs et les notaires, les médecins et les petits entrepreneurs ou commerçants. Désormais les campagnes votaient massivement contre les candidats du château. La prise de la citadelle sénatoriale devenait possible.

Elle fut réalisée lors du premier renouvellement du Sénat, le 5 janvier 1879. Les départements traditionnellement conservateurs du Nord et de l'Ouest élirent 66 sénateurs républicains, contre 13 monarchistes. Les républicains avaient désormais la majorité au Sénat, par 174 contre 126. Le « grand conseil des communes de France » recevait une garnison de nouveaux conservateurs, attachés au nouveau régime. Désormais le Sénat serait le gardien résolu des lois et des usages de la république rurale.

Mac-Mahon avait devant lui deux Chambres républicaines : il ne pouvait que démissionner. Il saisit un prétexte pour partir, le 30 janvier 1879. Jules Grévy était aussitôt élu Président de la République. Il affirmait, sans plus attendre :

> « Soumis avec sincérité à la grande loi du régime parlementaire, je n'entrerai jamais en lutte contre la volonté nationale exprimée par ses organes constitutionnels. »

Une révision constitutionnelle ultérieure déclarerait inéligibles à la présidence de la République les membres des familles régnantes et supprimerait, à l'extinction de leurs mandats, les postes de sénateurs inamovibles. Les républicains tenaient enfin tous les pouvoirs.

Il leur restait à investir l'État, les grandes administrations, les véritables postes de commande de la nation. En 1879 ils réorganisaient le haut commandement militaire. En 1881 Gambetta faisait nommer chef d'état-major le général de Miribel. Il voulait que les officiers supérieurs de l'armée ne fussent pas nécessairement républicains, pour que les plus hauts postes soient donnés selon l'efficacité et le mérite, et non pas en fonction de l'intrigue et de l'influence politique. Gambetta, qui songeait sans cesse à la revanche contre l'Allemagne, voulait une armée nouvelle, au service de la France. Mettre à sa tête des officiers du parti républicain eût été une erreur. Il fallait avant tout dépolitiser l'armée, la maintenir à l'écart des luttes politiques.

Les grands corps étaient épurés, le conseil d'État par exemple. Pendant trois mois, on suspendait l'inamovibilité des juges pour pouvoir les remplacer : procédé peu élégant mais sûr. Contrairement à l'armée, la justice allait recevoir une garnison de stricte obédience républicaine. Les royalistes n'avaient-ils pas, depuis 1871, investi les prétoires ? La République n'avait que faire de juges qui crussent en Dieu, et qui affichassent le crucifix dans les salles d'audience. Elle voulait des juges laïques, au service de la société civile.

Mais aussi au service du pouvoir. Si le Franc Germinal avait été stable pendant tout le XIXe siècle, l'administration préfectorale, elle, ne l'était pas. Une fois de plus, les préfets allaient « valser », le moindre sous-préfet ne serait pas à l'abri d'une mutation ou d'une révocation. Les préfets des ducs avaient joué et perdu contre la République. Il fallait qu'ils en fussent châtiés.

Tous les ministères étaient repris en main. Les gambettistes rentraient en force à l'Instruction publique, où ils préparaient aussitôt les cartons de Jules Ferry. Au Quai-d'Orsay, on mettait à la retraite les vieux diplomates de l'Empire, qui avaient montré une remarquable incompétence. On favorisait l'accès à la « carrière » de jeunes républicains issus des grandes écoles, l'École normale supérieure notamment. Le nouveau pouvoir achevait sa conquête par celle des académies, des sous-préfectures et des consulats.

La victoire des républicains était totale, définitive. Certes elle ne reposait, au total, que sur l'adhésion d'une petite moitié de l'électorat. Elle devrait, pour être durable, se poursuivre par une politique heureuse, donnant satisfaction aux aspirations du pays. Pendant près de vingt ans, la nouvelle équipe républicaine allait s'employer à consolider ses conquêtes, en appliquant à la politique, selon le mot de Raymond Poincaré, les méthodes de la science expérimentale. Ces positivistes voulaient construire, avec les moyens du bord, une société nouvelle, qui crût au progrès, à la nation, à la promotion sociale. Leur absence de dogmatisme, leur liberté de pensée et leur souplesse politique les firent appeler *les opportunistes*. Ils étaient en réalité des républicains modérés.

LA RÉPUBLIQUE ET LES AFFAIRES.

La République des « opportunistes » n'était pas honteuse. Elle avait prouvé sa force, et son efficacité, lors de la conquête du pouvoir. Il lui restait à s'imposer au monde des affaires, qui avait soutenu jusque-là successivement l'orléanisme, et dans une certaine mesure le bonapartisme.

Le bilan économique de dix ans de restauration de l'ordre n'était pas mauvais. La France de 1880 était prospère. Elle avait profité de l'extraordinaire lancée du Second Empire. La crise mondiale qui s'était dessinée en Angleterre et en Amérique à partir de 1873 avait épargné la France, astucieusement ceinturée par Thiers de barrières douanières. On continuait à construire des voies ferrées, des routes et des canaux. Les années de bonne récolte avaient permis d'alimenter fructueusement un marché intérieur en expansion.

La France n'était pas en retard dans l'exploitation des brevets industriels, dans la course aux inventions : l'Exposition universelle de 1878 avait été un grand succès. Elle avait reçu plus de douze millions de visiteurs. Le procédé Bessemer permettait de construire des rails de douze mètres de portée, qui avaient fait sensation. On exposait pour la première fois un téléphone, un phonographe et un chandelier électrique. Un ascenseur Edoux, installé au Trocadéro, montait à soixante mètres.

L'industrie n'avait pas trop souffert de l'annexion. La France pouvait exploiter une partie du minerai lorrain et les industriels alsaciens s'étaient installés de l'autre côté des Vosges. La production d'acier devait doubler entre 1870 et 1873. Le procédé Thomas permettait de traiter le minerai de fer lorrain, et la France exportait 45 % de sa production de minerai.

L'agriculture avait connu quelques déboires : les débuts de la crise du phylloxéra et la baisse générale des prix avaient causé des difficultés aux agriculteurs, notamment dans le Languedoc. Mais la baisse était largement compensée par une consommation plus forte des produits agricoles dans les villes. La situation, dans les campagnes, était généralement satisfaisante.

D'ailleurs la stabilité du franc garantissait les banques contre toute surprise. Elles continuaient leurs concentrations financières et leur politique de « capillarisation » dans les provinces et même dans les campagnes où leurs démarcheurs venaient drainer l'épargne, en proposant aux paysans des placements avantageux. En 1872 avait été créée la Banque de Paris et des Pays-Bas, en 1875 la Banque d'Indochine, en 1878 l'Union générale, la banque « catholique » de Bontoux.

LA BANQUE DE L'ARCHEVÊCHÉ.

Le krach de cette banque, en 1882, posait un problème politique. On accusait le régime de favoriser les intérêts d'un petit groupe d'hommes d'affaires protestants et israélites, que l'on appelait le « syndicat ». La droite catholique prétendait que l'échec de l'ordre moral était dû au financement des campagnes républicaines par le syndicat. Dès lors les catholiques, avec la Banque Bontoux, avaient imaginé qu'ils pouvaient constituer une sorte de groupement confessionnel, utilisant sa puissance financière dans le sens de la restauration de la foi catholique en Europe.

De fait la Banque Bontoux avait fait à l'étranger une politique d'investissements très imprudente. Par exemple en Autriche, elle avait lié son sort à celui du cabinet catholique et réactionnaire de Taaffe. Elle avait reçu des concessions dans les chemins de fer balkaniques dont la rentabilité était des plus douteuses. La Banque des Pays autrichiens, fondée en 1880 par l'Union générale, était destinée à offrir une aide financière à tous ceux qui, en Autriche-Hongrie, s'efforçaient d'échapper au capitalisme centralisateur des banques israélites de Vienne.

Il n'est pas certain que Gambetta n'ait pas encouragé à sa manière une entreprise qui risquait de contribuer à rapprocher Vienne de Paris, à détourner les Autrichiens de l'orbite financière allemande. Il est en revanche tout à fait certain que Bontoux n'avait pas besoin de faire de la politique pour faire de mauvaises affaires. La Banque « catholique » de Bontoux, où cotisaient certains membres illustres du haut clergé, avait distribué aux actionnaires, en 1880, des dividendes de 32 %! De 1880 à 1881, la valeur des titres cotés en bourse avait augmenté de 20 %. Bontoux avait, plus qu'un autre, participé aux opérations spéculatives. L'écroulement de la Banque, en 1882, tenait à l'imprudence de la gestion.

Elle entraîna la chute générale du marché boursier. Les milliards dépensés par l'État dans le plan Freycinet, destinés à la construction de chemins de fer départementaux, avaient plus que relancé l'économie; ils avaient favorisé la spéculation. On avait vu des grands propriétaires vendre en toute hâte leur domaine pour jouer à la Bourse. Ils avaient souvent tout perdu. Après le krach, la spéculation était cassée d'un coup. Les cours descendaient en chute libre. Les clients vendaient leurs actions pour acheter de l'or ou des titres d'État. La Banque de France doublait presque le taux de l'escompte (de 2 à 3,8 %), le crédit manquait aux petits et moyens entrepreneurs. Très vite, le chômage faisait son apparition. La France connaissait la première crise capitaliste de son histoire.

LE POUVOIR DEVANT LA CRISE.

Les bons avocats, journalistes et notables qui avaient pris le pouvoir en France étaient totalement dépassés par l'ampleur des phénomènes financiers, qui avaient des conséquences directes sur l'activité industrielle et l'emploi. Le personnel républicain n'avait guère de têtes économiques. Il n'en aurait pas, d'ailleurs, à quelques exceptions près, jusqu'à la fin de la IIIᵉ République.

La panique boursière avait des conséquences durables sur l'avenir de l'épargne, et sur les mentalités françaises. En achetant des fonds d'État, les petits porteurs misaient sur la stabilité de la monnaie, sur la rigueur des budgets, sur la sûreté du régime. Ils allaient voter républicain modéré. L'évolution de la situation financière, en suscitant dans le public une certaine panique, renforçait donc le pouvoir des notables, garants de l'ordre et de la stabilité. Pendant cinquante ans, les petits épargnants feraient confiance, politiquement, à ceux qui promettraient de faire de bons comptes et de veiller à l'équilibre des balances...

Au-delà des avantages qu'ils présentaient pour une partie du personnel politique, les petits épargnants devenaient aussi une masse de manœuvre intéressante pour les banquiers qui allaient placer des titres étrangers en nombre croissant sur le marché français. Une masse considérable de l'épargne serait ainsi détournée des investissements qui auraient pu profiter directement à l'expansion nationale. Il est vrai qu'en réalisant sur les emprunts étrangers de fructueuses opérations, les banquiers avaient conscience de servir au mieux la politique extérieure de la France. L'arme financière appartenait désormais à l'arsenal des chancelleries. On se faisait des amis ou des ennemis en acceptant — ou en refusant — l'inscription à la cote des valeurs étrangères à la bourse de Paris.

A partir de 1890, le personnel républicain fut débordé par la crise, qui atteignait tous les pays d'Europe, et devenait vraiment internationale. La faillite retentissante de la banque Baring, en Angleterre, inquiéta tous les épargnants. C'était une des plus anciennes banques européennes. La Banque de France, qui prêtait de l'argent à l'Angleterre, pour lui permettre de faire face à la crise, avait dû donner un nouveau tour de vis au frein du crédit. Elle avait entraîné la faillite de la vulnérable société du canal de Panama. Un certain nombre d'établissements financiers devaient être emportés dans la tourmente, sans que le gouvernement tente rien pour les sauver : le Comptoir d'Escompte, par exemple, dont le directeur, Denfert-Rochereau, se suicidait spectaculairement.

L'État se contentait d'aider de son mieux l'agriculture, touchée elle aussi par la crise, sans trop se préoccuper des affaires financières et industrielles. Sans l'aide des républicains au pouvoir, on peut dire que la crise agricole des années 80 aurait connu une exceptionnelle gravité. A la fin du XIX⁰ siècle, la part de l'agriculture représentait près de la moitié du revenu national. Les paysans possédaient très souvent des parcelles inférieures à un hectare (plus de deux millions de propriétés en 1892), plus souvent encore des petits domaines de un à dix hectares (deux millions et demi de paysans). Il y avait environ 30 000 grandes propriétés de plus de cent hectares. Le soutien de l'agriculture et des prix agricoles impliquait donc un choix social et politique plus encore qu'économique de la part des dirigeants.

Le désastre de la baisse des prix, phénomène mondial, la catastrophe du phylloxéra justifiaient le soutien gouvernemental. Les tarifs Méline, en 1892, établissaient des droits qui allaient jusqu'à 20 %, frappant les produits agricoles étrangers. Le prix du blé était relevé par voie autoritaire, pour permettre aux petits fermiers de survivre. Jules Méline devenait prodigieusement populaire dans les campagnes. Comme les rentiers, les paysans voteraient désormais sans faiblir pour les républicains modérés.

L'aide à l'industrie était indirecte : elle dépendait des commandes ou du soutien financier de l'État. Les commandes d'armement, par exemple, importantes dans les années 90, allaient stimuler les industries chimique et métallurgique. Le marasme était à son comble dans les industries légères, de consommation : dans les textiles ou les industries alimentaires, il fallait licencier du personnel. Par contre la sidérurgie faisait des progrès techniques considérables (procédé Thomas) qui permettaient d'accroître la productivité et de poursuivre l'expansion. Certains grands chantiers, ceux du plan Freycinet, ceux de la Tour Eiffel, commencée en 1887, stimulaient la sidérurgie : la production de fonte passait de 1 700 000 tonnes en 1885 à 2 300 000 en 1895. Les prix de revient de la fonte et de l'acier étaient en baisse constante, en raison de la courbe des prix mondiaux d'une part, mais aussi des progrès de la productivité. Inaugurée en 1889, en pleine crise, la Tour Eiffel pesait près de 7 000 tonnes. Ses poutrelles de fonte et d'acier devenaient célèbres dans le monde entier.

La crise stimulait la recherche et les industries de pointe, et les républicains, pour des raisons militaires, encourageaient la recherche. A Froges, dans les Alpes, une société nouvelle lançait la première fonderie européenne d'aluminium. Péchiney ouvrait une usine dans le Gard : 13 tonnes par an étaient produites à partir de 1896.

En 1899, un bricoleur de génie, Louis Renault, avait monté la première usine d'automobiles, à Billancourt. En 1895, Berliet avait construit son premier véhicule. Depuis 1891 des automobiles sortaient tous les ans des usines Peugeot de Beaulieu. Les premiers prototypes de Panhard et Levassor avaient été réalisés en 1891, au cœur de la crise financière.

Pour construire son usine, Louis Renault ne disposait que de 60 000 francs. Il n'avait pas besoin de drainer l'épargne et d'avoir des titres à la cote pour monter son garage... Les frères Michelin n'étaient guère plus riches quand ils inventaient, à la même époque, le pneu et la chambre à air. Ils installaient leur établissement à Clermont-Ferrand, en plein centre de la France. A cette date les frères Lumière, des Lyonnais, avaient mis au point le cinématographe et fondé à la fois un centre technique et une maison de production, qui devait envoyer des opérateurs dans le monde entier. On a des images du Japon, tournées par les frères Lumière, qui datent de 1895 ! Le génie inventif et technique était-il brusquement devenu français ?

Il est vrai que la crise empêchait encore ces inventions de déboucher sur la production de masse. Les capitaux manquaient pour lancer les inventeurs dans la voie de la commercialisation. Dans la période de méfiance qui suivit la crise de la bourse, ils se terraient dans les « bas de laine » ou s'investissaient dans les placements sûrs. L'époque n'était pas à l'expansion. L'État limitait son effort de soutien à ses commandes navales et militaires ou à l'aide qu'il apportait aux grands chantiers. Il n'allait pas jusqu'à aider les ouvriers et les chômeurs. Aussi se détournaient-ils de lui.

LES « PROLÉTAIRES » ET LE POUVOIR.

Dix ans après la Commune, les idées révolutionnaires cheminaient de nouveau dans un milieu très touché par la crise. La stabilisation relative des masses sociales éliminait les tensions trop fortes sur le marché du travail dans l'industrie. L'exode rural s'était beaucoup ralenti depuis 1870 et la natalité en milieu urbain avait tendance à baisser. Mais le chômage, l'absence de protection légale, d'aide sociale, allaient affecter durement la condition ouvrière. Dans les années 80, les ouvriers français découvraient qu'ils étaient des « prolétaires ».

Les républicains avaient souhaité, comme l'Empire, se rattacher les ouvriers, s'en faire une clientèle politique. Ils n'avaient pas cherché à les exclure de la République. Waldeck-Rousseau, grand bourgeois libéral, avait fait voter la loi de 1884 qui permettait enfin de constituer en France des syndicats autorisés.

En réalité le mouvement ouvrier, qui avait ainsi les moyens de se grouper et de s'exprimer, devait se construire contre les républicains modérés, ses bienfaiteurs... En dix ans, les regroupements dans le cadre des professions avaient permis d'unifier l'action syndicale et de créer une grande centrale, la *Confédération générale du travail*. Les syndiqués français ne voulaient pas entendre parler d'une action politique, contre ou pour le pouvoir. Ils n'étaient pas non plus des réformistes. Ils voulaient abattre la société capitaliste et considéraient que l'action ouvrière devait être uniquement révolutionnaire. L'arme des ouvriers était la grève générale. Ils devaient s'emparer du pouvoir économique, et négliger la façade parlementaire du régime bourgeois. L' « anarcho-syndicalisme » connaissait dans les syndicats français un succès grandissant. Il s'inscrivait dans la tradition des sociétés ouvrières de résistance, qui s'inspiraient de la pensée de Proudhon ou de Bakounine. L'adhérent aux premiers syndicats cotisait dans le cadre de son métier. La première association ainsi fondée avait été celle des ouvriers chapeliers. Venaient ensuite le livre, et seulement après les mineurs et les cheminots. Les unions de métiers s'étaient regroupées à la Bourse du travail de Paris, puis dans les Bourses du travail des grandes villes de province. Les Bourses regroupaient, à l'échelon local, les différentes unions de métiers. Il y en avait quatorze dans tout le pays. La C.G.T., animée par Victor Griffuelhes, était donc l'association d'unions horizontales (les métiers) et verticales (les Bourses des principales villes). Elle devait constamment faire le point des revendications corporatives et des intérêts régionaux. L'anarchisme des vieux militants donnait à l'ensemble cette coloration particulière au syndicalisme français, qui se voulait apolitique, non point par réformisme, mais par méfiance envers le système politique bourgeois de la représentation nationale.

C'est donc dans le cadre des partis socialistes que devaient s'exprimer tous ceux qui croyaient à l'efficacité d'une action politique. Bientôt des députés socialistes feraient trembler les quatre colonnes de la Chambre des députés. Aux élections de 1885, les électeurs socialistes avaient envoyé douze députés à Paris. Parmi eux, le paysan commentryen Thivrier, venu de l'Allier en blouse et en sabots, et qui, par provocation, tutoyait dans les couloirs ses collègues qui « parlaient latin », les évêques et les marquis. La tentation était grande, pour ces élus des campagnes « rouges » ou des banlieues industrielles, de s'intégrer aux radicaux d'extrême gauche, assez proches d'eux sur le plan politique. Mais ils refusaient tout rapprochement, et ne manquaient aucune occasion d'affirmer leur volonté révolutionnaire. Partis à douze, les socialistes seraient bientôt cent. Allaient-ils remettre en question l' « équilibre » de la République bourgeoise ?

La République du juste milieu, face aux crises politiques.

LA VIEILLE SOCIÉTÉ CONTRE LA RÉPUBLIQUE.

Les élections de 1885 avaient dénoncé un double danger, pour les républicains « modérés » : la Chambre comptait, outre la douzaine de socialistes, une centaine de républicains d'extrême gauche, les « radicaux ». Elle comptait aussi, sur sa droite, plus de 200 conservateurs. La majorité gouvernementale se trouvait réduite à 260 députés. Elle était à la merci d'une crise.

Les élections reflétaient le mécontentement en profondeur de plusieurs catégories de Français. Il y avait d'abord ceux qui, à droite, n'étaient pas satisfaits de l'œuvre scolaire de Jules Ferry : au pouvoir depuis 1880, Ferry, avec Paul Bert, s'était employé à « laïciser » l'enseignement à tous les niveaux, et d'abord en l'arrachant aux mains de l'Église.

Jules Ferry ne cherchait pas la guerre : il voulait faire une école « sans Dieu », non contre Dieu. La loi de 1880 retirait, il est vrai, aux universités libres la collation des grades. Mais elle ne faisait que revenir à l'état de monopole qu'avait voulu Napoléon Iᵉʳ. L'enseignement était interdit aux membres des congrégations non autorisées. Mais elles pouvaient toujours solliciter cette autorisation. Tout dépendait de l'esprit dans lequel serait appliquée la loi.

Les jésuites ne purent maintenir leurs collèges. Ils furent dissous et leur expulsion donna lieu à des manifestations violentes. Fermer les collèges de jésuites, c'était porter atteinte à une institution ; mais, après tout, il y avait des précédents : Jules Ferry ne faisait là que perpétuer une tradition de gallicanisme qui remontait loin dans l'histoire.

En réalité, les modérés voulurent maintenir avec l'Église des rapports pacifiques. Les « ministres des cultes » donnèrent des instructions pour que l'application de la loi évite les incidents. Les autorisations d'enseigner furent assez largement pratiquées. Ce que la droite ne pardonnait pas à l'œuvre de Jules Ferry, c'est moins la « persécution » contre les religieux que la mise en place d'un système efficace d'enseignement laïque.

Les lois votées de 1881 à 1886 organisaient véritablement la gratuité, l'obligation et la laïcité, dans un esprit de tolérance, mais aussi de conquête pacifique. Les meilleurs esprits de l'Université se dévouèrent pour donner au nouvel enseignement un idéal civique et une portée morale. Ernest Lavisse, professeur à la Sorbonne, directeur de l'École normale supérieure, ne dédaigna pas de tremper sa plume dans l'encre pour écrire son *Histoire de France* à l'usage des classes primaires, qui devait former des générations de Français. L'École devenait ainsi une sorte de creuset républicain. La droite monarchiste ne pouvait l'admettre.

Organiser, comme l'avait fait Ferry, l'enseignement secondaire des jeunes filles, jusque-là élevées « sur les genoux de l'Église », passait pour une provocation. Les premières agrégées féminines étaient comme des suffragettes. Elles défiaient les idées reçues. Alain Decaux a suivi leurs débuts de carrière dans son *Histoire des Françaises* :

> « Mlle Dugard, dit-il, fait la classe devant des bancs vides. On ne la salue plus dans la rue. L'ostracisme. Mlle Dugard a débuté au lycée de Reims aussitôt après la promulgation de la loi de 1880. Scandale parmi les négociants de Champagne. Grève des élèves. »

Les femmes ne peuvent alors prétendre à aucun emploi. Leur ouvrir l'enseignement apparaît comme une sorte de révolution des mœurs. De la même manière, la première femme avocat fait scandale. L'œuvre de Ferry est inséparable de cette volonté collective d'affranchissement, qui devait souder de nombreuses Françaises et Français autour de l'idée républicaine, mais en éloigner beaucoup aussi. Deux sociétés s'affrontaient.

Les lois libérales votées par les opportunistes pour organiser un État moderne choquaient pareillement les tenants de la vieille société. Désormais la presse était totalement libre, ainsi que les citoyens, qui pouvaient exprimer des opinions, bénéficier de l'*habeas corpus* à l'anglaise, se réunir librement. Cette ouverture soudaine de l'appareil législatif à la liberté des individus avait fait, paradoxalement, plus d'ennemis aux républicains que d'amis. Les lois étaient alors en avance sur les mœurs.

LE BOULANGISME CONTRE LE « SYSTÈME ».

Ce que l'on reprochait le plus à Gambetta, à Ferry, à Freycinet et à leurs amis opportunistes, c'était l'affairisme : accusation dangereuse en temps de crise, il n'est pas bon d'avoir la réputation de gagner de l'argent quand tant d'honnêtes gens en manquent, par la faute du gouvernement. Ferry était tombé en 1885 sur l'affaire du Tonkin. Clemenceau lui avait reproché, en pleine tribune, d'oublier les intérêts de la France et la « ligne bleue des Vosges » pour favoriser les affaires d'export-import avec l'Indochine, la Tunisie, et tous les territoires qui demandaient aux Français l'argent de l'impôt et le sang des soldats. Les attaques de l'extrême gauche avaient trouvé, à l'extrême droite, des oreilles attentives. La crise économique avait eu pour conséquence de multiplier les mécontents dans la petite et moyenne bourgeoisie : « gogos » abusés par la spéculation boursière, boutiquiers menacés de faillite par la baisse des prix et le chômage, rentiers scandalisés par la gestion estimée discutable des deniers publics, allaient constituer une masse de manœuvre travaillée par des propagandes contradictoires, poussée à des moments de crise, à des mouvements de révolte dangereux pour le régime. Les caricatures de la droite représentaient Ferry barbotant avec Rothschild dans la « mare aux canards ». Rien n'était plus facile alors que de dresser les mécontents contre le « système ». Ils étaient prêts à toutes les formes d'action.

L'affaire Boulanger illustrait bien cet état d'esprit. Fort hostile au personnel modéré de Jules Ferry et de ses amis, le « général Revanche » avait été porté au pouvoir par les radicaux. A la sugges-

tion pressante de Clemenceau, Freycinet lui avait donné le ministère de la Guerre en 1886. Les radicaux les plus bruyamment nationalistes, comme Déroulède, fondateur en 1882 de la *Ligue des
Patriotes*, le soutenaient contre les opportunistes, que l'on accusait
de tout céder à Bismarck.

Boulanger s'était rendu, à peu de frais, populaire dans l'armée,
faisant peindre en tricolore les guérites des casernes, remplaçant
la gamelle par l'assiette dans les garnisons, autorisant les militaires
à porter la barbe... Il préparait une loi sur le recrutement favorisant
l'évolution du service long créé par Thiers vers un service plus
court, plus « national », sans exemptés. Il rendait à l'armée son
prestige, en donnant de grandes revues à Longchamp, immortali-
sées par les chansonniers. En avril 1887, il se faisait connaître du
grand public en inspectant les troupes de couverture au moment
de l'affaire Schnoeblé, ce policier français d'un poste frontière,
arrêté par les Allemands, puis relâché sous la pression du Quai-
d'Orsay. La presse nationaliste avait applaudi aux fiers mouvements
de menton du « général Revanche ».

> « Nos paysans, disait Barrès, jusqu'à Boulanger, n'avaient
> pas connu un nom de ministre... »

Et pourtant Boulanger, à la chute du cabinet Freycinet, devait
abandonner le ministère. Les modérés le nommaient par prudence
en poste à Clermont-Ferrand. Une imposante manifestation tentait
d'empêcher son train de partir, gare de Lyon. Des députés radicaux étaient juchés sur la locomotive.

Boulanger, si populaire, brimé par les opportunistes! L'opposition de droite n'en demandait pas tant : il devint le point de ralliement, non seulement de la droite, mais de tous les mécontents du
centre et de la gauche. Née chez les radicaux, l'agitation gagnait
rapidement les adversaires de la République : les bonapartistes,
les monarchistes eux-mêmes financeraient et suivraient Boulanger.
Pour tous, il représentait un espoir.

Mis à la retraite d'office en mars 1888, il était élu dans de nombreux départements et même à Paris, aux élections de janvier 1889.
Il lançait, pendant la campagne, un mot d'ordre radical : « dissolution, constituante, révision ». L'idée maîtresse du boulangisme
était en effet de renverser le système d'assemblée pour restaurer
l'autorité du pouvoir exécutif. Les radicaux n'avaient-ils pas affirmé
les premiers leur volonté d'en finir avec le régime ambigu des
notables républicains, qui sombrait dans l'affairisme ?

Il est vrai que, pour nombre de partisans de Boulanger, « révision » voulait dire : restauration. Il fallait, grâce à lui, renverser la République. Mac-Mahon était bien vieux, la réaction croyait enfin avoir trouvé un « sabre ». Pour la première fois, l'opposition au régime avait l'occasion de tenter un coup de force contre l'ordre républicain.

UN GÉNÉRAL VERSATILE.

Au sommet de sa popularité, quand il était à deux doigts du pouvoir, Boulanger devait manquer de décision. Ses partisans l'acclamaient follement place de l'Opéra. Les ministres de Jules Ferry étaient au comble du désarroi. « Mon général, à l'Élysée! » lançait Déroulède... Mais Boulanger, comme jadis Napoléon III, voulait être l'élu du peuple. Il refusa le coup de force.

Sur le terrain légal, les républicains pouvaient tenter, non sans risques, l'affrontement. L'énergique ministre de l'Intérieur Constans interdisait les candidatures multiples, pour empêcher le général d'être plébiscité. Il faisait dissoudre la *Ligue des Patriotes*, particulièrement agitée. Il persuadait le général de s'enfuir en Belgique, sous la menace d'une arrestation. Le général partait en effet. Il était aussitôt oublié.

L'exposition universelle de 1889 rendait Boulanger à l'anonymat. Il se suicida, de chagrin, sur la tombe de sa maîtresse, Madame de Bonnemain. Une condamnation l'avait rendu inéligible. La République avait bien fait les choses. Elle en était récompensée : aux élections, les républicains l'emportaient par 366 sièges, contre 22 aux conservateurs.

« Il est mort comme il a vécu, en sous-lieutenant », devait dire de Boulanger l'impitoyable Clemenceau. Non sans amertume, les radicaux de gauche, qui avaient le monopole du patriotisme jacobin depuis la Commune, avaient vu la droite, grâce à Boulanger, se parer de nouveau de la cocarde nationale. Le « général Revanche » avait fait oublier les notables « capitulards » de 1870. Le nationalisme devenait, au profit de la droite, une force révolutionnaire qui avait entraîné, sans conteste, une grande partie de la population parisienne. Le Paris de la Commune mêlé à une tentative de coup d'État contre la République ? La nouveauté était d'importance... elle n'était rassurante ni pour l'aile droite, ni pour l'aile gauche du parti républicain.

Elle devait suggérer aux responsables la possibilité, puis la nécessité d'une rupture. Après l'affaire Boulanger il était clair que, dans son ensemble, la droite des conservateurs n'acceptait en rien le régime ni la société républicaine. Fallait-il, pour pouvoir persévérer dans une politique conservatrice, continuer à solliciter le « ralliement » des droites, et en particulier des catholiques ? N'était-il pas enfin temps, quinze ans après la Commune, de situer la République à gauche ? Boulanger avait donné à réfléchir aux radicaux : ils préparaient désormais leur sortie.

LA RÉPUBLIQUE ET LES SCANDALES.

Panama ne devait rien faciliter : la crise financière devenait très vite un scandale politique, où les radicaux eux-mêmes étaient compromis. Contre eux, et contre les opportunistes, la droite nationaliste exploita à fond l'indignation de l'opinion publique contre les « cent cinquante petits veaux » de la Chambre, qui avaient touché des pots de vin pour voter une loi favorable à la compagnie en difficulté.

Barbès, dans *Leurs figures*, devait flétrir ces députés corrompus, qui symbolisaient, pour lui, l'ordre républicain. Mais il devait aussi ironiser sur le cynisme des responsables ferrystes :

> « Les sages, disait-il, ou pour parler net, les principaux participants du régime (par exemple, un Carnot) pensaient qu'il était fatal que dans un système politique libéral, réglé par le marchandage et le chantage, tout appartînt aux trafiquants qui connaissaient le plus exact tarif des consciences et qui possédaient déjà un stock de reçus. Dominés par la peur, maladie endémique au Palais-Bourbon, ils jugeaient de bonne conservation sociale de ne point troubler l'égout où se canalisent les impuretés nécessaires du parlementarisme... Les radicaux, dont l'échine est toujours un peu maigre, rêvaient d'étrangler les gras opportunistes. »

Mais il y avait du scandale pour tout le monde, comme l'enquête devait le démontrer.

La Compagnie de Panama, fondée par Ferdinand de Lesseps

sur le modèle de celle de Suez, avait eu les plus grands ennuis techniques et financiers. Elle avait eu besoin du concours des parlementaires pour pouvoir émettre des emprunts à lots, remboursables par tirage au sort. Ces emprunts n'avaient pu éviter la faillite de la Compagnie, et donc de ses actionnaires, en 1888. Pendant trois ans, on avait étouffé le scandale. Il éclata en 1891, quand Fallières, garde des Sceaux, ordonna l'ouverture d'une instruction.

Les nationalistes de droite, qui développaient dans les journaux une puissante campagne antisémite, accusaient les députés d'avoir gagné de l'argent sur le dos des épargnants bafoués. Un intermédiaire de banque, Jacques de Reinach, mis en cause par le journaliste antisémite Drumont, était mort subitement. La commission d'enquête parlementaire avait rendu publique une liste de 104 députés qui auraient touché de l'argent. Ces « chéquards » devenaient les victimes d'une bruyante polémique de presse. En 1893, un ancien ministre des Travaux publics était reconnu coupable de concussion. Il était condamné. Les autres parlementaires étaient acquittés. Lesseps, Eiffel, l'ingénieur de la Tour, avaient aussi été condamnés, mais ils furent graciés. La République avait « digéré » le scandale.

Il est vrai que beaucoup de républicains auraient du mal à se relever de l'affaire. Le seul fait d'avoir leur nom publié dans les journaux les discréditait pour longtemps. C'était, entre autres, le cas de Loubet et de Clemenceau, mais aussi de Charles Floquet, de l'ancien ministre des Finances Rouvier. On avait prononcé leurs noms avec trop d'insistance pour qu'il n'en restât pas quelque chose. Des hommes nouveaux, qui avaient déjà occupé des postes importants dans l'État, mais qui étaient vierges de toute compromission, étaient heureusement là pour prendre la relève. Si la République n'avait pas sombré corps et biens dans Panama, c'est qu'une deuxième génération de républicains se pressait aux portes du pouvoir, celle des Poincaré, des Viviani, des Georges Leygues, des Barthou, des Delcassé.

LA RÉPUBLIQUE MISE A L'ÉPREUVE DE LA CRISE DREYFUSIENNE.

La droite avait réussi à discréditer la République : elle n'avait pu la renverser. L'Affaire Dreyfus devait lui en fournir de nouveau l'occasion.

Ancien polytechnicien, ancien élève de l'École de Guerre, le capitaine Dreyfus, d'origine alsacienne, servait à l'état-major quand il fut accusé d'espionnage et arrêté. Dans *La Libre Parole*, quotidien antisémite, Drumont avait annoncé la nouvelle, demandant que toute la lumière fût faite sur la trahison d'un « officier juif ». Un nouveau thème de campagne nationaliste éclatait, dans un climat d'espionnite et d'antisémitisme. On exigeait le châtiment exemplaire du traître et l'arrestation de ses complices. Le général Mercier, ministre de la Guerre, était accusé d'indulgence.

Le gouvernement était faussement convaincu de la culpabilité de Dreyfus par le rapport des militaires chargés de l'instruction, aveuglés par la passion antisémite qui sévissait à ce moment dans les hautes sphères de l'armée. Un « dossier secret » fut communiqué aux juges militaires, qui condamnèrent Dreyfus au bagne à vie. Le capitaine était dégradé, envoyé à l'île du Diable, en décembre 1894. Le gouvernement avait laissé faire, convaincu que la campagne cesserait après la condamnation. Personne, à gauche, ne s'intéressait à l'affaire. Jaurès lui-même affirmait qu'il se lavait les mains du sort de ce « capitaine juif » et qu'il n'avait pas à se mêler des « querelles de famille de la bourgeoisie ».

Le frère de Dreyfus, aidé du journaliste Bernard Lazare, s'efforçait cependant d'obtenir justice. Ils trouvaient une aide inespérée en la personne d'un officier du service de renseignements, le colonel Picquart, qui découvrait le véritable coupable. Il s'agissait d'un noble d'origine hongroise, couvert de dettes, Esterhazy. C'est lui, et non Dreyfus, qui avait eu des relations avec l'attaché militaire de l'ambassade d'Allemagne, Schwartzkoppen. Picquart informa ses chefs, qui l'expédièrent dans le Sud tunisien.

Les amis de Dreyfus, mis au courant de la découverte de Picquart, en informèrent Scheurer-Kestner, vice-président du Sénat, et le directeur du journal *Le Siècle*, Joseph Reinach. Une campagne de presse révisionniste allait commencer, que le pouvoir s'efforçait d'étouffer. « Il n'y a pas d'Affaire Dreyfus », lançait à la tribune de la Chambre le président du Conseil Jules Méline.

L'acquittement d'Esterhazy, mis en cause par les révisionnistes, avait été prononcé en janvier 1898. Zola, qui, à l'intention des militaires et du pouvoir politique, avait écrit dans *L'Aurore* l'article « j'accuse », était à son tour jugé et condamné, sur les instances de l'état-major, au plus fort de la campagne antisémite de nouveau provoquée par les nationalistes. Le général Cavaignac, ministre de la Guerre, lisait, pour apaiser les esprits, une des pièces du « dossier secret » à la tribune de la Chambre. Son discours, qui établissait la culpabilité « indiscutable » de Dreyfus, était affiché dans toutes les communes de France. On apprenait le lendemain que la pièce lue à la tribune était un indiscutable faux.

Un officier du service de renseignements, le colonel Henry, avait fabriqué ce faux « dans un but patriotique ». Aussitôt arrêté, le colonel se suicidait dans sa cellule. La révision était en cours.

Après la démission du général de Boisdeffre, chef d'état-major, et du ministre Cavaignac, l'Affaire devenait politique. La cour de cassation déclarait recevable la demande en révision. Un nouveau procès s'ouvrait à Rennes.

LE JUGEMENT DE RENNES ET LA LIQUIDATION DE L'AFFAIRE PAR WALDECK-ROUSSEAU.

Jamais l'affrontement de l'opinion en deux camps ennemis n'avait été plus violent : pour les antirévisionnistes, la République était un régime corrompu, incapable de défendre les valeurs militaires, accablant pour la religion, la famille et la société. Maintenir Dreyfus au bagne, c'était sauver l'ordre et abattre la République. Les ligueurs de la Patrie française, de la Ligue des Patriotes, de l'Action française, exigeaient bientôt la prise du pouvoir par les nationalistes.

En février 1899, une émeute éclatait dans Paris à propos des funérailles de Félix Faure. On conspuait, sur son passage, Loubet, compromis dans Panama. On criait : « Vive Panama Iᵉʳ ! » Déroulède s'efforçait d'entraîner à l'Élysée le général Roget. En juin, Loubet était frappé à coups de canne par un jeune royaliste, en plein champ de courses, à Longchamp. Déroulède arrêté et jugé criait à son procès :

> « Vive l'armée ! Oui, vive l'armée, qui est notre dernier honneur, notre dernier recours, notre suprême sauvegarde ! »

Les révisionnistes devenaient ainsi, qu'ils le veuillent ou non, les défenseurs de la république contre les « ligueurs » déchaînés. On était revenu, les massacres en moins, au temps des guerres de Religion. A gauche aussi s'étaient formées des *ligues* : la Ligue de l'Enseignement, la Ligue des Droits de l'Homme. Les partis devaient s'unir jusqu'à l'extrême gauche. Des *comités de vigilance* se constituaient spontanément dans la capitale. Socialistes et radicaux fraternisaient : ce que la guerre sociale n'avait pu obtenir, l'affaire Dreyfus l'avait un moment réalisé. Quand Waldeck-Rousseau était chargé, le 22 juin, de former le nouveau gouvernement, les deux France s'affrontaient. On se divisait même dans les familles. Il était urgent de sauver l'ordre, en rétablissant la paix.

Waldeck-Rousseau devait y parvenir aux moindres frais. Il prenait dans son gouvernement un socialiste en rupture de banc, Alexandre Millerand, et un militaire incontestable pour la droite, le général de Galliffet, qui avait commandé les troupes versaillaises pendant la Commune. Une brève circulaire de Galliffet à l'armée devait suffire à calmer les esprits : « L'incident est clos... »

Il restait à juger le capitaine pour la seconde fois. L'armée ne pouvait se désavouer : elle le condamnait. Le gouvernement ne pouvait laisser se perpétuer le désordre : on accordait à Dreyfus les circonstances atténuantes. Ceux qui l'avaient défendu avec le plus de cœur, Jaurès, Péguy, Clemenceau, s'indignaient du jugement, conseillaient à l'accusé de refuser la grâce que lui offrait le Président de la République. Mais Dreyfus avait trop souffert. Il attendrait en paix sa réhabilitation. La grâce mettait un terme à l'agitation.

Aussitôt après le jugement, le gouvernement Waldeck décapitait le mouvement nationaliste : vingt-quatre meneurs étaient traduits en Haute Cour et condamnés, parmi lesquels Paul Déroulède. La presse antidreyfusienne, très largement catholique, était frappée d'amendes diverses, qui l'obligeaient à disparaître en partie : les *Croix*, *Le Pèlerin* se maintenaient, mais la congrégation des assomptionnistes, véritable agence de presse catholique, était dissoute.

La répression des menées anarchistes par les républicains modérés en 1893-1894 avait rendu ces derniers odieux aux socialistes. En discréditant durablement le personnel politique modéré, déjà fort éprouvé par Panama, la crise dreyfusienne ouvrait aux républicains d'extrême gauche les voies du pouvoir. Socialistes et radicaux devenaient les maîtres du terrain. Sauraient-ils s'entendre pour l'occuper ?

Le mouvement très diversement révolutionnaire appelé globalement socialiste n'avait pris partie que tardivement et partiellement dans l'Affaire. Les radicaux au contraire y avaient très largement participé. La fin de l'Affaire Dreyfus semblait annoncer l'union des gauches. Pourrait-elle trouver une véritable unité d'action ? Sur quel programme ? Et que deviendrait, dans la conjoncture politique, l'œuvre d'ensemble construite depuis vingt ans par les opportunistes, à l'intérieur comme à l'extérieur? Sans doute la gauche avait-elle sauvé, seule, l'ordre républicain. Assumerait-elle pour autant l'ordre conservateur?

On retenait, en 1899, que la République avait survécu à tous les orages : la crise boulangiste, la brusque secousse de violence anarchiste qui avait suivi Panama, la redoutable épreuve de l'Affaire Dreyfus. Dans ses profondeurs, la société française semblait avoir accepté le régime et les valeurs qu'il représentait : tolérance, laïcité, progrès économique et social, patriotisme sans provocation, expansion coloniale sans aventure. Les scandales et les crises avaient remis la République dans l'axe. Les différents complots de la vieille société n'avaient pas réussi à utiliser les mécontentements pour abattre le régime. La République conservatrice avait réussi : elle transmettait son héritage à la République « avancée ».

Fin de Chapitre 16

CHAPITRE 17

L'expansion républicaine

Il n'y avait pas de différence de nature entre les opportunistes et les radicaux, mais des différences de méthodes et de mentalités. Un Clemenceau, qui passait pour radical, avait été maire de Montmartre pendant la Commune. Accusé par les insurgés d'avoir trahi leur cause et livré les canons aux généraux versaillais, Clemenceau, la mort dans l'âme, avait abandonné la Commune. Grand admirateur de Louise Michel, qui fut déportée en Nouvelle-Calédonie, il se sentait profondément homme de gauche; c'est lui qui devait faire tirer la troupe sur les grévistes de Draveil.

Jules Ferry venait de la droite. Ce notable lorrain avait les favoris bien fournis et l'embonpoint rassurant des « messieurs à redingote ». Il avait été, il est vrai, journaliste républicain sous l'Empire, mais le gendre de l'industriel alsacien Risler, le neveu de Scheurer-Kestner et de Charles Floquet n'avait rien à voir avec un aventurier comme Gambetta. Il avait été reçu solennellement, en 1875, dans une Loge du Grand Orient, il voulait selon sa formule « organiser l'humanité sans Dieu et sans roi ». Il fit l'école laïque, et donna à la France du « mouvement » ses armes les plus solides contre la France de « l'ordre ».

Ferry et Clemenceau pouvaient bien différer en tout dans le domaine de la politique étrangère, de la politique économique, et même dans la conception de l'action politique : ils étaient profondément d'accord sur le maintien du système social libéral bourgeois. Si Clemenceau montrait de la hâte à précipiter les réformes sociales, il était seulement plus impulsif, sa République était plus « avancée ». L'expérience devait montrer que c'était bien la même République.

Les radicaux qui prenaient le pouvoir en France au début du XXe siècle trouvaient un substantiel héritage. La République « honteuse »

des années 75 était devenue triomphante, assurée de ses destinées,
malgré les crises et les scandales. Cet héritage était largement positif.
Les radicaux sauraient le faire fructifier.

L'héritage des opportunistes.

LA « SOCIÉTÉ SANS DIEU ET SANS ROI ».

La « société sans Dieu » était faite pour des hommes libres.
Les fondateurs de la République, les Ferry, les Grévy, les Waldeck-
Rousseau, avaient fait voter les grandes lois de 1881, organisant la
liberté de réunion, la liberté totale de la presse, la liberté d'association avec la loi de 1884. La loi municipale du 5 avril 1884 faisait des
maires les élus des conseils municipaux, bien qu'à Paris encore les
maires d'arrondissements fussent désignés par le pouvoir.

Ainsi étaient assurées les libertés publiques. Le suffrage universel, loyalement appliqué, assurait le recrutement démocratique
des hommes d'État. La carrière d'un futur consul commençait
souvent dans un conseil municipal. Ceint de l'écharpe de maire, il
se présentait au conseil général, puis à la députation. Une fois élu,
il se faisait inscrire dans une des « commissions » de l'Assemblée
où ses talents pouvaient être remarqués par les Burgraves. Il était
ainsi, après quelques rapports bien instruits, « ministrable ». On lui
confiait, avant un maroquin, un poste de secrétaire ou sous-secrétaire d'État. Il était bon de commencer par briguer un ministère
« technique », où les qualités de travail, de sérieux et de patience
pourraient être reconnues. C'est seulement à un âge raisonnable
que l'on pouvait prétendre aux fonctions politiques, quand on
avait fait ses preuves dans le sérail. Le suffrage universel, loin
d'institutionnaliser le désordre, favorisait donc le recrutement d'un
nouveau personnel politique, où la cooptation désignait non seulement les plus fidèles et les plus dévoués, mais les plus capables.

Car la République « sans Dieu » croyait d'abord aux capacités.
C'est pour les découvrir et les former qu'elle avait construit l'école
laïque. Le programme opportuniste d'éducation populaire, qui

poursuivait, dans ses grandes lignes, le projet conçu par Victor Duruy sous l'Empire, représentait l'espoir de réalisation d'une des idées-force de la pensée politique de gauche, au XIXe siècle : il fallait que tous les petits Français eussent des chances égales, qu'ils pussent, grâce à l'instruction, désigner en connaissance de cause leurs représentants, qu'ils pussent les contrôler et s'intégrer aux institutions de leur pays. L'école primaire formait des conseillers municipaux très acceptables. Les mairies aussi avaient besoin de cadres. Les Français devaient se sentir responsables d'une collectivité nationale. On ne se sent pas responsable quand on ne sait pas lire... En 1880, 25 % des hommes et 35 % des femmes de France étaient des illettrés. En dix ans, après les lois Ferry, il n'y avait plus que 15 % des hommes et 24 % des femmes. Dix ans plus tard, l'œuvre était pratiquement achevée : les îlots d'analphabétisme étaient en voie de réduction. En vingt-cinq ans les opportunistes avaient envoyé la France à l'école.

LES HUSSARDS NOIRS DE LA RÉPUBLIQUE.

Cette réussite était le résultat d'un véritable apostolat laïque. Les instituteurs, issus des écoles normales, donnaient avec une rigueur et une moralité exemplaires la même instruction à tous. La formation des instituteurs eux-mêmes correspondait exactement à l'idéal moral des responsables politiques du clan opportuniste.

Ceux-ci avaient vécu dans l'amertume la défaite de 1870, d'autant plus qu'ils étaient hostiles à l'Empire. Ils étaient convaincus de la supériorité morale de leurs ennemis. Le Second Empire, pour les républicains, était le symbole de la décadence, du relâchement, de l'irresponsabilité : les chefs de l'armée, de la diplomatie, étaient des incapables. L'État avait abandonné certaines missions fondamentales : éduquer et défendre, par exemple. Pour apporter la preuve d'une véritable renaissance de la France, il fallait changer les mentalités : l'école et l'armée devaient s'en charger.

L'école devait donner aux jeunes Français le sens de l'effort, le goût de la vérité, de l'exactitude et de l'obéissance. Elle devait les intégrer à une communauté nationale dynamique, ayant pour but le progrès de la société dans tous les domaines : pensée libre, prospérité, justice sociale, tel était l'idéal enseigné dans les classes.

Méthodes et matières étaient adaptées à cet idéal : l'histoire y tenait une large place, et le « petit Lavisse » contribuait à donner aux enfants le sentiment de la continuité nationale, des rois à la République. Mais il y avait aussi la découverte de la vie moderne. *Le tour de France par deux enfants* permettait aux maîtres qui lisaient en classe ce roman feuilleton, de faire découvrir les chantiers de la France moderne, de Saint-Nazaire au Creusot. Les « leçons de choses », admirable invention des instituteurs, apprenaient aux enfants pourquoi l'eau bout, la craie tombe, le haricot germe et le hanneton vole, ces hannetons que les élèves capturaient dans des boîtes d'allumettes pour les lâcher, le jeudi matin, dans les cours de catéchisme.

Car désormais le catéchisme avait lieu en dehors de l'école, le plus souvent à l'église. Le curé l'enseignait lui-même, sur des petits livres édités à l'archevêché, et revêtus de l'*imprimatur*. Le catéchisme avait un aspect doctrinal, obligatoire, comme l'école elle-même. A l'école, les châtiments physiques n'étaient pas rares. Le maître faisait entrer la règle de trois à la baguette dans la tête des récalcitrants, comme son collègue — et modèle — l'instituteur prussien.

La France entière éprouvait un étrange complexe d'infériorité devant la Prusse : elle se mettait en tout à son école, comme la Prusse l'avait fait de la France jadis, après la défaite d'Iéna. Les républicains accusaient la société traditionnelle de tous les vices et de tous les maux : barbes au vent, ils haïssaient les visages glabres des prêtres et les moustaches fines des mondains. Le hérissement bourru de leurs favoris impliquait un engagement moral : celui de retrouver aux sources populaires la force, la rude franchise des faits, le courage et l'espoir, celui aussi de donner à toutes les forces disponibles dans ce pays les moyens de s'épanouir, de grandir, de s'unir pour la revanche, mais non pour la restauration d'un passé détesté. Seul le progrès scientifique et moral pouvait donner à la France des armes égales contre la Prusse.

Si les lois Ferry avaient organisé l'école laïque, et concrétisé l'espoir de redressement de toute une partie de la population française, elles n'avaient en rien porté dommage à l'enseignement religieux. On ne pouvait le supprimer d'un trait de plume, car il répondait aux besoins de l'ancienne France, dans ses aspirations fondamentales. Cet enseignement comptait encore 52 000 élèves dans les établissements secondaires en 1894, contre 84 000 dans les lycées de l'État. C'est dire à quel point les opportunistes avaient interprété les lois dans un sens conciliant. La plupart des établissements religieux avaient bénéficié du régime des autorisations.

L'apostolat laïque ne pouvait mordre sur les positions de l'Église dans la « bonne société » de Paris et de province. Toute une partie de l'opinion française, d'abord dans les « hautes classes », reprochait au nouvel enseignement d'État d'être sectaire, agressif, d'enseigner à la fois le mépris de Dieu et la haine de la société. Des « fabriques d'anarchistes », tels apparaissaient les lycées dans la bourgeoisie bien pensante. Les « collèges » religieux n'avaient jamais eu si bonne presse, dans la peur sociale qui s'accroissait avec le développement du socialisme : à Paris, Stanislas, l'école Bossuet, Gerson, Saint-Jean-de-Passy fabriquaient une autre race de Français qu'Henri-IV, Saint-Louis ou Lakanal. L'enseignement religieux gardait ses positions et campait sur le terrain des beaux quartiers. L'Église avait jadis lié sa cause aux régimes politiques : elle la liait désormais aux destinées d'une classe.

LE RALLIEMENT DES CATHOLIQUES.

Le pape Léon XIII, dans sa sagesse, avait dénoncé le danger : les catholiques ne pouvaient refuser de suivre l'évolution de la société, sous peine d'être relégués à la défense d'un ordre ancien périmé. Il fallait reprendre la tâche apostolique, évangéliser les nouvelles classes sociales, ces prolétaires des usines et des mines, encadrés seulement par les socialistes. On ne lutterait pas contre la république laïque en organisant la défense des presbytères. Les évêques devaient quitter l'Aventin et faire un bout de chemin vers les républicains.

Tel était le sens du toast porté à Alger, le 12 novembre 1890, par le cardinal Lavigerie. Un toast à la République! L'affaire avait fait scandale et les *Croix*, horrifiées, n'avaient pas donné suite à cette volonté d'ouverture.

Léon XIII, dans son encyclique du 20 février 1892, avait lancé son immense autorité dans la balance : il recommandait le *ralliement* des catholiques français au régime républicain. Il précisait bien que ce « ralliement » était tactique, et non doctrinal. L'Église ne renonçait pas à sa conception théocratique de la société. Dieu seul devait posséder l'autorité, il connaissait seul les voies de la justice. Mais l'Église trouverait plus d'avantages à s'engager dans la bataille sur le terrain de l'adversaire : elle devait, en particulier, avoir des candidats aux élections qui ne détournent pas vers les républicains

les suffrages populaires en recommandant de voter pour les royalistes.

Il y eut bientôt une trentaine de députés « ralliés » à la Chambre,
autour de Jacques Piou et du comte de Mun. Les républicains
modérés, hostiles aux radicaux dans la plupart des domaines,
avaient bien accueilli ces transfuges des « blancs », ces catholiques
abandonnant le parti de M. de Charette pour accepter le monde
nouveau de la société civile. Pour encourager le *ralliement*, les modérés maintenaient le budget des Cultes, soutenaient les missions
catholiques à l'étanger, faisaient preuve de conciliation dans l'application des lois scolaires. La politique opportuniste souhaitait la
réconciliation progressive des Français, l'installation en profondeur du régime républicain par la « conquête des cœurs ». Elle avait
le plus grand besoin, contre les radicaux et les socialistes, de cette
clientèle électorale de la droite, dont les suffrages étaient sottement
détournés au profit de candidats chimériques. Le peu de succès
des candidats du ralliement avait déçu les modérés. Leur échec
montrait la difficulté avec laquelle les idées républicaines mor-
daient sur la droite : elles se heurtaient aux tabous sociaux et
religieux.

LES VALEURS MILITAIRES.

Les Républicains savaient bien que, pour favoriser la réconciliation des deux France, il fallait un « ralliement autour du drapeau ».
Seule l'idée nationale était susceptible de souder de nouveau les
droites. Il fallait que la République fasse la preuve qu'elle était le
seul régime capable de rendre à l'idée de nation un contenu concret,
vivant, dynamique.

Déjà Gambetta avait entouré l'armée nouvelle de tous ses soins.
Les opportunistes, qui se gardaient de faire surgir aux frontières
le tumulte guerrier, restaient fidèles à sa maxime : quand on demandait à Gambetta pourquoi il ne parlait pas de la « revanche », il
répondait : « Pensez-y toujours, n'en parlez jamais. » La République
devait constituer une armée vraiment nationale. Le réarmement
était d'abord moral : avec l'école, l'armée devait fabriquer un moule
unique de Français. En Allemagne l'armée de la Prusse avait fait
l'unité de la « patrie allemande ». Les Bavarois étaient morts aux
côtés des Prussiens sur les champs de bataille d'Alsace et de Lor-

raine. En France, une grande armée nationale ferait l'unité du pays, déchiré par ses luttes internes. Avant d'être un instrument d'expansion impérialiste, l'armée devait être une institution d'unification nationale.

Galliffet, de Miribel, de Boisdeffre n'étaient pas des officiers républicains. Gambetta le savait. Il possédait un fichier fort détaillé qui lui indiquait le nom de tous les officiers qui allaient — ou n'allaient pas — à la messe. Si les opportunistes avaient placé dans le Haut état-major les grands noms de l'aristocratie, c'était pour que tous les chefs prennent conscience que l'armée était la chose de la France, et pas seulement du régime républicain. Issus principalement du collège des jésuites de la rue des Postes, meilleure préparation à l'École polytechnique, les officiers supérieurs de l'armée étaient la plupart du temps des catholiques conservateurs, bien que, depuis les années 90, ils eussent dû laisser quelques places aux athées, protestants et juifs. La République avait éliminé tout problème politique dans l'armée, en mettant à sa tête des hommes qui n'étaient pas des siens.

Perdaient-ils de vue la « ligne bleue des Vosges » ? Cette armée commandée par les élèves des jésuites était en fait très imprégnée par la mentalité de Polytechnique : elle se voulait savante, scientifique, efficace. Le plan « XXIII », établi par de Boisdeffre en 1894, organisait la très rapide mobilisation éventuelle de 1 400 000 hommes, plus 400 000 pour les forteresses de frontières et 750 000 pour les réserves. L'armée préparée par les polytechniciens était bien équipée, bien armée, bien alimentée par des budgets militaires confortables, qui faisaient une large part à la recherche. L'artillerie avait de remarquables obusiers, un excellent canon à tir rapide, le « 75 » (qui tirait vingt coups à la minute), un explosif pour obus à charge creuse particulièrement efficace, la mélinite. L'infanterie disposait de l'excellent fusil Lebel.

Certes cette armée était encore trop attachée à des valeurs sentimentales héritées du passé : elle faisait une trop grande place à la cavalerie, elle gardait, contre tout bon sens, les uniformes rouges et bleus qui rendaient les soldats vulnérables. Mais l'instruction des recrues était particulièrement poussée. Elle commençait à vrai dire à l'école, où les enfants de douze à quatorze ans recevaient les principes de l'entraînement physique et moral des soldats.

Les séances des « conseils de révision » étaient dans les campagnes un véritable rite, ainsi que le départ pour le « régiment ». Pour les jeunes ruraux, l'armée était l'occasion de voyages, de dépaysements d'enrichissement. Si l'instituteur apprenait volontiers la morale du soldat, le sous-officier poursuivait à sa manière l'instruction des « recrues » qui, sur le plan sportif, était parfois très complète. Les Français s'étaient habitués à passer une partie de leur jeunesse à l'armée sans avoir le sentiment d'y perdre leur temps. L'esprit de l'époque était tel qu'ils avaient au contraire la conviction d'avoir accompli un devoir essentiel. Même Jaurès, critiquant l'organisation militaire, ne mettrait pas en question, bien au contraire, le devoir d'autodéfense des jeunes Français.

LES AVENTURIERS DE L'OUTRE-MER.

En France, les colonies n'avaient pas bonne presse : on trouvait les expéditions coloniales inutilement coûteuses. Les hommes politiques du « lobby colonial » étaient réputés corrompus. Les soldats qui faisaient carrière aux colonies passaient pour des incapables, et les colons eux-mêmes pour des paresseux, qui n'auraient pu réussir en France.

C'est pourquoi les opportunistes avaient été vigoureusement soutenus par l'ensemble du parti républicain quand ils avaient osé entreprendre une politique européenne plus ambitieuse. Ils étaient longtemps restés pleins de déférence apparente pour le « système » diplomatique que Bismarck avait installé en Europe. Mais l'alliance russe, négociée militairement à Saint-Pétersbourg par de Boisdeffre, permettait de rompre l'encerclement. Les marins français avaient pu jouer *La Marseillaise* à Cronstadt. La France obtenait l'assurance d'une mobilisation russe « simultanée et automatique » en cas de danger. Pendant des années, l'accord n'avait pas été révélé au public. Il ne fut connu qu'en 1897. L'année d'avant, le tsar et la tsarine étaient venus à Paris, où ils avaient reçu un accueil triomphal : « Vive la tsarine », lisait-on sur les ceintures rouge sang des forts des Halles.

L'alliance franco-russe était l'événement international le plus marquant retenu par l'opinion de l'époque. Et pourtant l'œuvre coloniale des opportunistes était autrement plus positive : la République avait longuement rodé son armée et surtout sa marine en participant à la conquête du monde, entreprise simultanément par les puissances européennes : en 1900 la France était la métropole d'un vaste empire colonial, fait de pièces et de morceaux, et dû aux initiatives de quelques aventuriers.

Député d'Oran, Eugène Étienne, ami de Gambetta, avait pris la tête d'un véritable groupe de pression au sein des opportunistes : les « aventuriers » étaient donc assurés de trouver à Paris une oreille au moins qui leur fût favorable. La Tunisie avait accepté en 1883 un traité de protectorat français. De 1883 à 1896 des effectifs militaires ridicules avaient réussi, malgré l'opposition ponctuelle des Anglais, la conquête de l'Afrique-Occidentale. Des initiatives courageuses avaient permis, autour de 1900, d'occuper l'essentiel du Sahara. L'Afrique noire était ainsi reliée à l'Afrique du Nord, bien que les seuls moyens de liaison fussent les chameaux des Touaregs.

Les officiers des grandes écoles avaient commandé au feu, sous Gallieni, pour faire en 1895 la conquête de Madagascar. De 1882 à 1893, à l'initiative de Ferry le « Tonkinois », l'Indochine, en dépit d'une vive résistance chinoise, avait été acquise, y compris le Tonkin. Jules Ferry s'était expliqué maintes fois sur les finalités de cette conquête coloniale : pour lui, elles étaient d'ordre économique.

> « La politique coloniale, disait-il, est fille de la politique industrielle... L'exportation est un facteur essentiel de la prospérité publique, et le champ d'emploi des capitaux, comme la demande du travail, se mesure à l'étendue du marché étranger... Tout le monde aujourd'hui veut filer et tisser, forger et distiller. Toute l'Europe fabrique le sucre à outrance et prétend l'exporter. »

Voilà Ferry le malthusien, élève de Thiers, converti à la conquête coloniale : puisqu'on ne peut pas empêcher l'expansion industrielle, autant qu'elle trouve des « débouchés » sur des territoires protégés.

Les grandes affaires françaises s'étaient intéressées surtout aux colonies les plus rentables, négligeant les autres. Le capital français devait traditionnellement s'investir très peu aux colonies. Il est vrai qu'à côté des riches colonies anglaises, les territoires conquis par la France faisaient piètre figure. Mais ils étaient d'une étendue telle qu'ils offraient un champ illimité au peuplement, à la mise en valeur. La Tunisie et l'Indochine étaient, par excellence, les colonies attirant les capitaux. Les banques et les compagnies de navigation avaient très vite financé la construction des ports, de quelques lignes de chemins de fer, des équipements urbains, des plantations, des mines. La Banque d'Indochine avait créé la Société des charbonnages du Tonkin. Les grandes compagnies de colonisation exploitaient déjà le sol et le sous-sol de l'Algérie avant 1900. Un demi-million d'Européens habitaient en Algérie. Les gouverneurs (Cambon, Jonnart) étaient de grands personnages consulaires qui avaient obtenu la création d'un Conseil algérien de gouvernement. La colonie évoluait vers une certaine autonomie, au profit exclusif des Français.

Les sociétés industrielles françaises, particulièrement celles qui vendaient du sucre ou du coton, avaient compris qu'il n'existait pas d'« indigène » assez pauvre qui ne pût s'acheter quelques morceaux de sucre et des cotonnades. La réussite de Manchester était, à cet égard, significative. Les colonies étaient intéressantes, moins par leurs matières premières que par leurs prespectives de marchés privilégiés. C'est pourquoi, en définitive, les ministères parisiens finirent par s'intéresser à la conquête de l'Afrique noire. En Afrique-Équatoriale, la France prenait bientôt position au Congo. Elle possédait, à l'extrême Est, le petit territoire de Djibouti et des Somalies. L'idée du commandant Marchand, en 1898, était d'étendre vers l'Est les possessions françaises, à partir du Congo. Par le Tchad il avait gagné le Nil, où il avait affronté une colonne britannique commandée par Kitchener à Fachoda. Le ministre Delcassé, en 1898, avait sacrifié Marchand à la possibilité d'une grande alliance franco-britannique. L'axe du Nil au Cap resterait anglais. Mais les bases d'une triple alliance (France-Angleterre-Russie) étaient jetées quand les radicaux s'emparaient du pouvoir.

La grande France de 1900.

LA RECHERCHE OBSTINÉE DES ALLIANCES.

Les radicaux allaient poursuivre obstinément, pendant dix ans, la politique d'expansion et de sécurité recherchée par les opportunistes. La France avait acquis en peu de temps et à peu de frais le deuxième empire colonial du monde, avec 10 000 000 de km² et plus de 60 000 000 d'habitants. Elle n'allait cesser d'accroître et de consolider ses positions.

Les radicaux au pouvoir perdaient de vue l'optique trop étroite de la revanche. Ils comprenaient que, pour l'emporter d'une manière décisive dans une guerre qui risquait d'être mondiale, ils devaient avoir une politique mondiale. Les colonies prenaient aussitôt une valeur stratégique et militaire. Au même moment, en Allemagne, Guillaume II abandonnait l'optique trop exclusivement européenne de Bismarck pour se lancer, lui aussi, dans une « Weltpolitik ».

Les colonies ne comptaient pas au point d'entraîner une hostilité durable entre la France et l'Angleterre. Déjà liée à la Russie, la France de Théophile Delcassé recherchait, depuis 1898, l'alliance de Londres, avec beaucoup de persévérance. L'Allemagne était réunie à l'Italie et à l'Autriche-Hongrie par la « Triplice ». Delcassé souhaitait constituer une autre triple alliance d'importance comparable, pour équilibrer les forces en Europe.

1898 était l'année de Fachoda. Ministre des Affaires étrangères jusqu'en 1905, Delcassé allait s'efforcer de faire oublier à la France son humiliation. L'alliance russe fut renforcée en 1899 et en 1901. Les radicaux, sur ce point, suivaient les opportunistes. Des accords conclus en 1898 avec l'Italie amorçaient une collaboration économique. En 1900 notre diplomatie laissait les mains libres à l'Italie en Tripolitaine contre l'avantage réciproque accordé au Maroc. L'ambassadeur à Rome, Barrère, avait fait du bon travail.

L'Angleterre était plus difficile à convaincre : la politique du réarmement naval de l'Allemagne devait très vite l'inquiéter. L'agressivité des « commis voyageurs » allemands, pratiquant le « dumping » sur les marchandises industrielles dans le monde entier, aux dépens des produits anglais, indisposait le gouvernement de Londres. A cette époque les Anglais ne supportaient pas que leur flotte de guerre ne fût pas au moins supérieure aux deux plus importantes flottes du monde réunies. C'est ce qu'ils appelaient la règle du *two powers standard*.

Paul Cambon, ambassadeur de France à Londres, ne pouvait manquer de profiter de ces bonnes dispositions. D'autant que le Quai-d'Orsay se heurtait lui-même aux prétentions allemandes coloniales. Longtemps retardée par Bismarck, l'Allemagne arrivait tard dans le partage du monde. L'expansion française en Afrique ne l'avait pas inquiétée. Mais elle avait des intérêts commerciaux au Maroc. En 1905 une première crise franco-allemande devait éclater à propos du Maroc. Pour éviter la guerre, Delcassé démissionnait. A la conférence internationale d'Algésiras, l'appui de l'Angleterre devait éviter à la France un agenouillement. Elle gardait les mains libres au Maroc, tout en faisant leur place aux intérêts allemands. La crise marocaine avait montré l'efficacité des accords conclus entre Londres et Paris en 1904, réalisant le troc de l'Égypte contre le Maroc. *L'Entente cordiale* avait bien fonctionné.

Il restait à réconcilier l'Angleterre et la Russie, dont les intérêts divergeaient en Extrême-Orient, pour constituer un système efficace d'alliance. Cela fut réalisé en 1907, par l'accord naval anglo-russe. La crise balkanique de 1908-1909 allait montrer que l'alliance russe avait des limites. La France modérait son alliée, au lieu de soutenir ses prétentions impérialistes. L'alliance conclue avec l'Angleterre n'était pas moins conditionnelle : elle était défensive, mais n'avait pas d'implications militaires précises. Les partenaires gardaient toute leur liberté d'appréciation, sauf au cas où l'un d'entre eux aurait été l'objet d'une agression caractérisée.

La France radicale confirmait cependant la constitution de son empire colonial. Gouraud pacifiait la Guinée en poursuivant, en 1898, le grand chef Samory. Un chemin de fer était construit, à travers l'Algérie, jusqu'à Colomb-Béchar. Les oasis du Sud algérien étaient pacifiées. En 1900, trois expéditions convergeaient vers le lac Tchad : l'une d'entre elles venait d'Algérie, l'autre du Soudan, la troisième du Congo. L'unité des possessions françaises d'Afrique était pratiquement réalisée.

Restait le Maroc : Lyautey, à partir de l'Algérie, organisait la « pénétration pacifique ». Les troubles qui éclataient en permanence donnaient l'occasion d'une intervention non dissimulée contre les sultans Abd el-Aziz, puis Moulay Hafid. Seule l'Allemagne était hostile à un établissement définitif de la France au Maroc.

Dans les autres colonies, l'organisation administrative française se mettait en place : sur le modèle de l'Algérie, où l'assimilation tendait à prévaloir, mais où l'administration locale avait fait des progrès dans le sens de l'autonomie, puisque le gouverneur général était assisté de délégations financières élues par les colons, la Tunisie obtenait en 1907 un organisme consultatif. En 1895 l'Afrique occidentale était administrativement constituée. L'Afrique équatoriale le serait en 1900. L'Union indochinoise existait depuis 1887. Dans tous les domaines, y compris dans celui de l'aide aux missions catholiques, la continuité de la politique de la France était totale. Les radicaux étaient devenus les défenseurs les plus acharnés de l' « Empire ».

LE RETOUR A LA PROSPÉRITÉ.

Ils devaient bénéficier du renversement de la conjoncture économique : après 1895, mais surtout à partir de 1900, le mouvement mondial de chute des prix était inversé : l'expansion devenait à nouveau possible. Le maintien et même le renforcement des lois protectionnistes par les radicaux devaient inscrire cette expansion dans un espace protégé.

La grande industrie faisait des progrès décisifs. La sidérurgie bénéficiait des commandes de l'État, en raison de la politique de réarmement et de l'équipement des colonies en ports, en mines, en chemins de fer. La France produisait 40 millions de tonnes de houille en 1910 au lieu de 28 millions en 1895. La production de fer et d'acier avait quadruplé! La métallurgie employait deux fois plus d'ouvriers.

Sans doute les industries traditionnelles occupaient-elles encore les plus grandes masses de travailleurs : les textiles comptaient 40 % des effectifs industriels. La France occupait le premier rang en Europe pour la soie, le deuxième pour les filés de laine et les tissages de coton. Mais elle s'engageait résolument dans la voie de la deuxième « révolution » industrielle, celle du pétrole et de l'électricité.

Avec la bauxite de Provence, elle était le deuxième producteur d'aluminium du monde. La houille blanche, exploitée dans les Alpes, produisait de l'électricité bien avant 1914. La France avait un rôle pionnier dans la construction des automobiles et des avions. Blériot réalisait la traversée de la Manche en 1909. Roland Garros en 1913 traversait la Méditerranée. La France sortait tous les ans 45 000 voitures et camions. Les 16 CV Renault réalisaient des moyennes de 60 km/h. Les voitures de course, fabriquées pour les compétitions, amélioreraient rapidement ces moyennes : un engin piloté par Hemery atteindrait la vitesse inouïe pour l'époque de 202 km/h en 1909.

Ces activités de pointe contrastaient avec la stagnation relative des campagnes.

Les radicaux avaient parfaitement compris la technique des modérés dans leurs rapports avec le monde rural. Il fallait à tout prix maintenir la démocratie des villages, si l'on voulait que la République garde son « équilibre ». Cette notion de pondération sociale était dans l'héritage des opportunistes. Les radicaux la conservaient soigneusement en portefeuille.

La remontée des prix agricoles, sur le plan mondial, leur facilitait la tâche. Les agriculteurs pouvaient employer les rentrées inespérées d'argent pour moderniser leurs cultures. Ils utilisaient de plus en plus les engrais chimiques, amélioraient les rendements. Il est vrai que le choix politique de protection des petits propriétaires était un obstacle aux progrès décisifs, car ceux-là étaient trop pauvres pour acheter du matériel agricole.

Malgré ce retard technique, les petits pouvaient se regrouper, grâce au mouvement coopératif, pour acheter en commun les semences, et protéger les produits à la vente. Ils pouvaient surtout compter, en faisant nombre, sur une protection accrue de l'État. Ils étaient donc la clientèle privilégiée du parti radical, puisqu'ils avaient besoin, plus que les autres, du soutien des députés et des sénateurs. L'encouragement donné à la petite propriété fut l'un des principes directeurs du nouveau parti radical, qui devait se donner un cadre et des moyens d'action au début du siècle.

Les encouragements à la production agricole n'étaient pas illégitimes dans un pays dont l'économie restait largement rurale : la France était le premier producteur agricole de l'Europe ; elle venait en tête pour la production du vin, en second pour le blé, en troisième pour la pomme de terre, en quatrième pour la betterave. L'élevage et les cultures maraîchères étaient en progrès constants, en raison du gonflement des marchés urbains. Les grandes régions avaient tendance à se spécialiser : les terroirs riches du Nord et du Bassin parisien dans les cultures betteravières et céréalières, la Normandie et les montagnes dans l'élevage, les terres chaudes du Midi et de Bretagne dans les fruits et primeurs, le Languedoc dans la vigne. Le chemin de fer encourageait cette spécialisation, qui provoquait de graves problèmes. La surproduction du vin était à l'origine de la révolte des vignerons du Languedoc en 1907.

LES ÉPARGNANTS FRANÇAIS ET LES EMPRUNTS RUSSES.

Les profits du système de production se traduisaient par les progrès spectaculaires de l'épargne : elle passait de deux à cinq milliards de francs-or. La stabilité remarquable de la monnaie favorisait l'épargne dans tous les milieux, des agriculteurs aux petits-bourgeois et même à certains ouvriers. Drainée par une organisation bancaire très efficace, l'épargne se portait sur des valeurs sûres, les emprunts d'État par exemple.

Mais l'effort des banques tendait de plus en plus à « placer » auprès de la clientèle des emprunts ou des actions étrangers, qui rapportaient aux intermédiaires de fructueuses commissions. Le rapport de la rente d'État était sûr mais faible : 2,5 %. Les emprunts étrangers rapportaient 5 %, parfois 6 %. Ces placements pouvaient donc tenter les petits épargnants, pour peu qu'on les rassure sur leur destination et leur solidité.

Il faut croire que les démarcheurs des banques firent du travail efficace puisqu'en 1913 la France avait soixante milliards placés à l'étranger, dont un dixième seulement dans ses colonies. Les placements les plus importants avaient été faits en Russie mais aussi en Égypte et en Amérique latine, dans l'Europe centrale et balkanique, y compris l'Autriche-Hongrie.

Les emprunts russes avaient fait l'objet d'une véritable propagande. L'argent que le tsar empruntait en France (« La France, c'est la caisse », disait le comte de Witte, son ministre des Finances) était partiellement réinvesti dans les journaux français qui avaient pour mission de rassurer l'épargnant, de lui faire sentir la force, l'immensité de sa fidèle alliée. En Russie ou dans les autres pays d'Europe, la plupart des placements se portaient sur les fonds d'État, mais d'autres allaient aux compagnies de chemins de fer, aux mines, aux industries. Cette hémorragie de l'or français vers l'étranger était singulièrement dommageable à notre économie. L'attrait irrésistible des fonds russes détournait l'épargne des investissements qui auraient permis de moderniser les industries qui accusaient du retard sur leurs concurrentes étrangères, les textiles par exemple.

En outre l'expérience montrait que ces placements étrangers étaient risqués, aventureux même, que l'épargnant aurait subi moins de préjudice en achetant des valeurs industrielles françaises, si leur propagande avait été bien faite. Mais la structure quasi familiale des principales entreprises françaises — même des plus importantes — répugnait aux accroissements de capital et aux opérations boursières.

Le capitalisme français était timide, parce que l'esprit d'aventure n'existait guère dans les entreprises. Comme les agriculteurs, les industriels souhaitaient dans leur majorité la protection de l'État.

Ils n'avaient pas l'esprit compétitif : les grands marchés étrangers leur échappaient. Il leur suffisait de vendre sur l'espace national et colonial. La richesse française tenait à la protection des marchés, à la masse des revenus de l'argent placé à l'étranger. Elle était donc à la merci de la conjoncture internationale. La stagnation démographique (800 000 naissances par an au lieu d'un million trente ans auparavant) accusait le vieillissement d'une population devenue malthusienne et adepte du « fils unique ». Déjà, pour ses industries, la France de 1900 utilisait un million de travailleurs étrangers.

PARIS CAPITALE DE L'EUROPE.

Les radicaux n'aimaient pas Paris plus que les modérés. Mais les étrangers l'aimaient beaucoup. Paris faisait par ses fêtes la publicité de la France. Les fêtes industrielles d'abord : la grande exposition de 1900 avait réuni plus de cinquante millions de visiteurs ; on avait construit, pour la circonstance, le pont Alexandre-III, en l'honneur de l'alliance russe. Le tsar avait fait édifier des palais à coupoles sur les rives de la Seine. Le prestige de la Tour Eiffel servait le triomphe de l'électricité, qui tombait en cascades coloriées jusqu'aux pieds des spectateurs. Les fêtes mondaines, les courses, les spectacles témoignaient de la vitalité internationale d'une ville que le monde entier courtisait : pour conforter l'alliance anglaise, on ne trouvait rien de mieux à faire que d'inviter à Paris le prince de Galles. Les princes russes faisaient les beaux soirs de chez Maxim's. Les millionnaires du monde entier se pressaient dans les salons, les cabarets de luxe, les tribunes des champs de courses. Edmond Rostand donnait *Cyrano de Bergerac* et Sarah Bernhardt interprétait *L'Aiglon*. Courteline réjouissait les Boulevards et Anatole France le salon de Mme de Caillavet. La « belle époque » avait ses ténors : le célèbre Boni de Castellane invitait 3 000 personnes au bal du bois de Boulogne pour l'anniversaire de sa femme ; les reines du Moulin-Rouge et les demi-mondaines de l'avenue du Bois étaient là, parmi les princesses. Les ministres radicaux ne dédaignaient pas de paraître dans ces fêtes, non moins que dans les salons politiques et littéraires où se faisaient les carrières. Si Clemenceau avait la coquetterie de faire jouer une pièce de sa composition à l'opéra-comique par amour d'une chanteuse, maints jeunes radicaux intrigueraient dans le « monde » pour être remarqués par un président du Conseil en puissance. La politique avait ses assises en province, mais sa tête restait à Paris.

La capitale restait le centre de l'activité économique et de l'esprit d'entreprise. Pour cette raison aussi, elle était recherchée par les étrangers. Ils venaient admirer les chantiers et les premières lignes en activité du fameux « Métropolitain ». Ils regardaient les boulevards pleins de voitures automobiles, qui se frayaient bruyamment leur route, à son de trompe, au milieu des attelages. Ils logeaient dans les « beaux quartiers » de l'Ouest, tout neufs, avec leurs lourds immeubles aux façades sculptées. Toutes les grandes sociétés, même provinciales, avaient leurs sièges à Paris. Ce mélange unique de frivolité et d'activité donnait à la « vie parisienne » un attrait irrésistible pour les provinciaux de Feydeau ou les hôtes de marque de toutes les cours d'Europe. Du Quai-d'Orsay dépendait l'inscription à la cote des emprunts étrangers, à la Bourse de Paris. Tous les pays en mal d'argent venaient faire leur cour pour obtenir cette inscription. Ils ne ménageaient rien pour se l'assurer.

LA SOLIDE PROVINCE RADICALE.

La politique, particulièrement la radicale, ne recrutait jamais ses élites parmi les représentants du « monde » parisien. Les hommes politiques les plus en vue venaient de la moyenne et petite bourgeoisie de province. Clemenceau le « Vendéen », Poincaré le « Lorrain », fils d'un fonctionnaire, Barthou le « Pyrénéen », Briand le « Nantais » étaient avocats ou médecins. Ils étaient les représentants de ces « classes moyennes » qui s'étaient emparées du pouvoir politique. La France de 1910 comptait 500 000 rentiers, 600 000 fonctionnaires, d'innombrables boutiquiers, notaires, commerçants en tout genre : telle était l'ossature politique du pays. Elle votait alternativement radical ou opportuniste selon la tendance, la tradition et la conjoncture.

Les ruraux, qui formaient la moitié de la population, votaient parfois socialiste dans le Centre ou dans le Midi, mais la plupart du temps modéré ou radical. Ils donnaient, avec les petits et moyens bourgeois, toute sa solidité au régime républicain. Paris dominait en apparence : c'est la province qui faisait la politique. Pour être élu, il fallait d'abord y faire ses classes. Le Parisien nouvellement débarqué dans une circonscription, sans attaches locales, avait alors bien peu de chances d'être élu. La force de la province était dans la permanence de ses notables, qu'elle avait maintenus, contre vents et marées, pendant tout le XIXᵉ siècle. L'élargissement du cadre des notables, qui comprenaient désormais tous les petits-bourgeois, donnait à la République radicale une assiette encore plus vaste, plus solide ; mais elle la mettait davantage encore à la merci de la province.

LES OUVRIERS EN RUPTURE DE RÉPUBLIQUE.

Pas plus que les modérés, les radicaux ne réussiraient à intégrer la classe ouvrière dans la vie politique. La condition des ouvriers s'était, il est vrai, améliorée. S'ils travaillaient encore au moins dix heures par jour — sauf dans les mines —, ils bénéficiaient d'une protection légale accrue grâce aux mesures prises en leur faveur par les opportunistes. Mais la condition matérielle restait précaire.. Les difficultés d'union, au sein de la classe ouvrière, tenaient aux conditions de vie très variables suivant les professions, la structure des entreprises, le lieu d'activité. Il n'y avait pas commune mesure entre un ouvrier bronzier du Marais, à Paris, travaillant dans un petit atelier avec un salaire convenable, et le mineur des bassins du Nord, misérablement logé, mal nourri, soumis aux maladies professionnelles et craignant les restrictions d'horaires ou le chômage. L'inégalité des salaires de Paris et de province était criante, de même que celle des salaires masculins et féminins. L'alimentation représentait au moins la moitié des dépenses dans un budget d'ouvrier. Il payait parfois jusqu'à 40 % de son salaire pour se loger. Il ne pouvait guère s'habiller...

L'amélioration du niveau de vie tenait essentiellement à la hausse des salaires réels, qui était, pour les plus avantagés, de 45 % depuis 1875, ainsi qu'à la mise en place d'un système d'assurances vieillesse et risques du travail. Mais il n'y avait pas d'assurances maladies et les risques de chômage, même en période d'expansion, étaient en 1900 de l'ordre de 10 %. L'ouvrier, contrairement au petit bourgeois, vivait sans « réserves », dans l'insécurité matérielle. Il n'avait pas les moyens d'assurer l'avenir et la promotion de ses enfants.

L'organisation du mouvement syndical était le fait des ouvriers les plus évolués, les plus instruits. Merrheim, un des leaders de la C.G.T., était une sorte d'ouvrier idéal, chaudronnier en cuivre de son métier, individualiste, évolué, ouvert aux idées et aux hommes. Le recrutement syndical était alors une sorte d'apostolat. Il n'était pas facile de convaincre les gens de tous niveaux, venus de tous les horizons, des nécessités d'une action coordonnée. Les effectifs du mouvement syndical français étaient assez faibles : la C.G.T. comptait en 1911 700 000 adhérents, soit 7 syndiqués sur 100 salariés. La proportion en Angleterre était de 25 à la même époque.

Représentés au Parlement par un nombre croissant de députés socialistes, mais aussi par les radicaux ou les opportunistes qui bloquaient un chiffre important de voix ouvrières, les travailleurs étaient physiquement peu présents dans le monde de la politique : 10 % des députés seulement étaient d'origine ouvrière, contre 80 % d'origine bourgeoise. Encore les leaders du mouvement socialiste étaient-ils souvent eux-mêmes des bourgeois, comme Jaurès et plus tard Léon Blum.

Mal intégrée à la société républicaine en raison des tendances syndicalistes révolutionnaires de ses représentants, la classe ouvrière française, qui se souvenait de la Commune, qui avait lu *Germinal*, n'avait pas renoncé à la violence ni à la révolte.

Les retards de la législation française du travail favorisaient la propagande des révolutionnaires : seuls les mineurs, en 1914, avaient droit à la journée de huit heures. La loi sur le repos hebdomadaire datait de 1906. Les retraites ouvrières ne seraient pas discutées au Parlement avant 1910. Un ministère du Travail avait pourtant été créé en 1906. Son action devait être trop lente pour porter ses fruits. Les ouvriers étaient politiquement insensibles à des avantages qui venaient trop tard. Ils avaient le sentiment que seule une action syndicale très dure pouvait de nouveau arracher des mesures de justice au patronat. Les radicaux, en matière sociale, ne s'étaient guère montrés plus hardis que les opportunistes.

LA RÉPUBLIQUE DES « LUMIÈRES ».

Très souvent francs-maçons, quelquefois athées, grands lecteurs des philosophes du XVIIIe siècle, de Comte, de Taine et des positivistes, les radicaux dont les ancêtres, comme l'a bien montré Jean-Thomas Nordmann, remontent au tout début du siècle, avaient une sorte de culte pour le progrès scientifique. Ils stimulaient avec la dernière énergie la recherche scientifique et technique. Henri

Poincaré le mathématicien, Branly le physicien, Berthelot le chimiste donneraient leur nom à toutes les places publiques, lycées, collèges et deviendraient des gloires nationales, au même titre que Pasteur, qui fut quasiment canonisé. La popularité de l'inventeur du vaccin contre la rage était telle que Lucien Guitry écrivait sur lui une pièce de théâtre de boulevard !

La découverte de l'uranium et de ses propriétés, due aux travaux de Becquerel, celle du radium par Pierre et Marie Curie placeraient la France au tout premier rang de la recherche.

Le progrès scientifique n'avait d'ailleurs nullement pour corollaire celui du scientisme. Le spiritualisme s'affirmait de manière étincelante dans les premiers ouvrages d'Henri Bergson : *Essai sur les Données immédiates de la conscience* en 1889 et *L'Évolution créatrice* en 1907. Paradoxalement, le radicalisme triomphant avait remis à la mode son contraire : l'antipositivisme, la recherche du « supplément d'âme », et provoqué un véritable coup de fouet sur la pensée et l'action catholique. Conséquence de l'encyclique *Rerum Novarum*, l'équipe du journal *Le Sillon*, constituée par Marc Sangnier, s'efforçait de réconcilier la pensée catholique avec les luttes et les espoirs du siècle, rendant à la religion sa vocation de contact avec les plus défavorisés. *Le Sillon* avait été violemment condamné par le pape en 1910, mais le grain qu'il avait semé devait germer dans les esprits. Les *Cahiers de la Quinzaine* de Charles Péguy en étaient inspirés. Ils devaient prolonger jusqu'au seuil de la guerre la pensée du renouveau catholique, toute d'ouverture et de générosité.

Si la pensée et la science étaient en avance sur leur temps, la littérature était en retard : elle célébrait alors les valeurs officielles. Le roman bourgeois, dans la tradition française, s'illustrait avec Paul Bourget, Anatole France ou Pierre Loti. Le radicalisme était le triomphe de l'auteur de *L'Anneau d'Améthyste* ou de *La Rôtisserie de la Reine Pédauque*. Les jeunes romanciers et poètes comme Proust, Valéry, Apollinaire, Gide et Claudel avaient alors une audience très restreinte, limitée aux cercles littéraires et aux revues spécialisées. Il en était de même en peinture, où Cézanne, avec ses toiles fortement construites, Gauguin et sa peinture angoissante, l'éclatant Van Gogh, Vlaminck et Matisse, les premiers fauvistes, Braque et Picasso, les premiers cubistes, annonçaient une révolution dans l'art que ne tarderait pas à rejoindre la révolte des esprits de l'immédiat après-guerre. Mais pour l'heure ces jeunes gens étaient loin d'être à la mode. La République de Clemenceau admirait les Monet, les Renoir, les Sisley et les Pissarro. Elle était en peinture pour l'impressionnisme, en littérature pour le symbolisme. Mallarmé, mort en 1898, revenait à la mode.

Mais alors éclataient les sculptures de Rodin, Maillol et Bourdelle, la musique de Debussy, Ravel, Fauré et Paul Dukas. Paris devait avoir en 1909 la révélation des Ballets russes de Diaghilev. Plus que jamais les événements mondiaux, dans l'art, étaient parisiens.

La politique radicale.

LES RADICAUX.

Il n'y avait guère de différence entre la République des opportunistes et celle des radicaux dans tous les domaines qui faisaient la vie française. C'est évidemment la politique intérieure, et ses conditions d'exercice, qui allaient définir le nouveau style du régime. Les radicaux voulaient faire entrer la France, très vite et définitivement, dans la voie d'une véritable société civile, détachée des valeurs du passé, orientée vers le progrès et la démocratie. Dans ce but exclusif ils allaient assumer la rupture spectaculaire — dont les opportunistes n'avaient pas voulu — avec la grande ennemie de la société nouvelle, l'Église. Le combat pour le xxe siècle était engagé.

Les radicaux s'étaient assurés du terrain. La conquête en profondeur des mentalités avait été réalisée en partie grâce aux instituteurs, ces missionnaires de la laïcité. Très respecté dans les campagnes, l'instituteur menait le combat du progrès, de l'hygiène, de l'alphabétisation, du mieux-vivre et de la rigueur des principes républicains. Il était à la fois enseignant, propagandiste politique et animateur rural. Il était membre, très souvent, d'une de ces loges maçonniques, véritable creuset de la pensée dirigeante, grand soutien des radicaux en province.

Car la société radicale était essentiellement provinciale. Paris, depuis Boulanger, votait à droite. Le radicalisme parisien, le « jacobinisme », existait à l'état de tendance, mais non plus de force électorale. Les radicaux dominaient bientôt dans le Midi, le Languedoc, la Méditerranée, le Sud-Ouest, la région lyonnaise et le Centre. Ils s'implantaient dans le Nord. A partir de 1902 ils dominaient les consultations électorales, remportant victoires sur victoires, avec la participation croissante des socialistes. Maîtres du terrain avec 200 000 voix d'avance aux élections de 1902, ils étaient de nouveau vainqueurs aux élections de 1906, et détenaient à la Chambre 247 sièges contre 74 aux socialistes. Ils l'emportaient encore en 1910 et même au printemps de 1914, grâce à la coalition Caillaux-Jaurès.

Depuis 1901 les radicaux s'étaient organisés en un véritable parti. Ils disposaient de comités locaux, rassemblant les militants de la base. Les départements avaient leurs *fédérations*. A l'échelon national, le *Comité parisien de la rue de Valois* organisait les congrès annuels et désignait le président du parti.

En plus des comités électoraux, qui jouaient un rôle déterminant dans le contact entre les parlementaires et l'opinion des militants, le parti disposait, avec la presse de province, d'un formidable instrument de propagande. Dans les années 1895-1900, les vieux journaux conservateurs avaient disparu, remplacés par des feuilles à grand tirage et à bon marché. Les *Dépêches* de Toulouse, de Lyon, de Lille, étaient des organes radicaux qui se présentaient comme des feuilles régionales d'information. Elles avaient des tirages spéciaux pour chaque département et couvraient de vastes régions.

Les radicaux disposaient en outre d'un certain nombre de postes clés dans la politique et l'administration, qui permettaient de « tenir » les campagnes et les villes de province : le ministère de l'Intérieur et les préfets, l'instruction publique et les instituteurs, l'agriculture, les subventions et les comices agricoles.

Maître en profondeur de la France républicaine, le parti radical ne manquait ni de talents, ni de discipline électorale. Il sortait de l'Affaire Dreyfus auréolé de la gloire neuve de Clemenceau et de ses campagnes dans *L'Aurore*. Léon Bourgeois, grand pape du maçonnisme, était consulté chaque fois que l'on composait un ministère, et même quand on élisait un président. Édouard Herriot et Joseph Caillaux assuraient, à partir de 1910, la relève des élites.

Très individualistes, les radicaux se partageaient cependant en diverses tendances : l'une était pour l'entente à tout prix avec les socialistes : sa maxime était : « Pas d'ennemis à gauche. » L'autre, plus modérée, préférait les formules de gouvernement centristes. Mais toutes les tendances étaient réunies pour défendre les objectifs fondamentaux du parti.

Et d'abord : le régime libéral. Les députés, comme les électeurs, étaient de farouches défenseurs du principe de la propriété individuelle et de la liberté économique. Selon le mot de l'un d'eux, les radicaux avaient « le cœur à gauche et le portefeuille à droite ». Leur alliance avec les socialistes ne pouvait être qu'électorale. Ils se séparaient dès qu'ils avaient à exercer des responsabilités ministérielles. Ils ne s'entendaient, souvent au second tour seulement des élections, que pour faire échec aux candidats de la droite, au nom de la « discipline républicaine ».

Il est vrai que des nuances politiques divisaient aussi les socialistes : certains, à partir du congrès de Saint-Mandé en 1896, avaient suivi Millerand et les « participationnistes » pour entrer dans les cabinets « bourgeois ». Millerand lui-même avait accepté un portefeuille dans le ministère Waldeck-Rousseau. Jaurès devait longtemps défendre l'idée réformiste de la participation au pouvoir, contre le marxiste Jules Guesde et contre Vaillant. Au congrès socialiste d'Amsterdam, en 1904, la participation avait été formellement condamnée. En 1905 avait été fondée la S.F.I.O. (Section française de l'Internationale ouvrière), et les socialistes dissidents, Millerand en tête, avaient quitté le nouveau parti pour devenir les « socialistes indépendants » où se recruteraient les ministres des cabinets radicaux.

Les radicaux, comme les socialistes, étaient tous d'accord contre un ennemi commun : la droite cléricale. Au congrès de Nancy, les radicaux avaient défini un programme d'action démocratique, dont l'article essentiel était la séparation de l'Église et de l'État.

LES RADICAUX CONTRE L'ÉGLISE.

De 1899 à 1902, le cabinet Waldeck-Rousseau, liquidateur de l'Affaire Dreyfus, assurait la transition entre la République opportuniste et la République radicale. Waldeck lui-même sortait des rangs opportunistes, il avait été ministre de l'Intérieur dans le grand cabinet Gambetta de 1881. Modéré, Waldeck avait dû, cependant, prendre des mesures contre les ligues nationalistes et la presse assomptionniste. Il avait condamné, dans son discours de Toulouse, en octobre 1900, les « moines ligueurs et les moines d'affaires ». Il avait invectivé les congréganistes, qui condamnaient la France, disait-il, à avoir « deux jeunesses », il avait dénoncé « le milliard des congrégations ».

C'était allumer la guerre sainte. Le but de Waldeck n'était pas de détruire l'enseignement congréganiste, mais seulement de le contrôler. La loi sur les associations, votée le 2 juillet 1901, exigeait des congrégations une demande d'autorisation pour enseigner. Cette demande serait soumise au Parlement. Les congrégations non autorisées pouvaient être dissoutes par simple décret. Waldeck avait appliqué la loi sans zèle excessif et sa démission prématurée, en 1902, après les élections qu'il venait de gagner, laissait subsister un doute sur ses intentions réelles : violent dans son langage, mais mesuré dans son action, Waldeck cherchait-il à éviter ou à précipiter la *séparation* ?

On peut penser que, comme Méline ou Poincaré, ou même Briand, il souhaitait une séparation « à froid » et non « à chaud ». La situation devait cependant empirer rapidement sous le gouvernement d'Émile Combes, de 1902 à 1905.

LE « PETIT PÈRE COMBES » TRANCHE LE NŒUD GORDIEN.

Ancien séminariste, le « petit père Combes » était un anticlérical militant qui allait organiser la guerre laïque contre les congrégations. En 1903 il fit fermer toutes celles qui n'avaient pas reçu ou demandé l'autorisation d'enseignement. Les demandes d'autorisation furent rejetées en bloc à la Chambre. La loi de juillet 1904 retirait l'autorisation d'enseigner, contre toute justice, aux congrégations qui avaient déjà reçu cette autorisation du gouvernement antérieur. Les biens des ordres religieux étaient saisis, et vendus.

En 1903 Rome avait un nouveau pape, Pie X, qui n'était pas comme Léon XIII d'un naturel patient. Il saisit la première occasion venue pour rompre les relations diplomatiques avec la France : le Président Loubet rendait visite, à Rome, au gouvernement italien. Le pape, qui affectait de subir la présence dans la « ville sainte » des institutions de l'État italien, considéra la visite du Président français comme une « insulte » et le fit savoir. En mai 1904, le Vatican et Paris rappelaient leurs ambassadeurs. Il devenait impossible d'appliquer en France le Concordat, de désigner les évêques en accord avec le pape. L'Église avait pris l'initiative de la rupture.

Un certain nombre de difficultés politiques obligèrent Combes à se retirer. L'affaire des « fiches » du général André dénonçait certaines méthodes du gouvernement radical, fondées sur la délation et la surveillance des « consciences ». André aurait « fiché » tous les officiers de l'armée selon leur religion, leurs convictions politiques, leurs amitiés, etc. L'avancement des officiers se serait effectué en fonction de leurs « sentiments républicains ». Le « bonapartisme sans grandeur », selon la formule de François Goguel, instaurait un régime de « camarades », et le « petit père Combes » lui-même déclarait à ses amis radicaux qu'ils devaient veiller à réserver aux amis du pouvoir « les faveurs dont la République dispose ». Cette politique ne lui valait pas que des amis.

LA SÉPARATION « A CHAUD ».

Combes parti, il fallut trancher. Il laissait derrière lui une situation tendue. La séparation « à chaud » devenait inévitable, pour régler clairement, devant l'attitude du Saint-Siège, les rapports de l'État et de l'Église.

Le gouvernement Rouvier, qui succédait à Combes, mesurait immédiatement les difficultés de l'entreprise. Il réalisait la séparation tout seul, en l'absence de tout contact avec le Vatican, devant l'hostilité déclarée de toute l'Église, et des provinces de l'Ouest et du Nord-Est, du Centre aussi, restées très attachées aux pratiques religieuses. Les radicaux n'allaient-ils pas rallumer en France la guerre de religion?

Aristide Briand, rapporteur de la loi, s'efforçait de la rendre la plus acceptable possible pour les évêques, avec lesquels il avait des contacts secrets. Votée le 9 décembre 1905, la *loi de séparation des Églises et de l'État* garantissait la liberté de conscience des Français, tout en précisant que la République ne devait subventionner ni reconnaître aucun culte. Des associations culturelles constituées par les fidèles recevraient en propriété les biens des Églises, après inventaire dûment effectué. L'État renonçait à contrôler l'Église. Elle était désormais libre.

Telle quelle, la loi sur la Séparation serait brutalement refusée par le Saint-Siège. Les encycliques *Vehementer Nos* puis *Gravissimo Officii* condamnaient formellement l'opération. Le pape interdisait la constitution des associations culturelles et demandait au clergé et aux fidèles de refuser les inventaires. Ainsi l'Église de France était-elle menacée de perdre d'un coup tous ses biens, sans contrepartie. Le pape, poussé par les catholiques français les plus intransigeants, semblait conduire les fidèles au pire.

Son message fut entendu : en Bretagne, en Lozère, les paysans prenaient les fourches, s'opposaient physiquement aux inventaires, sous la conduite des curés. Les Basques faisaient venir des ours sauvages sur le parvis des Églises pour éloigner la maréchaussée. Il y eut des troubles dans la région parisienne, un mort dans un village du Nord, un autre dans la Haute-Loire. Partout le gouvernement devait faire donner la troupe, quand les incidents éclataient. Mais il n'y eut pas ce soulèvement général de l'opinion que l'on escomptait peut-être à Rome. Dans son ensemble, la majorité du peuple français acceptait la séparation. La guerre de religion n'aurait pas lieu.

CLEMENCEAU ET LA GUERRE SOCIALE.

Restait la guerre sociale : le *Congrès d'Amiens*, en 1906, avait donné au syndicalisme révolutionnaire sa charte et son unité. Les syndicats se proclamaient indépendants de toute influence politique, en particulier socialiste, mais affirmaient par contre leur volonté de changer la société et les rapports de classes en prenant le pouvoir par des moyens violents : le pouvoir économique, et non politique. Il fallait agir « directement contre » le patronat, et non pas combattre la façade parlementaire de l'État bourgeois. L'action directe, c'était la grève générale.

De 1906 à 1910, l'anarcho-syndicalisme s'efforçait de s'emparer du pouvoir en France, en usant de toutes les armes dont il disposait. Mais le pouvoir avait en réserve un homme de choc à lui opposer, l'ancien maire de Montmartre pendant la Commune, Georges Clemenceau. « Premier flic de France », comme il s'appelait lui-même, il fut le « Monsieur Thiers » des années folles du début du siècle.

Président du Conseil, Clemenceau, sourd aux violentes critiques de Jaurès, défendait avec force l'ordre « républicain » contre les grèves révolutionnaires. La première affaire sérieuse fut la grève des mineurs de Lens. Clemenceau pour les dominer n'hésita pas à appeler l'armée, qui devenait ainsi l'instrument essentiel de la défense de l'ordre. La « guerre sociale » commençait.

A la Chambre, Jaurès avait des accents lyriques pour évoquer le courage des ouvriers :

> « Vous avez interrompu, lançait-il à Clemenceau, la vieille chanson qui berçait la misère humaine, et la misère humaine s'est réveillée avec des cris. »

Il ne suffisait pas d'avoir éduqué le peuple, de l'avoir libéré des liens religieux, de l'avoir amené aux urnes, il fallait lui donner, disait Jaurès « sa place, sa large place au soleil ».

Rien n'allait plus entre radicaux et socialistes. Ils avaient un moment réalisé le « Bloc des gauches », dans la lutte anticléricale. Mais ils s'apercevaient rapidement qu'ils n'étaient d'accord sur rien dans tous les autres domaines. Clemenceau défenseur du régime libéral allait, contre la volonté des socialistes, employer la force contre les grévistes partout où cela serait nécessaire.

LES « BRAVES SOLDATS DU 17ᵉ ».

Dans le Languedoc, en 1907, il dut faire face à une véritable révolte régionale. La baisse continue du prix du vin, conséquence de la surproduction et de la concurrence des vins d'Algérie, provoquait la formation dans toutes les communes rurales de comités de défense qui allaient bientôt se constituer également dans les villes. Catholiques et socialistes soutenaient le mouvement, d'accord pour une fois contre les radicaux. Un tribun populaire, Marcelin Albert, qui parlait en langue d'oc, prenait le ton de la croisade pour exhorter ses partisans.

De Paris, Clemenceau ne comprit pas tout de suite l'étendue de la révolte. Pendant l'été de 1907, cependant, Marcelin Albert et ses amis lançaient des mots d'ordre, fort suivis, pour que personne ne paye plus les impôts, pour que les maires et les conseillers démissionnent en bloc, pour que l'on fasse table rase devant Paris. Toute la région organisait le sabotage administratif et entrait en rébellion. Chaque ville avait ses agitateurs, comme Ferroul, le maire de Narbonne, surnommé « Ferroul le poilu », arborant un œillet rouge sang à sa boutonnière et retranché dans sa ville comme un seigneur féodal.

> « Citoyens, lançait Ferroul, aux actes maintenant. Demain, à huit heures du soir, je fermerai l'hôtel de ville, après y avoir fait arborer le drapeau noir, et au son du tocsin de la misère, je jetterai mon écharpe à la face du gouvernement. »

Le 9 juin 1907, le Languedoc était en état de rébellion, comme sous Louis XIII.

Clemenceau fit donner la troupe. Il y eut cinq morts devant l'hôtel de ville de Narbonne. La préfecture de Perpignan fut prise d'assaut par les manifestants. Les soldats du 17ᵉ régiment d'infanterie, envoyés en renfort, mirent la crosse en l'air en chantant *L'Internationale*. Clemenceau fit arrêter les meneurs, acheta Marcelin Albert pour le déconsidérer, ramena la paix dans les esprits en prenant les mesures qu'attendaient les viticulteurs : lutte contre la fraude sur les vins, remontée des prix de vente. En 1910, toute agitation avait disparu.

Dans la région parisienne, des troubles graves avaient éclaté. La grève générale s'était étendue comme une épidémie à toutes les professions. Même les fonctionnaires se mettaient en grève, événement inouï pour l'époque. La population parisienne connaissait avec horreur la première grève de l'électricité.

Les affrontements durs eurent lieu en banlieue. La ceinture de Paris était alors envahie de manœuvres qui travaillaient sur les chantiers du métropolitain. Ces ouvriers, très politisés, étaient pour l'action violente. A Draveil et à Villeneuve-Saint-Georges, on allait extraire le sable et le gravier dont les grands chantiers parisiens faisaient une énorme consommation. Pour briser la grève générale, Clemenceau avaient fait venir des régiments de dragons et de cuirassiers. En juin 1908 il y avait eu deux morts parmi les employés de la sablière, en juillet, les cheminots cégétistes avaient dressé des barricades à Villeneuve-Saint-Georges. Les dragons avaient chargé, faisant 7 morts et 200 blessés. Clemenceau avait fait arrêter Griffuelhes. La paix était rétablie au prix d'une très lourde répression. « Clemenceau le rouge » perdait auprès des ouvriers toute popularité.

L'APAISEMENT, SOUS BRIAND.

Briand, qui succédait à Clemenceau en 1909, devait d'abord continuer le combat social. Une grève générale des cheminots causait le plus grand tort à l'ensemble de l'économie. Cet ancien avocat, défenseur des syndicalistes, n'hésitait pas à décréter la mobilisation des grévistes au nom de l'intérêt national. A la Chambre, il osait dénoncer, dans une tempête de protestations socialistes, l' « illégalité de la grève ».

Il est vrai qu'à partir de 1910, la conjoncture politique et sociale devait changer. Les socialistes avaient eu 100 députés aux élections, les radicaux plus de 250. Mais le Bloc des gauches avait vécu. La guerre sociale avait séparé les deux partenaires. Les radicaux n'étaient plus d'accord entre eux : certains demandaient, comme Joseph Caillaux, une politique fiscale progressiste, un « impôt sur le revenu ». D'autres regrettaient les exagérations de la politique combiste et redoutaient les excès des caillautistes. Ils dénonçaient le caractère « vexatoire » de l'impôt sur le revenu, profondément impopulaire dans de larges secteurs de l'électorat radical.

Les radicaux de province avaient accepté les mesures de force contre l'Église, tout en condamnant les violences déployées par la troupe lors des inventaires. Ils avaient été frappés par le caractère révolutionnaire des grèves, et tenaient à prendre leurs distances par rapport aux socialistes, qui défendaient les révoltés. Ces radicaux, rejetés vers la droite, soutiendraient Briand dans son œuvre de pacification sociale, entreprise au nom de l'intérêt national. Ils étaient prêts à retrouver ceux des anciens opportunistes, non compromis dans l'Affaire Dreyfus, et qui soutenaient, eux aussi, le cabinet Briand. Poincaré et Barthou se retrouvaient ainsi, après une longue éclipse, dans l'axe de la nouvelle majorité du centre. Il suffisait que la conjoncture se modifiât à l'extérieur pour qu'au climat de guerre sociale se substituât de nouveau une idéologie du rassemblement patriotique. La seconde crise marocaine, qui éclatait après Agadir, venait à point pour brusquer cette évolution de la politique intérieure française, et retirer aux radicaux le monopole du pouvoir.

Pish is Hawk

QUATRIÈME PARTIE

La France contemporaine

CHAPITRE 18

La France
et la Grande Guerre : 1914-1929

Les Français de l'été 14 s'attendaient, comme les Allemands, à une guerre courte. Ils devaient combattre pendant plus de quatre ans. De tous ceux qui criaient « à Berlin ! » sur les quais de la gare de l'Est, un sur dix peut-être rentrerait indemne. On espérait une revanche sur 1870, une guerre du XIXe siècle en somme, on eut une guerre mondiale.

Et pourtant la France de 1914 était superbement souveraine, comme l'Angleterre, comme l'Allemagne; elle semblait maîtresse de ses décisions, de son destin. Les trois plus grandes puissances d'Europe n'avaient pas alors de concurrents dans le monde. Les États-Unis s'étaient tracé un espace économique dans les Caraïbes et dans le Pacifique. La Russie était une colonie de l'Europe, qui exploitait ses mines de fer et ses puits de pétrole. Le Japon s'était manifesté comme puissance, dans la guerre contre les Russes, mais non comme grande puissance.

La France n'avait plus à redouter la suprématie absolue de l'Angleterre dans le monde : certes, dans le domaine colonial, elle avait recueilli les miettes que l'Angleterre lui avait laissées. Le « coq gaulois », dans les caricatures anglaises, plantait ses ergots dans le sable du désert. Mais des conquêtes disparates des « coloniaux », des points de relâche dispersés dans toutes les mers du monde par les amiraux, elle avait fait un ensemble, des Antilles au Pacifique, avec d'immenses territoires en Afrique. Elle avait même une zone d'influence au Proche-Orient et en Extrême-Orient.

Elle avait donc été admise au partage du monde : elle partageait avec l'Angleterre le privilège d'être en même temps que le plus grand pays colonisateur le plus grand banquier des continents : la France de 1914 avait de l'argent, celui de centaines de milliers d'épargnants, investi par les banques en Russie, en Amérique du Sud et jusqu'en

Chine... L'argent était le nerf des alliances, l'arme diplomatique par excellence.

En raison de son engagement dans le monde, précisément, la France ne pouvait manquer d'être prise dans la mécanique des forces d'où sortirait la guerre. L'Allemagne avait depuis longtemps débordé hors de ses frontières pour investir de ses marks et des produits de son industrie le champ fertile de la Mittel Europa. Par son alliée de Vienne, elle poussait ses tentacules en Turquie, et, par Istanbul, elle espérait atteindre Bassora et les puits sans fond de l'or noir des Perses. C'était le but de chemin de fer de Bagdad. Sur mer, elle talonnait l'Angleterre, et les navires de von Tirpitz portaient le pavillon impérial en Amérique du Sud, en Afrique, et même dans la mer de Chine.

L'Allemagne, l'Angleterre, et les Balkans comme champ de manœuvre. Vienne et Saint-Pétersbourg, l'un et l'autre « protégés » par Berlin et Paris, intervenaient constamment dans les querelles des petits pays, armés par Krupp ou par Schneider. Comment préserver la paix dans le réseau si étroit, si contraignant des alliances où l'on s'était laissé enfermer ? La guerre de l'été 14, qui d'un coup fit flamber l'Europe, se préparait en fait dès les années 1910-1911.

L'incendie de l'Europe : 1910-1914.

LA CANONNIÈRE D'AGADIR.

La canonnière allemande *Panther* mouillait en rade d'Agadir, canons pointés sur la côte marocaine : les Allemands, qui ne parvenaient pas à leurs fins au Maroc, avaient décidé de pratiquer l'intimidation, comme dans la mer de Chine. Le 1er juillet 1910, Guillaume II sommait Joseph Caillaux, le président du Conseil français, de négocier au Maroc. Sous la menace.

Caillaux réunit aussitôt l'état-major : le prudent Joffre lui affirma que si la France faisait la guerre, elle n'avait que 70 chances sur 100 de l'emporter. Comment prendre le risque ? Caillaux choisit de négocier.

Pour être efficace et passer outre une opinion publique et parlementaire très hostile à toute idée de négociation avec l'Allemagne,

Caillaux évita le Quai-d'Orsay et le Parlement : il entra en contact direct avec le secrétaire d'État allemand aux Affaires étrangères, Kiderlen-Wätcher. Il eut recours à un homme d'affaires, Fondère, familier du conseiller de l'ambassade d'Allemagne à Paris, von Lancken. Parallèlement, l'ambassadeur Jules Cambon négociait à Berlin, avec les instructions directes de Caillaux. Le ministre français des Affaires étrangères, le pâle de Selves, était totalement tenu à l'écart des « tractations secrètes », ainsi que les commissions spécialisées de la Chambre et du Sénat.

Dans ces conditions très inhabituelles, Caillaux aboutit à l'accord avantageux de 1911, qui laissait à la France les mains libres au Maroc, contre l'abandon à l'Allemagne d'un morceau du Congo. L'accord était si favorable à la France, qui depuis des années cherchait à s'implanter au Maroc, que les nationalistes allemands manifestèrent pour protester. Mais en France l'opinion parlementaire déchaînée, au lieu de remercier Caillaux, le renversa.

LE NATIONALISME FRANÇAIS.

La France de 1911, après tant d'années de crise sociale, se réveillait en pleine crise nationaliste. Depuis 1908, le mouvement de l'Action française multipliait les manifestations devant la statue de Jeanne d'Arc, et place de la Concorde, au pied de la statue de Strasbourg. La même fièvre qui agitait l'Allemagne de Guillaume II gagnait maintenant Paris, débordant les milieux traditionnellement nationalistes. Des esprits aussi peu politiques que Boutroux ou Bergson, philosophes et académiciens, devenaient les idoles d'une certaine jeunesse étudiante, celle qui détestait la France radicale et la littérature esthète. Barrès, Péguy, Ernest Psichari servaient de modèles et de guides aux étudiants épris d'action, d'exploits sportifs, de foi chrétienne et patriotique. Les jeunes normaliens de Jean Barois, qui préféraient les aviateurs aux professeurs de grec et Péguy à Anatole France n'étaient pas, comme les étudiants en sciences politiques interrogés pas Massis et de Tarde dans la célèbre *Enquête d'Agathon*, des gens de droite et d'extrême droite. Le patriotisme débordait largement les cercles maurrassiens pour devenir une idée force. Le président de l'Association générale des étudiants de France devait protester solennellement contre l' « abandon » d'Agadir.

Il faut dire qu'une violente campagne de la presse parisienne avait attaqué l'accord négocié par Caillaux, et que les journaux de grande information, comme *Le Journal* ou *Le Petit Parisien,* avaient une autre audience dans les milieux populaires que les quotidiens socialistes. *Le Figaro,* sous la plume de Gaston Calmette, poursuivait ses attaques venimeuses contre Caillaux. *L'Autorité* des frères de Cassagnac, parlait de trahison. Judet, dans *L'Éclair,* évoquait la « débâcle » et *La Liberté,* de Georges Berthoulat, tout comme *L'Écho de Paris,* journal catholique de droite, attaquaient les parlementaires trop pressés d'aller voter le « désastreux traité ».

Au Parlement, dans les commissions spécialisées, Poincaré et Clemenceau avaient mené la charge contre Joseph Caillaux. Poincaré, parlementaire lorrain, avait été appelé à lui succéder au pouvoir. Un ministère « musclé » succédait au ministère de « l'abandon ». Une page était tournée : celle de la République pacifique des radicaux.

POINCARÉ-LA-GUERRE.

Poincaré s'empressait de faire ratifier par le Sénat le traité négocié par Caillaux. Il trouvait d'admirables accents pour le défendre. Il mettait toute sa coquetterie d'avocat à se gagner les voix radicales — celles des amis de Caillaux — en rappelant au bon moment ses convictions laïques et même son passé anticlérical, alors qu'il s'était presque constamment abstenu dans les grands scrutins de la Chambre du Bloc des gauches.

Cette modération, cette prudence, autant que sa grande compétence financière, lui avaient jadis valu les sympathies des opportunistes, les Ferry, les Jules Méline, les Dufaure. Rassurant de leur point de vue, il était aussi le recours des Jacobins radicaux contre la propagande internationaliste des socialistes. Mais il était surtout, pour la majorité comme pour l'opinion publique, le petit homme à la barbiche volontaire, l'homme du poing tendu — « le poing carré » comme on chantait au café concert — contre l'Allemagne. La République trouvait en lui le successeur de Gambetta, le chef incontesté — sauf par Clemenceau, son vieil adversaire — de la deuxième génération des hommes de la « revanche ».

Gardant pour lui le ministère des Affaires étrangères, Poincaré, qui sentait venir l'orage, se disposait à renforcer de son mieux les traités d'alliance. Il épurait le Quai-d'Orsay, qu'il jugeait trop pacifiste, en pratiquant un vaste « mouvement de personnel ». Son ami Maurice Paléologue, qui avait été son condisciple au lycée Louis-le-Grand, devenait directeur des Affaires politiques du Quai, avant d'aller remplacer à Saint-Pétersbourg l'ambassadeur Georges Louis, « fatigué ». Paléologue devait veiller à ce que l'alliance russe soit efficace en cas de guerre, et que la mobilisation du tsar soit rapide.

A Londres, Poincaré avait fait un voyage très solennel à seule fin de concrétiser les aspects militaires de l'Entente cordiale. On avait sorti à l'occasion les carrosses et les guirlandes. Mais il n'avait obtenu du cabinet britannique qu'une lettre promettant un échange mutuel des plans d'état-major en cas de danger de guerre. C'est tout ce qu'il avait pu tirer de la traditionnelle prudence anglaise. En 1913 par contre, à Saint-Pétersbourg, il avait resserré les liens de l'alliance et s'était assuré de l'efficacité de l'armée russe. Le tsar, au cours d'une grande revue, lui en avait présenté les principales unités.

Il avait nommé ministre de la Guerre Alexandre Millerand, un ancien socialiste. Millerand avait pratiqué de larges mutations dans le haut commandement. Joffre avait été maintenu, mais il avait dû choisir autour de lui des officiers supérieurs partisans de l'offensive, qui était la nouvelle doctrine de l'École de guerre. Les « galonnés du Champ-de-Mars » voulaient pratiquer une guerre de mouvement, où l'on recherche rapidement la décision. Grâce à Joffre, les anciens des guerres coloniales, qui avaient la pratique du commandement et une certaine expérience du feu, remplaçaient peu à peu, aux leviers de commande, des diplômés trop théoriciens. L'armée républicaine était prête.

Son armement n'était pas négligeable : en dépit de la croissance régulière des budgets militaires depuis 1900, il était loin pourtant d'égaler celui de l'armée allemande. Les crédits militaires allemands étaient le double des nôtres. Poincaré devait augmenter puissamment les ressources de l'armée en matériel. Les officiers de 1900 ne croyaient ni aux mitrailleuses, ni aux canons lourds, ni à l'aviation, qu'ils considéraient comme un sport sans valeur militaire. Ceux de 1912 commençaient à réfléchir. Un effort vigoureux de remise à jour permit de lancer la fabrication d'engins nouveaux : en trois ans l'armée reçut deux fois plus de mitrailleuses, un tiers de plus d'artillerie de campagne. La France avait, en 1914, 136 avions de ligne. Une partie du retard était rattrapée.

Dans le domaine des effectifs, la France restait à la traîne. L'Allemagne venait de porter son armée active à 850 000 hommes. La

France n'avait que 540 000 soldats immédiatement disponibles. Pour atténuer l'écart, il fallait changer en France la loi du recrutement militaire, et porter la durée du service militaire à trois ans.

Ce projet de *loi de trois ans* suscita une violente polémique : pour toute la gauche, le projet du président du Conseil était synonyme de guerre. Réarmer, c'était abandonner l'idée de la paix à tout prix, c'était s'engager dans la mécanique de la guerre. Telle était aussi bien la thèse de Jaurès que celle de Caillaux. Mais Poincaré défendait le point de vue de nos experts militaires. Le but de la loi était de porter l'armée active à 750 000 combattants. Outre la garde des frontières, il fallait que l'armée fût immédiatement disponible pour une riposte éclair de grande envergure au cœur du territoire ennemi.

Constamment combattue, la loi de trois ans ne fut votée qu'en 1913, grâce à l'action continue de Poincaré et de ses amis. Il n'avait pas pu la présenter lui-même au suffrage du Parlement. Quand il avait prévu d'engager le débat, il avait été renversé sur un projet de modification de la loi électorale. La Chambre préférait, dans sa majorité, le maintien du scrutin d'arrondissement au système, plus juste, de la représentation proportionnelle.

Poincaré renversé, la campagne contre la loi de trois ans prenait de l'ampleur, dans la presse notamment. Les journaux socialistes ou radicaux combattaient le projet, au nom du pacifisme. L'opinion de gauche était hostile à la doctrine de l'offensive défendue par l'état-major et ses amis dans la presse. A l'époque paraissait un quotidien, *La France militaire* dont les experts défendaient vivement le projet. Les journaux militaires, quotidiens et hebdomadaires, étaient alors nombreux et fort lus. Ils étaient tous pour la loi.

La gauche reprochait à la doctrine de l'état-major d'être ruineuse en hommes et moralement condamnable. La République ne pouvait envisager de guerre que défensive. Jaurès avait publié en 1911 *L'Armée nouvelle*, un ouvrage où il exposait sa propre théorie de la « nation armée » en milices défensives. Il voulait abolir le service militaire, les armées nationales, au profit d'un système d'auto-défense décentralisé. Les radicaux caillautistes partageaient en partie ses vues. Ils étaient hostiles au réarmement.

POINCARÉ PRÉSIDENT.

On pouvait craindre que cette nouvelle « coalition des gauches » — soudées en somme par Poincaré et la loi de trois ans — ne l'emportât aux élections législatives de 1914, et que la loi de trois ans ne fût de nouveau annulée, si jamais la Chambre la votait d'ici-là. Aussi l'élection présidentielle de janvier 1913 prenait-elle une importance politique de premier plan, alors que jusqu'ici, ce genre de scrutin était une aimable cérémonie versaillaise, un rituel sans conséquences des fastes de la République. Le climat international était suffisamment tendu pour que l'on voulût élire un Président de la République qui pût éventuellement se comporter en homme d'État. Dans l'immédiat on attendait, à droite, que Poincaré élu dominât la future Chambre des députés, qui risquait, aux prochaines législatives, d'être à gauche.

Le risque de guerre provoqua autour de la candidature de Poincaré un regroupement de l'opinion politique, et même, à travers la presse, de l'opinion publique. Toutes les forces politiques « patriotes » exigeaient le maintien d'une ligne gouvernementale dure, axée sur la préparation à la guerre. Les radicaux centristes eux-mêmes, avec Léon Bourgeois, poussèrent Poincaré à se présenter.

« Poincaré-Badinguet! » lançait Clemenceau à la « délégation des gauches », regroupement parlementaire où les socialistes et les radicaux caillautistes étaient hostiles à la candidature du lorrain. Pour Clemenceau, le Président de la République ne devait pas être en mesure de s'adresser au pays par-dessus les députés. Une personnalité trop forte risquait de fausser dangereusement le jeu des institutions. Clemenceau lança la candidature de Pams, patron du célèbre papier à cigarettes Job.

La presse imposa Poincaré : une vive campagne du *Figaro*, puis du *Temps*, prit à partie les parlementaires. Dans *Le Figaro*, un article du comte Albert de Mun emportait la conviction des catholiques : il fallait imposer silence aux parlementaires inconscients du danger, et ne penser plus qu'au drapeau ; c'était, de nouveau revenu, le temps du « ralliement ».

Aussitôt élu, Poincaré s'employait à faciliter le vote de la loi de trois ans. Il désignait comme président du Conseil son ami Barthou, favorable au projet. L'hostilité était forte à la Chambre, où Jaurès et Caillaux dominaient la « délégation des gauches » et faisaient vivement campagne contre le réarmement. La loi fut votée de justesse, en août 1913, par 339 voix contre 283.

La gauche chercha sa revanche en préparant activement les élections du printemps de 1914. « Guerre à la guerre », disaient ensemble Caillaux et Jaurès. Ils demandaient l'abolition de la loi de trois ans. Refuser la loi c'était, disaient-ils, refuser la guerre. Jaurès parlait de la solidarité des socialistes allemands, évoquait le congrès de Stuttgart en 1907 où l'action pacifiste internationale avait vraiment commencé. Il voulait, pour maintenir la paix, que les travailleurs de France et d'Allemagne imposent le désarmement à leurs dirigeants. Approuver le réarmement, c'était engager le pays dans un processus irréversible.

La campagne de la gauche fut particulièrement ardente, elle fut payante : les socialistes avaient 104 élus, les radicaux 172, les « républicains socialistes » de Viviani 23 : ces trois groupes avaient la majorité à la Chambre.

Poincaré avait donc devant lui une chambre de gauche. Inlassablement, il s'obstinait à lui présenter des présidents du Conseil favorables à la loi de trois ans, comme Alexandre Ribot, que la Chambre mettait en minorité. Il réussit enfin à convaincre Viviani de l'imminence du danger de guerre, et de la nécessité d'un vaste rassemblement politique. Viviani accepta de former le gouvernement. Poincaré lui avait donné carte blanche pour présenter à la Chambre un article essentiel du programme de la gauche : l'impôt sur le revenu. Il avait en même temps sauvé sa loi militaire.

L'Union sacrée : 1914-1917.

L'ARCHIDUC ASSASSINÉ.

Le 28 juin 1914, un télégramme d'agence annonçait l'assassinat du prince héritier d'Autriche, l'archiduc François-Ferdinand, et de son épouse, dans la ville bosniaque de Sarajevo. L'été 14 risquait d'être chaud.

L'attitude de l'Autriche, son humiliant ultimatum à la Serbie, l'intransigeance de la Russie, l'appui sans réserve donné par Berlin à Vienne, tout contribuait à jeter l'Europe dans le brasier. La détermination des états-majors était le facteur essentiel de l'aggravation de l'incendie, en raison des pressions qu'ils exerçaient sur les gouvernements. Même si la France ne voulait pas la guerre, elle ne pouvait pas s'empêcher de redouter une mobilisation trop tardive, trop lente, de son allié russe. Même si le tsar affirmait qu'il ne procédait qu'à une mobilisation partielle, il devait céder aux injonctions des militaires, qui lui répétaient qu'ils n'avaient prévu dans leurs plans qu'une mobilisation totale. Même si le gouvernement allemand souhaitait seulement apporter un soutien à l'Autriche dans les Balkans, il ne pouvait pas rester sourd aux exigences de l'état-major, qui voulait d'abord régler la question sur le front de l'Ouest, où étaient massées les divisions les plus nombreuses.

L'armée allemande multipliait donc les provocations à l'Ouest, où les Français, sur ordre de Viviani, avaient reculé de dix kilomètres. Après l'ultimatum allemand du 31 juillet, demandant à la France si elle resterait neutre « en cas d'une guerre entre l'Allemagne et la Russie », la mobilisation générale avait commencé presque simultanément en France et en Allemagne, le 1er août. La France ayant répondu qu'elle ferait « ce que lui commanderaient ses intérêts », l'ambassadeur d'Allemagne, von Schoen, avait apporté le 3 août à Viviani la déclaration de guerre de son pays. Le prétexte était une série de violations de frontières et le soi-disant bombardement de Nuremberg par un avion français.

Le 2 août au soir, avant même la déclaration de guerre à la France, l'armée allemande avait envahi le Luxembourg. Le 4, à 8 heures du matin, la Belgique, puissance neutre, était à son tour envahie. Aussitôt l'Angleterre entrait en guerre.

À Vienne, à Pétersbourg, à Berlin et même à Londres, les foules saluaient les soldats qui partaient pour la guerre, hâtivement mobilisés. Tous s'attendaient à une lutte violente, mais brève. Nulle part les manifestations pacifistes n'avaient gravement troublé l'unanimité du sentiment guerrier.

A LA GARE DE L'EST.

À Paris les manifestations bruyantes à la gare de l'Est étaient sans doute le fait des ligues nationalistes. « À Berlin ! » : le cri des réservistes répondait aux « nach Paris ! » des mobilisés d'outre-Rhin. Mais un sentiment populaire d'exaltation accompagnait les départs, qui n'était pas contrarié par les pacifistes. Les syndicalistes n'avaient pas fait de résistance à la mobilisation. Il n'avait pas été nécessaire d'utiliser contre eux le fameux « carnet B » du ministère de l'Intérieur, qui contenait la liste des « meneurs » à emprisonner en cas de troubles.

L'assassinat de Jaurès au café du Croissant, le 31 juillet, désarmait les socialistes. Nul ne pouvait dire quelle aurait été son attitude, en dernière analyse, devant le fait de l'agression allemande. Les sociaux-démocrates n'avaient-ils pas voté, au Reichstag, les crédits militaires ? A ses funérailles Léon Jouhaux, le leader cégétiste, devait affirmer :

> « Je déclare que nous allons sur le champ de bataille avec la volonté de repousser l'agresseur. »

On était loin du temps où les cégétistes affirmaient qu'ils refuseraient, en cas de mobilisation, d'aller aux frontières. Le 31 juillet, le 1er août, il y avait eu quelques manifestations contre la guerre, relatées dans *L'Humanité* : notamment à Lyon et dans la région parisienne. Mais dans la nuit du 31 juillet le comité confédéral de la C.G.T. avait repoussé à l'unanimité la grève générale ; le 2 août, la grande centrale ouvrière reconnaissait l' « irréparable ». Ce jour-là, dans un grand meeting socialiste à Paris, Vaillant devait déclarer :

> « En présence de l'agression, les socialistes rempliront tout leur devoir. »

On s'attendait à 13 % de réfractaires, il n'y en eut qu'1,5 %. Même si ce n'était pas l'enthousiasme au village, les manifestations de folie guerrière se multipliaient dans les gares des grandes villes : partout on criait aux hommes, en leur lançant des fleurs, qu'on attendait, très vite, le retour des vainqueurs :

> « Nous sommes partis, écrivait Péguy, pour le désarmement général et la dernière des guerres. »

L'agression allemande commandait l'union de toutes les familles politiques françaises « autour du drapeau » : le 7 août, à la Sorbonne, Ernest Lavisse et la sœur de Paul Déroulède accueillaient, dans une manifestation pour le « secours national », Dubreuilh, secrétaire de la S.F.I.O., et Jouhaux, secrétaire général de la C.G.T. Avant d'être une réalité parlementaire, l' « union sacrée » existait dans les mentalités. Bientôt Viviani constituait son cabinet de

guerre, avec le « marxiste » Jules Guesde et le socialiste Marcel
Sembat. Delcassé revenait aux Affaires étrangères. Clemenceau
restait seul en dehors du grand regroupement. Il réservait sa vigilance à la critique du pouvoir civil et militaire.

LA PANIQUE DE LA FIN AOUT.

La mystique de l'offensive avait d'abord porté les Français en
avant, et conforté l'opinion publique. On croyait avoir libéré l'Alsace parce qu'on avait pris Mulhouse, mais bientôt les Allemands
reprenaient la ville, et brisaient les grandes attaques d'Alsace, de
Lorraine, et des Ardennes. Les Français devaient abandonner
l'Alsace et se retirer jusqu'au Grand Couronné de Nancy, sur le
front lorrain.

Tout à l'espoir de résultats rapides, les journalistes parisiens
entretenaient l'illusion sentimentale de la revanche, et fermaient
les yeux sur les nouvelles pourtant alarmantes qui venaient de
Belgique : le gros des divisions allemandes (40, réparties en trois
armées) déferlait sur Liège dont les forts étaient enlevés par le
colonel Ludendorff, puis sur Bruxelles où elles entraient le 20 août.
La IIIe armée s'emparait de Dinant, puis de Charleroi et franchissait
la Meuse. Maubeuge se rendait sans combat. La 5e armée de
Lanrezac et le corps expéditionnaire anglais du général French
battaient en retraite. Du 24 août au 5 septembre, l'ensemble des
armées du Nord reculait, sur ordre du Quartier général. Joffre, qui
s'était laissé surprendre, voulait reconstituer ses forces, et réorganiser son commandement. Il avait aussi besoin de reprendre en
main les Anglais.

A Paris, c'était la panique. La retraite, certes, n'était pas une
débâcle. Mais le départ des civils était un exode : plus de 500 000 Parisiens s'enfuirent en huit jours, abandonnant tout derrière eux.
L'annonce de l'arrivée des Allemands sur la Somme mit un comble
à la panique, qui gagna même le gouvernement : le 2 septembre,
il se replia sur Bordeaux. Poincaré dut aussi partir. On parlait de
complot, de trahison. Les magasins Maggi, réputés allemands,
étaient pillés. La foule s'en prenait à tout ce qui portait un nom
de consonance germanique. On cherchait partout des espions.

LA MARNE.

Joffre, cependant, ne perd pas la tête. Il décide de faire venir le maximum de renforts de l'Est vers l'Ouest. Une nouvelle armée, commandée par Maunoury, se concentre sur la Somme. Au centre, la 9e armée de Foch se prépare à la contre-attaque. Les soldats épuisés s'arrêtent. Va-t-on enfin repartir?

Sur la Somme et sur l'Aisne, les positions ne sont pas tenables. De nouveau l'ordre de repli atteint les unités. Les forces allemandes sont trop supérieures et le moral des Anglais est au plus bas. Le 1er septembre, les armées repartent en direction de la Seine. Sarrail reçoit mission de défendre Verdun. Gallieni doit tenir Paris. Entre lui et les Allemands, il n'y a plus que l'armée Maunoury.

Les Allemands sont grisés par leur victoire. Moltke voulait envelopper Paris vers l'ouest, mais French avait disparu vers le sud. von Kluck, qui voulait à tout prix les atteindre et les anéantir, prit au plus court par l'est de Paris, sans protection sur son flanc droit.

Les aviateurs français surprirent ses colonnes grises étirées sur les routes de Seine-et-Marne. Joffre puis Gallieni furent informés. Gallieni proposa aussitôt d'enfoncer von Kluck. Mais il fallait arrêter French, qui était à Melun et poursuivait sa retraite. Joffre, qui voulait une offensive générale, réussit à convaincre le général anglais. Il dut, semble-t-il, lui parler de « l'honneur de l'Angleterre ».

« On se battra sur la Marne », dit enfin Joffre aux chefs d'armées. Le 6 septembre, à l'aube, toutes les unités alliées interrompent leur retraite pour contre-attaquer : les Anglais arrêtent la cavalerie allemande, la 9e armée de Foch bloque Bülow dans les marais de Saint-Gond. A l'ouest, la 5e armée progresse lentement. L'avance allemande est partout contenue. Seul Maunoury est accroché sévèrement par von Kluck. Le mouvement de débordement de l'armée von Kluck par le nord réussit pleinement. Les Allemands doivent à leur tour décrocher, battre en retraite. La bataille de la Marne est gagnée.

La mythologie populaire a retenu essentiellement l'épisode des « taxis de la Marne ». A Paris Gallieni a été fêté comme un sauveur. Son action spectaculaire avait des effets surtout psychologiques, mais il avait quand même réussi à conduire au front, en pleine nuit, l'armée de Paris. Une mauvaise querelle a été faite à Joffre par ceux qui prétendaient que Gallieni avait gagné la bataille. On connaît sa célèbre réplique :

> « Je ne sais pas qui a gagné la bataille de la Marne, mais je sais bien qui l'aurait perdue. »

LES TRANCHÉES DU FRONT DE L'OUEST.

Après le « miracle de la Marne », l'armée franco-britannique avait poursuivi les troupes allemandes en repli. Elle n'avait pu aller très loin. Une fois passé l'Aisne, les Allemands s'étaient enterrés, décourageant toute attaque frontale. Les Français durent en faire autant. La guerre des tranchées commençait.

A l'ouest de l'Oise, la ligne de guerre n'existait encore ni d'un côté ni de l'autre : la course à la mer fut effrénée, chacun des adversaires essayant de déborder vers l'ouest les positions de l'ennemi. Joffre et Falkenhayn, qui venait de remplacer Moltke, le vaincu de la Marne, livrèrent des batailles en séries : la Picardie d'abord, du 15 au 30 septembre, puis la bataille d'Arras, enfin, avec les Anglais et les Belges, la bataille de l'Yser. Le roi Albert, en suivant la côte, avait réussi à replier son armée d'Anvers sur l'Yser. Les Allemands y furent arrêtés grâce aux inondations. La bataille d'Ypres, où Joffre put empêcher les Allemands de percer le front entre l'armée britannique et les armées françaises fit apparaître avec netteté que la guerre de mouvement était définitivement terminée.

Dans la boue de Champagne et d'Artois, de la mer à la frontière suisse, les armées françaises durent attendre des jours meilleurs. A l'est, le tsar n'emportait pas la décision et devait faire face à des attaques de plus en plus sévères des Allemands. La France et l'Angleterre recherchaient désespérément de nouveaux alliés. Le Japon avait bien déclaré la guerre à l'Allemagne, mais il s'intéressait seulement aux possessions allemandes d'Extrême-Orient. Il refusa d'envoyer des troupes sur le front européen.

Seuls les Allemands, entraînant les Turcs dans la guerre, semblaient avoir trouvé des alliés. Or les Franco-Britanniques avaient un besoin urgent de renforts en hommes. On sollicita les Italiens, en se prêtant à de multiples marchandages. On n'obtint d'eux que la signature du traité secret de Londres, d'avril 1915. Ils ne déclaraient pas, dans un premier temps, la guerre à l'Allemagne mais seulement à l'Autriche-Hongrie.

A cette date, les Allemands avaient enfoncé le front russe, reprenant Varsovie, faisant près d'un million de prisonniers. Les Franco-Britanniques allaient s'épuiser pendant de longs mois pour tenter d'établir un second front dans les Dardanelles. Les Turcs tenaient en respect le corps expéditionnaire et coulaient les navires anglais qui s'approchaient des détroits. Les pertes alliées étaient considérables, la presqu'île de Gallipoli était finalement évacuée.

Les Français et les Anglais devaient pratiquement faire face seuls, sur le front ouest, à l'effort de guerre allemand. Pendant l'année 1915, on livra de furieux combats dans les tranchées. Les Anglais avaient fait venir des troupes fraîches du Canada et de l'Inde. En juillet, ils avaient mobilisé 1 300 000 volontaires et armé 28 divisions qui montaient aussitôt en ligne. Kitchener, le ministre de la Guerre, avait rattrapé le retard britannique.

Les Français manquaient d'armes et de munitions. On avait prévu les approvisionnements pour une guerre courte. On tirait 2 à 3 000 coups de canon par jour et l'armée avait 4 000 canons de 75! Il fallut rappeler du front les ouvriers spécialisés, engager les femmes dans les usines. La condition des soldats au front devenait insoutenable. Dans de nombreux corps, ils n'avaient pas de permissions pendant plus d'un an. Les pertes, dans la guerre des tranchées, étaient de plus en plus lourdes. Les opérations les plus meurtrières n'étaient jamais décisives. Après la préparation d'artillerie, qui transformait le champ de bataille en paysage lunaire, les attaquants pouvaient s'emparer, au prix de lourdes pertes, de la première et parfois de la deuxième ligne de tranchées. Ils étaient alors repoussés par les troupes fraîches qui arrivaient par les « boyaux » transversaux. La guerre d'usure et de position décourageait les « poilus » couverts de boue, infestés de poux, accablés par la pluie, le froid, la soupe tiède et l'inutilité des combats. Les « nettoyeurs de tranchées », qui attaquaient à la baïonnette et au couteau, multipliaient en pure perte les atrocités. Il fallait survivre, attendre, tenir... Les offensives lancées en Artois aux mois de mai et juin, en Champagne en septembre-octobre n'avaient d'autre résultat que de permettre à Joffre d'annoncer « une longue période d'attitude défensive ».

On s'efforçait d'améliorer le sort des soldats. Après 25 jours d'attaques ou de bombardements, le repos était nécessaire, ou le déplacement des unités vers des secteurs plus tranquilles. On créa des décorations nouvelles, comme la croix de guerre, les « fourragères » pour les régiments. On décida d'adopter un système régulier de permissions. Il fallait à tout prix entretenir le moral des combattants, car la guerre avait changé de nature. On distribua aux « poilus » de nouvelles tenues « bleu horizon », avec casques protecteurs. Le dangereux « pantalon rouge » disparut des armées. Il y eut peu de cas de désertion ou d'abandon de postes. Le front « tenait ».

LES IMPATIENCES DE L'ARRIÈRE.

C'est l'arrière qui flanchait. Les soldats en permission revenaient écœurés par le moral des civils. Ils ne manquaient de rien, mais se plaignaient sans cesse. Les parlementaires s'impatientaient, les journaux s'étonnaient des lenteurs. On demandait l'offensive.

Les députés avaient obtenu le droit de siéger en permanence et de constituer des commissions pour contrôler les actes du gouvernement en guerre. La méfiance mutuelle du Parlement, qui voulait tout savoir, et de l'état-major, qui ne voulait rien dire, devait s'accroître pendant les longs mois de guerre immobile. Poincaré utilisait l'énergie toujours disponible des parlementaires en leur demandant de surveiller l'approvisionnement des armées, la construction des armes nouvelles rendues nécessaires par la guerre de tranchées. Sous l'impulsion de Clemenceau et d'une partie de la presse on s'en prenait à Joffre, dont on critiquait « le pouvoir absolu » et les choix malheureux d'officiers généraux.

Joffre restait immensément populaire dans le pays, et les parlementaires ne pouvaient le prendre de front. Aussi attaquèrent-ils sans relâche Viviani qui finit par démissionner, remplacé par Aristide Briand. Le nouveau président du Conseil, qui n'aimait pas Joffre, s'empressa de nommer ministre de la Guerre le général Gallieni, et sous-secrétaire d'État à l'artillerie le socialiste Albert Thomas. Mais Gallieni était loyal, et Thomas patriote : ni l'un ni l'autre n'attaquèrent Joffre. Thomas galvanisa les producteurs de canons et de mortiers de tranchées. Il fit fabriquer en série les fameux « crapouillots », mais aussi les mitrailleuses et les canons lourds qui manquaient cruellement. Pour faire pièce aux offensives allemandes à l'hypérite, il ordonna la mise en chantier des premiers prototypes d'obus à gaz asphyxiants.

LE GRAND ASSAUT DE 1916.

Ni les Alliés ni les Allemands n'obtenaient de décision. Le débarquement franco-britannique à Salonique permit de tenir une tête de pont, mais les Bulgares avaient suffi à empêcher la progression du corps expéditionnaire et la « libération » de la Serbie.

Falkenhayn choisit Verdun pour forcer la décision sur le front de l'Ouest. Il rassembla devant Verdun, pour préparer l'offensive, plus de 1 000 canons de gros calibres. L'attaque commença le 21 février 1916. Le 25, le fort de Douaumont était pris.

Pétain, désigné par Joffre, dut faire face. Avec dix divisions il devait « tenir sur la rive droite entre Meuse et Woëvre ». Il fit aussitôt aménager, entre Verdun et Bar-le-Duc, la seule route rendant possible l'approvisionnement en vivres et munitions. Cette « voie sacrée » fut bientôt sillonnée par plus de 3 000 véhicules. Les secours arrivèrent, avec parcimonie, car le haut commandement préparait une offensive sur la Somme.

Pendant six mois Verdun fut un enfer. On se battait partout, d'une tranchée à l'autre. Les soldats attaquaient en bondissant de trou d'obus en trou d'obus, s'enlisant souvent dans la boue ou dans les sables mouvants. Des régiments périssaient jusqu'au dernier homme dans un feu qui n'arrêtait pas, le jour et la nuit. La cote 304 et les hauteurs du Mort-Homme, défendues jusqu'au bout par les Français, permettaient de tenir les rives de la Meuse. La bataille se poursuivit, acharnée de part et d'autre, jusqu'à la fin de l'année. Mais il était clair, dès la fin du mois de juin, qu'elle était un échec pour les Allemands. Ils n'avaient pas pris Verdun et la résistance de ce bastion du front français faisait échouer leur plan général d'offensive à l'Ouest. 500 000 combattants furent déclarés morts, disparus ou prisonniers. L'enfer était tel que l'on comptait un disparu pour cinq morts !

LA GUERRE EN QUESTION.

L'année 1916 se terminait sans que les deux adversaires aient imposé la décision. L'offensive alliée sur la Somme, en juillet, avait à peine modifié la ligne du front, et les Alliés avaient mis 40 divisions dans la bataille ! Falkenhayn, du côté allemand, était remplacé par Hindenburg. On ne lui pardonnait pas l'échec de Verdun.

La guerre, certes, avait gagné toute l'Europe, mais la carte des opérations semblait immuable : les Roumains s'étaient rangés aux côtés des Alliés mais ils étaient tenus en respect par les Germano-Bulgares. Les Autrichiens avaient attaqué les Italiens sur l'Adige mais le général Cardona gagnait dans le Trentin.

En France comme en Allemagne, après deux ans d'opérations, la population était lasse de l'effort de guerre. En Allemagne on ne pouvait consommer que 170 grammes de pain par jour et par personne. Le soldat allemand mangeait du « pain K » à base de farine de pomme de terre. L'offensive de la guerre sous-marine causait des difficultés d'approvisionnement aux Alliés, ainsi que le manque de main-d'œuvre. On entrait dans l'ère du rationnement.

Dans un camp comme dans l'autre, aucune issue rapide n'apparaissait possible. On n'attendait plus la victoire que de l'épuisement de l'adversaire. Dès lors, certains secteurs de l'opinion publique, d'abord ralliés à l'idée de guerre défensive, furent de plus en plus sensibilisés au thème de la « paix blanche », une paix sans vainqueur ni vaincu. La propagande pacifiste reprit de plus belle, au risque de décourager les combattants.

C'est ainsi que les socialistes « minoritaires », en Allemagne comme en France, commencèrent à critiquer la politique de l'« union sacrée ». En Italie, tous les socialistes se déclaraient hostiles à la guerre. A l'initiative des Italiens, un congrès s'était réuni à Zimmervald, près de Berne, en Suisse, dès septembre 1915. Deux délégués français et deux délégués allemands, au milieu d'une quarantaine de participants, avaient demandé aux « prolétaires d'Europe » d'imposer à leurs gouvernements une « paix sans annexions ni indemnités ». Une nouvelle conférence devait se réunir en avril 1916 à Kienthal. L'action pacifiste ne touchait pas encore les masses ouvrières, mais elle troublait l'appareil des syndicats et des partis. Le manifeste de Kienthal demandait aux députés socialistes de tous les pays belligérants de sortir des majorités de guerre et de refuser le vote des crédits militaires. Le plus actif partisan de cette thèse était un réfugié russe du nom de Lénine.

La propagande des socialistes minoritaires risquait de trouver un terrain préparé : après la mort de l'empereur François-Joseph, à la fin de 1916, les gouvernements allemand et autrichien avaient envoyé une note à l'Entente proposant « d'entrer dès à présent en négociation de paix ». Il s'agissait, sans doute, d'une manœuvre politique destinée à impressionner, en particulier, le Président des États-Unis. Mais elle venait en son temps, au moment où les opinions publiques des pays de l'Ouest étaient vraiment lasses de la guerre.

Engager les Américains dans la guerre était le but affiché des Franco-Britanniques. Mais Wilson, réélu Président des États-Unis en novembre 1916, ne promettait que ses « bons offices ». Il demandait aux belligérants, en décembre, de préciser leurs « buts de guerre ». L'Allemagne refusa la première, de peur de choquer Wilson par ses revendications territoriales. Les Alliés n'en furent que plus à l'aise pour rédiger en commun une déclaration vague et pour applaudir sans vergogne au discours prononcé par Wilson sur la « paix sans victoire ». On attendait avec de plus en plus d'impatience le secours des divisions américaines.

Ces manœuvres diplomatiques trouvaient de plus en plus d'écho dans la presse parisienne, et affaiblissaient le moral des civils. L'effort de guerre de la France était considérable. Pour ne pas avoir recours à un trop lourd contingent d'ouvriers, on avait engagé massivement les femmes dans l'industrie d'armement. L'hécatombe de Verdun et de la Somme avait multiplié les deuils dans les familles. Le ralentissement général de la production agricole et des biens de consommation développait à l'arrière un climat de pénurie. L'opinion s'indignait des inutiles massacres et du fiasco des opérations en Orient. L'année 1917 s'annonçait redoutable.

1917 : l'année terrible.

LE DÉSASTREUX NIVELLE.

Pour le gouvernement Briand, l'année 1916 avait été difficile. Il avait dû s'accommoder d'un généralissime qu'il n'aimait pas, et d'un ministre de la Guerre fatigué, bientôt malade ; de plus Poincaré et Clemenceau le soupçonnaient de rechercher une paix « sans victoire ». Mal vu au Parlement, qui lui reprochait de garder le secret sur les opérations militaires, le « père Joffre » fut, en douceur, écarté de son commandement par Briand, qui voulait donner satisfaction à l'opinion politique. On proposa au vainqueur de la Marne un poste honorifique qu'il refusa. Remplacé le 2 décembre par

Nivelle, idole des couloirs de la Chambre, il fut nommé maréchal de France.

Dès janvier, Nivelle annonçait aux députés et sénateurs qu'il préparait une grande offensive pour mars. Il avait promis d'obtenir une rupture du front grâce à une concentration de moyens sans précédents. Briand, qui l'avait préféré à Pétain, le laissa faire.

Nivelle voulait une action rapide, sur quarante-huit heures. Il fut obligé d'informer du détail de son opération non seulement les commandants d'armées et les chefs de corps, mais les chefs de petites unités, dont le rôle était déterminant. Des prisonniers parlèrent et les Allemands étaient au courant des dispositions françaises quand Nivelle donna l'ordre d'attaque. Un espace de vingt kilomètres fut immédiatement libéré par l'ennemi, pour « casser » l'offensive.

Les Alliés attaquèrent néanmoins, les Anglais entre Lens et Arras, les Français entre Soissons et Reims. Les deux offensives furent brisées, avec des pertes très lourdes. Le 15 mai, Nivelle était limogé, Briand démissionnait, Pétain devenait commandant en chef.

LES MUTINERIES.

En cinq jours de combats, 100 000 hommes étaient tombés du côté des Alliés. Les Français avaient déjà perdu 500 000 hommes en 1915 et 570 000 en 1916. Les désastres succédaient aux désastres, affaiblissant considérablement le moral des troupes, et surtout celui des civils.

La propagande pacifiste s'intensifiait. Briand et son successeur Ribot avaient négocié par divers intermédiaires avec les empires centraux. Briand, en mars, avait accepté l'entremise du prince de Bourbon-Parme pour étudier les possibilités de paix. Il avait rencontré en Suisse le baron von Lancken, directeur de la section politique du gouvernement général allemand de la Belgique. Enfin le gouvernement français n'était pas resté sourd aux propositions du pape Benoît XV qui offrait ses bons offices aux belligérants pour arrêter les massacres. Ces diverses tentatives n'avaient pas abouti, car les Allemands refusaient toujours de rendre l'Alsace et la Lorraine, mais elles avaient semé le doute sur les intentions réelles des Alliés.

Chez les socialistes, les minoritaires gagnaient du terrain. La conférence de Stockholm avait ouvert les yeux des militants sur la possibilité d'arrêter les combats, en faisant une sorte de grève de la guerre de part et d'autre du front. L'agitation ouvrière se développait à Paris, où les grèves, à partir de mai 1917, succédaient aux grèves. Il y avait en juin 100 000 grévistes dans la région parisienne, 230 000 à Londres. Les ouvrières des usines d'armement défilaient sur les Champs-Élysées, avec des banderolles demandant la paix.

Certes, le 6 avril, les États-Unis avaient déclaré la guerre et Wilson avait dit : « Le droit est plus précieux que la paix. » Mais l'armée américaine ne comptait guère que 300 000 hommes et la Révolution russe avait commencé le 8 mars, après les grands revers militaires. Le tsar déposé, le gouvernement Kerensky n'avait pas les moyens de continuer à imposer la guerre aux soldats, d'autant que les Allemands avaient laissé passer Lénine, qui s'était rendu de Suisse en Russie dans le « wagon plombé » de la légende. Et Lénine était pour la paix immédiate.

Ces nouvelles, venues de Russie, filtraient dans la troupe malgré la censure. A partir d'avril commencèrent les mutineries dans l'armée française. Les hommes abandonnaient leurs postes devant l'ennemi, il y eut des troubles dans les deux tiers des divisions au front. Le mouvement se répandit d'abord, comme le montre bien Pedroncini, parmi les troupes qui avaient participé à l'offensive Nivelle, dans la région comprise entre Soissons et Reims. Il gagna ensuite les autres zones combattantes, notamment Verdun. A Soissons les régiments avaient défilé, drapeau rouge en tête. Certains avaient désigné, à la manière russe, des « conseils de soldats ». Plus de 90 régiments eurent des mutins. Les autres furent touchés par les manifestations pacifistes. Les mutineries se poursuivirent jusqu'en septembre.

Dirigée par Pétain lui-même, la répression fut limitée au minimum. Il y eut tout de même 50 000 condamnations, dont 452 à la peine de mort. Les mutineries n'avaient pas eu de conséquence sur la guerre elle-même : Ludendorff n'en eut connaissance qu'à la fin, quand l'ordre était rétabli. Le haut commandement put être modéré : il n'y eut qu'une cinquantaine d'exécutions.

Pétain veillait à la reprise en main du moral des soldats en améliorant leur condition matérielle. Il surveilla de près le rythme des permissions, les questions de ravitaillement, l'aménagement de périodes de repos suffisantes pour les troupes en ligne à l'arrière du front. Il incita les officiers à reprendre en main leurs hommes, en leur expliquant le sens de la guerre. Pourquoi tant de sacrifices, s'ils ne devaient pas conduire à la victoire, à la victoire sur la guerre ?

Quand l'ordre fut rétabli, il fallut veiller au moral de l'arrière : la cherté des prix, la difficulté des transports, le ralentissement des importations, les restrictions alimentaires causaient un mécontentement profond. Les grèves répétées inquiétaient petits bourgeois et rentiers, dont beaucoup avaient souscrit aux emprunts pour la Défense nationale.

Le ministre de l'Intérieur Malvy réussit à calmer le mouvement revendicatif sans employer la force, mais il ne put endiguer le courant pacifiste, nouveau cheval de bataille des syndicalistes. Il s'affichait maintenant au grand jour dans les salons, dans certaines salles de rédaction, se réclamant d'auteurs connus comme Romain Rolland, prix Nobel de la paix en 1916, Henri Barbusse, Henri Bataille, Victor Margueritte... Il y avait un pacifisme mondain, un pacifisme universitaire, une presse pacifiste bourgeoise... A droite *L'Action française*, au centre le journal de Clemenceau *L'Homme enchaîné* fustigeaient les pacifistes, demandant la tête de Malvy. Clemenceau l'accusait de trahison. Devant l'ampleur de la campagne, reprise par toute la presse « patriote », Malvy dut démissionner, le 31 août 1917. Les socialistes décidaient aussitôt d'abandonner le gouvernement. C'était la rupture de l'Union sacrée.

CLEMENCEAU AU POUVOIR.

Le faible gouvernement Painlevé qui se constitua dès lors sans la participation des socialistes était incapable de lutter contre la vague pacifiste. Les minoritaires, encouragés par les progrès de la Révolution russe, dominaient les meetings socialistes, où les paroles de Lénine l'emportaient sur celles de Jaurès. On attendait chez les socialistes la fin de tous les États bourgeois.

Les scandales et les affaires de trahison se multipliaient en France. Le député Turmel était accusé d'avoir touché en Suisse une somme d'argent dont il ne pouvait justifier l'origine. Un aventurier, Bolo Pacha, avait acheté *Le Journal* avec de l'argent allemand. *Le Drapeau Rouge* de l'anarchiste Almeyreda avait compromis un certain nombre d'hommes politiques. Il était temps de faire passer en jugement ceux que dans *L'Action française* Daudet appelait « les traîtres de la bande caillaux-malvyste ».

Qui d'autre que Clemenceau aurait pu, dans une telle conjoncture, galvaniser les énergies « nationales » ? Poincaré, qui ne l'aimait pas, avait tardé à l'appeler. Mais il avait dû faire passer le patriotisme avant les sentiments personnels. S'il n'offrait pas le pouvoir à Clemenceau, la Chambre découragée risquait d'imposer Caillaux, et de le suivre dans la voie de la négociation, que réclamaient à grands cris les salons de la gauche bourgeoise. C'est Clemenceau qui fut appelé et investi par la Chambre :

> « Ma politique étrangère et ma politique intérieure c'est tout un, déclarait Clemenceau à la tribune. Politique intérieure : je fais la guerre. Politique étrangère, je fais la guerre. Je fais toujours la guerre. »

Celui que l'on appelait « le Tigre » et bientôt le « père la Victoire » multipliait les visites au front, pour garder le contact avec la troupe. Il passait une nuit entière, couché par terre, dans le fort de Douaumont repris par les Français. Il coiffait le casque des « poilus » pour se rendre en première ligne. L'infatigable vieillard jouissait bientôt aux armées d'une formidable popularité. Il ne se gênait pas pour condamner les « embusqués » de l'arrière. Il se dépensait sans compter pour donner aux soldats le sentiment que l'on pouvait gagner la guerre, que la victoire était à portée de fusil.

A l'intérieur, il engageait la bataille contre le pacifisme. Il censurait ou poursuivait les journaux suspects, faisait passer en conseil de guerre tous les espions que l'on arrêtait. Un climat de terreur gagnait le monde politique. Malvy était arrêté, ainsi que Caillaux, pour « intelligence avec l'ennemi ». Briand n'osait plus parler. Ribot lui-même était suspect.

Cette extraordinaire fermeté s'accompagnait d'une sorte de dictature morale imposée au Parlement. La seule opposition qui osât dire son nom, celle des socialistes, s'en trouvait stimulée. En juillet 1918 on verrait Frossard et Cachin, partisans de la « paix blanche », prendre la tête du parti : Cachin deviendrait directeur de *L'Humanité* et Frossard secrétaire de la S.F.I.O.

LA VICTOIRE AU FRONT.

A cette date, l'anéantissement du front russe avait permis au nouveau commandant en chef allemand, Ludendorff, de masser 192 divisions à l'Ouest, alors que les Alliés n'en avaient que 170. La paix de Brest-Litovsk semblait promettre la victoire aux Allemands, pour peu qu'ils attaquent à l'ouest avant l'arrivée des divisions américaines.

La fin de la guerre en France fut une prodigieuse course de vitesse entre les troupes allemandes qui revenaient de l'Est à marches forcées, et les troupes américaines qui montaient en ligne aussitôt débarquées et instruites. Une première attaque allemande fut montée en mars, à la jonction des armées françaises et britanniques, dans la région de Saint-Quentin. 65 divisions allemandes y participèrent. Les pièces lourdes placées tout près des lignes ne commencèrent à tonner que cinq heures avant l'offensive, pour ne pas laisser le temps aux Alliés d'envoyer des renforts. Le front anglais fut très vite enfoncé et la surprise permit aux Allemands d'avancer de 60 kilomètres en 15 jours.

Dans les bois de Villers-Cotterêts, l'offensive se brisa sur la résistance des renforts français arrivés en toute hâte. Le front occidental était sauvé. L'alerte avait été suffisamment chaude pour que les Anglais acceptent le commandement unique de Foch, nommé pour la circonstance généralissime des armées alliées.

Ludendorff sentait que le temps travaillait contre lui : il attaqua de nouveau à Armentières, en avril, avec 36 divisions : mais cette fois l'armée anglaise ne fut pas surprise et les Allemands furent repoussés. Le commandement interallié avait bien fonctionné. Le front anglais fut percé un peu plus tard, en mai, sur le Chemin des Dames. Les Allemands avaient fait 50 000 prisonniers et atteint la Marne. Mais Foch et Pétain rétablirent la situation.

Dans Paris bombardé par la « grosse Bertha », un canon géant allemand qui touchait sa cible à plus de cent kilomètres, le moral était au plus bas. Des obus étaient tombés sur l'église Saint-Gervais, le dimanche à l'heure de l'office. Le milieu politique s'agitait, multipliant les escarmouches contre le gouvernement et mettant une fois de plus en question le haut commandement.

Clemenceau, infatigable, intervint au Parlement le 4 juin, pour couvrir ses généraux. Il obtint la confiance des députés, et accéléra les rigueurs de la répression contre les « ennemis de l'intérieur ».

Les Allemands attaquèrent une dernière fois en juillet, sur le front de Champagne. Mais, à cette date, les renforts américains étaient arrivés. Les Allemands furent de nouveau repoussés. Les Alliés disposeraient bientôt de deux millions de combattants américains, et d'un matériel offensif d'un type nouveau, le char de combat. Une première contre-offensive de Mangin, à la fin de juillet, avait permis de faire reculer les Allemands de quarante kilomètres. Foch vainqueur était fait maréchal de France. La victoire semblait proche.

Il fallut encore de longues semaines de combats avant que les Allemands capitulent : une première offensive franco-britannique en août, une offensive générale en septembre. Les Allemands s'accrochaient encore au terrain. Lille ne fut libérée qu'en octobre. Le 10 novembre l'ensemble du territoire français avait été libéré, au prix d'un effort constant. Une nouvelle offensive se préparait en Lorraine, qui avait pour but l'invasion de l'Allemagne. Foch avait 100 divisions de réserve, contre 17 seulement à Ludendorff. Les Allemands faisaient toujours front, mais ils étaient épuisés.

La Révolution qui fit flamber les villes d'outre-Rhin leur porta le coup de grâce. Déjà la Turquie, l'Autriche-Hongrie avaient signé des armistices. Le 9 novembre, le Kaiser avait abdiqué. Il avait trouvé refuge en Hollande. A Rethondes, les Allemands envoyaient des plénipotentiaires. Le 11 novembre, à 11 heures du matin, le clairon sonnait l'armistice sur tout le front de l'Ouest. L'Allemagne était vaincue.

La « paix perdue » de 1919.

CLEMENCEAU NÉGOCIATEUR.

Le pays imputait la victoire à Clemenceau, en raison du redressement de 1917. Grâce à Clemenceau le Parlement, et non seulement l'état-major, était présent au triomphe. La démocratie parlementaire sortait intacte de la guerre : la République avait su trouver en son sein les hommes capables de galvaniser les énergies nationales. Aussi bien Clemenceau, dans la pure tradition jacobine, n'entendait pas laisser le champ libre aux généraux vainqueurs.

Ceux-ci partageaient sa popularité, Foch surtout, le vainqueur de la dernière heure, mais aussi le combattant de la Marne, le héros des marais de Saint-Gond. Dès la fin des combats, le « Tigre » n'avait pas manqué d'affirmer son autorité sur Foch, et d'annoncer clairement son intention de négocier la paix seul. Clemenceau le radical voulait instaurer une « Europe du droit » qui dressât d'abord le constat de l'anéantissement des « vieilles monarchies oppressives ». Le modèle démocratique français et britannique lui semblait de nature à inspirer les nouveaux régimes des nouvelles nations.

Mais Clemenceau était aussi un « réaliste ». Il était le partisan déterminé d'une paix à l'ancienne manière, conclue « sur le tambour », avec, à la clé, une bonne et solide alliance franco-britannique et franco-américaine. Il voulait prolonger dans la paix les alliances de la guerre. Il estimait que la France n'avait pas les moyens de faire la paix seule, ni surtout de la garantir, une fois signée. Il n'admettrait pas, comme les Italiens, l'idée d'une rupture possible avec les Anglo-Saxons, face à l'Allemagne.

Il ne devait pas tarder à rappeler durement à l'ordre ou même à désavouer ceux des militaires qui poussaient un peu loin en Allemagne la politique « républicaine » des « annexions déguisées », comme par exemple Mangin. Certes Clemenceau eût été ravi de voir les pays rhénans demander leur autonomie, voire même leur rattachement à la France dans la tradition de 1793. Mais il se défendait de toute volonté annexionniste, ou simplement impérialiste.

Même s'il ne partageait pas les vues de la droite sur la « reconquête du Rhin français », il était le seul qui pût faire aboutir une « paix française », c'est-à-dire une paix de victoire, avec réparations et restitutions. Clemenceau était encensé jusque dans *L'Action française* en raison de son patriotisme passionné. N'était-il pas l'épurateur de la « chambre caillaux-malvyste » ? Il avait, au Parlement, une majorité confortable. A la moindre difficulté, il posait la question de confiance, exerçant ainsi, pendant toute l'année de la paix, une sorte de dictature morale : qui oserait le renverser ? L'attentat dont il fut victime, rue Franklin, en février 1919 lui valut d'incroyables témoignages de sympathie d'un pays dont il était devenu le symbole.

LE DUEL CLEMENCEAU-WILSON.

Clemenceau dut compter, plus qu'il ne l'avait pensé, avec Wilson. Le Président des États-Unis, contrairement à toute attente, vint lui-même à Paris, en décembre 1918, pour négocier la paix. Ses « quatorze points » affirmaient notamment le « droit des peuples à disposer d'eux-mêmes » et interdisaient toute annexion. Ils annulaient les « traités secrets » conclus entre belligérants pendant la guerre. Ils rendaient très hypothétiques les prétentions françaises sur la rive gauche du Rhin, maintes fois affirmées cependant dans les définitions successives des « buts de guerre ». Ils posaient le principe de la création d'une *Société des nations* qui, inévitablement, devrait inclure un jour les vaincus.

Le wilsonisme devint pour Clemenceau un obstacle en politique intérieure, dans la mesure où il fut très vite la doctrine officielle des socialistes, majoritaires et minoritaires, un instant réconciliés dans l'idéologie de la « paix sans vainqueur ni vaincu », de la « paix des peuples ». Les troubles sociaux, le climat révolutionnaire de l'année 1919 obligèrent Clemenceau à tenir compte de cette opposition, dont Wilson connaissait parfaitement l'existence. Le développement du bolchevisme en Europe centrale et orientale, la menace d'une révolution bolchevik généralisée en Allemagne, donnaient à la paix de Versailles le caractère d'une paix de refoulement du communisme en Europe, comme l'a très bien vu Arno Meyer. Cela inclinait à une certaine indulgence envers les vaincus.

LE « BOCHE PAIERA ».

D'autant que Wilson et Lloyd George avaient un moment songé à négocier avec les Bolcheviks eux-mêmes, au grand dam de Clemenceau, qui entretenait sur les fonds du Quai-d'Orsay d'innombrables « Russes blancs ». Clemenceau considérait les Bolcheviks russes comme des alliés objectifs des Allemands. Peu lui importait que les Allemands fussent bolchevisés : il y aurait ainsi toutes les raisons de monter enfin la grande croisade de l'Occident contre le bolchevisme, dont il rêvait. L'échec de la conférence de Prinkipo lui apporta un profond soulagement : Wilson n'avait pu s'entendre avec Lénine. Clemenceau pourrait imposer son point de vue de fermeté à l'égard de l'Allemagne. Si elle était contaminée par la Révolution, c'était une raison de plus pour prendre contre elle, et contre le bolchevisme, des « sécurités » sur le Rhin.

Dans sa majorité, l'opinion française soutenait Clemenceau dans cette voie : elle voulait une paix dure, « payante », dans le style de celle que Bismarck avait imposée en 1871. La campagne « le Boche paiera », entreprise par *Le Matin* pendant la négociation, affirmait la volonté française de récupérer non seulement les « réparations » dues par les Allemands au titre des destructions, mais aussi les

« frais de guerre », puisque l'Allemagne était seule responsable du conflit. Au ministre des Finances Klotz qui prétendait accroître la masse fiscale en instaurant un « impôt sur le capital », *Le Matin* répondait : « le Boche paiera », formule quasiment magique qui semblait régler d'un coup tous les problèmes de l'après-guerre : la vie chère, la ruine de la rente et de la monnaie, les destructions immenses des régions du Nord et du Nord-Est, les pertes en main-d'œuvre et en moyens de transports... La campagne du *Matin* avait un appui politique et parlementaire dans les formations qui soutenaient la majorité. Le rapporteur général du budget, Louis Marin, député de Nancy, était fanatiquement pour une politique des réparations « intégrales », comprenant les frais de guerre. Le président de la commission du Budget, Raoul Péret, partageait cette opinion, ainsi que de nombreux députés radicaux.

Quand il fut très clair pour tous les Alliés que « le Boche » ne paierait pas du tout, et qu'il convenait de se demander ce qu'il pouvait au juste payer, l'opposition reprit de plus belle au Parlement français, stimulée par les commissions spécialisées et par les personnages consulaires, comme Briand et Barthou, qui n'avaient pas pardonné à Clemenceau les excès de son intransigeance pendant la guerre. La paix serait-elle remise en question à la Chambre ?

LA CABALE CONTRE LA PAIX.

On le crut un moment, quand la conjonction des oppositions fut en avril et en mai une menace politique précise contre Clemenceau. Si les Italiens avaient claqué la porte au nez de Wilson, pourquoi le « Tigre » n'en faisait-il pas autant ? On se posait beaucoup la question dans la presse, ainsi qu'à l'état-major de Foch. Les conjurés trouvèrent des complices, non pas à l'Élysée où Poincaré, qui partageait leur avis, se garda bien de les suivre, mais au Parlement, auprès de certains sénateurs comme Paul Doumer, ou de députés comme Franklin Bouillon.

Clemenceau avait les moyens de réagir. Il pouvait imposer sa paix en s'appuyant sur l'immense majorité de l'opinion qui, au mois de mai, voulait qu'on en finisse rapidement avec l'Allemagne.

Il avait eu la partie fort difficile avec Lloyd George et Wilson qui étaient d'accord entre eux sur l'essentiel : démobiliser au plus tôt leurs soldats et rétablir la situation économique de l'Allemagne en Europe, seul moyen de contenir le bolchevisme. La pensée de Keynes, conseiller de la délégation britannique, était très nette sur ce point. Clemenceau n'avait pas réussi à dresser Lloyd George contre Wilson. Les Anglais n'étaient pas pour la paix sur le tambour.

La paix était négociée sur la base d'un compromis entre ce que les Anglo-Saxons avaient exigé et ce que Clemenceau avait sauvegardé. Elle donnait à la France des satisfactions non négligeables : le retour de l'Alsace et de la Lorraine, garanti par les « quatorze points », était réalisé sans plébiscite, contrairement à ce que demandaient les Allemands et certains socialistes français. L'occupation de la Sarre par les Français était prévue pendant quinze ans, jusqu'à la consultation populaire qui déciderait du sort final de ce territoire. La France obtenait des réparations substantielles, l'acquisition, sous mandat de la Société des Nations, de certaines colonies allemandes (Togo et Cameroun notamment), des restitutions de matériel, des livraisons de charbon, des avantages commerciaux et industriels (l'acquisition de certains « brevets » de l'industrie chimique par exemple). La rive gauche du Rhin et cinquante kilomètres de la rive droite étaient « démilitarisés ». On laissait à l'Allemagne, à la demande de Lloyd George, 100 000 hommes pour son armée régulière, une simple force de police.

Les Alliés devaient occuper une partie du territoire ouest-allemand pendant quinze ans, comme garantie des réparations. Il est vrai que ces forces d'occupation avaient été réduites au minimum, et que Clemenceau avait dû batailler durement pour en imposer le principe. En l'absence de toute force exécutive de la Société des Nations, il était clair que les Alliés n'avaient pas les moyens matériels de faire respecter les clauses de la paix, au cas où l'Allemagne y manquerait. La thèse de Foch, qui demandait l'occupation en permanence des têtes de pont du Rhin, avait été rejetée.

A tous ceux qui lui reprochaient d'avoir fait une paix sans garanties ni sécurités, Clemenceau opposait la promesse d'une alliance anglo-saxonne. En cas d'agression, l'Angleterre et les États-Unis s'engageaient à intervenir aussitôt militairement. Dès octobre 1919 cependant, il apparut que le Sénat des États-Unis refuserait le vote de cette garantie. Les critiques d'un Jacques Bainville, journaliste à L'Action française, ou d'un Louis Marin, député de Nancy, étaient donc parfaitement fondées : on avait lâché la proie pour l'ombre.

LES PERTES DE LA GUERRE.

Mais avait-on les moyens de tenir la proie ? Le pays était exsangue. Quatre ans de guerre l'avaient ruiné moralement et physiquement. Dans les faits, il n'y avait pas de vainqueurs mais des pays ravagés. La production française avait diminué de moitié. L'absence de main-d'œuvre était particulièrement sensible dans les campagnes, qui avaient supporté le principal de l'effort en hommes. La production de blé s'était effondrée, le cheptel était décimé. Le gouvernement avait dû instaurer, comme sous la Révolution, un maximum des prix, pour éviter la spéculation.

Un dixième de la population avait été éliminé par la guerre : 1 400 000 tués ou disparus, près de 3 000 000 de blessés ! Les civils avaient beaucoup souffert de l'épidémie de « grippe espagnole » qui avait sévi en 1918. Les destructions matérielles étaient considérables ; elles étaient encore accrues par l'évacuation systématique du matériel industriel, pratiquée par les Allemands dans les territoires envahis. Un quart de la fortune française relevait des « dommages de guerre ». L'État devait verser deux millions et demi de pensions civiles et militaires : « Ils ont des droits sur nous », avait dit Clemenceau à la tribune de la Chambre, en parlant des anciens combattants. Quand on avait chiffré ces droits, on était parvenu à des sommes considérables.

La situation financière était catastrophique : le déficit du budget était de 18 milliards pour 1918. La France devait payer, au titre de sa dette extérieure, 16 milliards aux États-Unis et 13 à la Grande-Bretagne. La dette intérieure, en bons du Trésor flottants, était énorme. La « planche à billets » avait financé la guerre, provoquant la hausse des prix, l'inflation. Les prix avaient plus que triplé depuis 1914. Les « emprunts patriotiques » avaient opéré une ponction en profondeur de l'épargne individuelle. Les désastres extérieurs avaient anéanti nombre de placements jadis florissants. Il n'y avait plus d'emprunts russes (douze milliards de francs 1914 étaient ainsi perdus), plus d'emprunts mexicains, plus d'emprunts d'Europe centrale. Les petits rentiers, qui vivaient à l'aise en 1914, se trouvaient ruinés : ils étaient, dans le pays, plus de 500 000. Ils constitueraient une force de contestation politique constamment mobilisable, par la droite surtout. Les modifications de la fortune française, et, plus généralement, des conditions de vie en France, allaient conditionner la redistribution des forces politiques dans la dure période de reconstruction : 1919-1929.

La France des Années folles.

LA DROITE « BLEU HORIZON ».

Aussitôt signé le traité de Versailles, les Français ne songeaient plus qu'à revenir aussi vite que possible à l'avant-guerre. La réouverture des courses, à Longchamp, faisait la « une » des journaux le jour de la cérémonie de la signature. Les Français étaient las des deuils et des restrictions. Ils voulaient vivre. Une sorte de frénésie s'empara de la jeunesse. Le jazz et les automobiles, les jupes courtes et les bas de soie eurent vite raison de la morosité de tous les perdants de la guerre. Pourtant, avec l'Allemagne, rien n'était réglé. On n'éviterait pas une négociation directe.

Deux France étaient de nouveau en présence : celle qui voulait oublier le passé, faire confiance aux formes modernes de sécurité, qui se grisait de modernité au point d'admettre même la Révolution communiste : cette France « de gauche » demanderait bientôt le « réexamen » du traité de Versailles et l'établissement de rapports normalisés avec l'Allemagne.

Mais il y avait l'autre France, celle des anciens combattants, qui se groupaient déjà par ligues et associations, celle des victimes civiles et militaires de la guerre, celle des rentiers ruinés et des patriotes déçus. Cette France soutenait Poincaré quand il demandait « l'application intégrale du traité de Versailles », une politique de rigueur, au besoin de violence, à l'égard de l'Allemagne.

En 1919, la parole était à la France de droite : elle devait gagner, très largement, les élections de novembre. Il lui avait suffi de montrer sur ses affiches « l'homme au couteau entre les dents », le bolchevik, présenté comme un anarchiste. 437 députés sur 613 appartenaient au « bloc national » constitué par les droites et le centre réunis dans la lutte contre le socialisme.

Les candidats, « unis comme au front », étaient souvent des anciens combattants, comme Xavier Vallat ou André Maginot, d'anciens aumôniers militaires, des membres actifs des associations nouvelles d'anciens du front, comme la « ligue des chefs de section » de Binet-Valmer.

C'était la Chambre la plus à droite que la France ait connue depuis l'Ordre moral. Cette chambre « bleu horizon » voulait imposer à l'Allemagne les réparations les plus lourdes possibles, et rétablir en France la situation économique grâce à l'argent allemand. Il était en effet urgent de désarmer le mouvement social, qui devenait inquiétant pour les nouveaux élus de la droite.

LE NOUVEAU SOCIALISME.

Clemenceau se retira des affaires en 1920, après son échec à la Présidence de la République. Son départ, après trois ans de pouvoir, laissait un vide que ses successeurs, Millerand, Georges Leygues, Briand, furent impuissants à combler. Clemenceau tenait en respect le mouvement socialiste. Il avait fait preuve de la plus grande énergie en 1919, en faisant tirer sur les manifestants du 1er mai.

Ses successeurs durent faire face à des grèves en rafales, que l'inflation et la vie chère semblaient justifier, mais qui présentaient en fait un caractère révolutionnaire : depuis janvier 1920 se succédaient les grèves des transports, du métro de Paris, de l'électricité. Les secteurs clés de l'économie étaient ainsi paralysés, la reconstruction était impossible. Le sentiment croissant d'irritation, qui se répandait dans le public, facilitait la répression. Même si les gouvernements manquaient d'autorité politique, ils déployaient l'énergie nécessaire pour briser une vague révolutionnaire qui rappelait en violence celle des années 1906-1910. La troupe bien reprise en main après les troubles de 1919 — où l'on avait dû réprimer des mouvements révolutionnaires dans les unités de garnison, notamment à Toulouse et à Brest — devait être une arme efficace contre les grévistes.

La division du socialisme et du syndicalisme, en décembre 1920, devait affaiblir, dans un premier temps, le mouvement ouvrier français. La scission de Tours séparait les *majoritaires*, favorables à la révolution bolchevik, et les *minoritaires* plus pondérés qui conservaient, derrière Léon Blum, l'appareil du vieux parti S.F.I.O. Les majoritaires, avec Cachin et Frossard, fondaient le *parti communiste français* qui allait connaître d'abord un rapide mouvement d'adhésions, avant d'être surpassé en nombre d'adhérents par le parti socialiste, grand triomphateur des élections de 1924. Les communistes s'étaient emparés de la direction du journal *L'Humanité*.

Parmi ceux qui rejoignirent le parti communiste en 1920, bien peu y restèrent. Des anarchistes, des surréalistes, des esthètes, qui allaient être les premières victimes des purges, avaient adhéré par dégoût du socialisme. La reprise en main du parti serait lente et difficile, en raison de cet afflux d'intellectuels souvent extravagants. Pendant longtemps le nouvel appareil refuserait tout contact avec les socialistes, et se présenterait aux élections seul, pour maintenir intacte sa force révolutionnaire.

La scission politique s'accompagnait d'une division syndicale : de la C.G.T. se distinguait la C.G.T.U. (Confédération générale du Travail unitaire). Au congrès de Lille la minorité communiste et libertaire (C.G.T.U.) abandonnait la vieille centrale et décidait de devenir une « école primaire du communisme ». Le syndicalisme était très affaibli par cette division, qui profitait essentiellement à la droite.

LE FOL APRÈS-GUERRE.

Cette droite n'était pas unie : beaucoup déploraient, avec Poincaré la réduction continuelle des créances sur l'Allemagne que nous imposaient les Alliés de conférence en conférence. Mais si la politique de facilité financière des premiers gouvernements du « bloc national » ruinait la monnaie en multipliant les emprunts, la pratique de l'inflation (la livre sterling était à 26 francs en juin 1919, elle grimpait à 60 francs un an plus tard...) avantageait les spéculateurs et soutenait le mouvement des affaires. On achetait tout ce qui représentait une valeur : les objets en or, les bijoux, les biens matériels, terre, maisons, villas du bord de mer, et même les objets d'art. La cote des peintures modernes montait à toute allure au cours des années 1920-1922. Utrillo allait décupler en sept ou huit ans. Les « heures chaudes de Montparnasse » sont d'abord celles d'une folle spéculation.

Les joueurs et spéculateurs s'affichaient aux bains de mer, jouaient gros jeu dans les casinos de Cannes et de Deauville, donnaient à Paris des fêtes échevelées où le jazz importé d'Amérique faisait fureur. La vieille France, celle des bourgeois dignes et des rentiers ruinés, celle des « chefs de section » et des anciens « ligueurs », enrageait de voir les « trains de plaisir » des profiteurs gagner au « week end » les « planches » de Deauville, ou les cars bondés d'étrangers avantagés par le change envahir les grands hôtels parisiens. La fête indignait aussi les socialistes, qui demandaient à grands cris le « prélèvement sur le capital ».

LA « VIEILLE FRANCE » AU POUVOIR.

Les grincheux, les humiliés, les frustrés bondirent d'indignation en ouvrant leur journal, quand ils virent, sur une photographie, Lloyd George « donner une leçon » de golf à Briand, sur le terrain de Cannes, où se tenait une nouvelle conférence qui avait de nouveau pour but de réduire la dette allemande. Briand dut quitter le pouvoir. Poincaré qui lui succédait, était le vengeur de la vieille France. Il allait enfin, pensait-on, « frapper du poing sur la table ».

En 1922, la Chambre « bleu horizon » avait trouvé son homme. Rongeant son frein à l'Élysée, s'imposant une réserve qui n'allait guère avec son caractère, le Lorrain avait fait courir sa plume vengeresse, aussitôt sorti de fonction, pour faire la critique vigilante de la politique extérieure et financière de la France de l'après-guerre. Son retour au pouvoir signifiait fermeté à l'intérieur, dureté à l'égard de l'Allemagne.

De fait il commençait par augmenter les impôts de 20 %, tout en limitant les dépenses des administrations. Il contractait un nouvel emprunt américain, pour lutter contre la spéculation sur le franc. Il affichait l'intention d'aller chercher, s'il le fallait, le charbon allemand « sur le carreau des mines ».

Il engagea sans les Anglais, le 11 janvier 1923, l'opération de la Ruhr. Ce jour-là, les troupes du général Degoutte occupèrent la célèbre région industrielle. Plusieurs classes de jeunes Français durent être incorporées pour faire cesser la « résistance passive » organisée par les autorités économiques allemandes, qui interdisaient aux mineurs tout travail pour les occupants. La Chambre des députés soutenait le gouvernement Poincaré dans son effort. L'Action française exultait. Le parti communiste commençait, avec l'aide des socialistes, une campagne de la dernière violence contre « Poincaré-la-guerre ».

Herriot et ses amis radicaux reprochaient à Poincaré d'être entré dans la Ruhr pour rien. La preuve ? Il ne savait comment en sortir. Il faudrait bien, un jour ou l'autre, obtenir des Anglais et des Allemands la signature d'un accord international. A l'étranger, l'affaire de la Ruhr était follement impopulaire. Les caricaturistes anglais représentaient Poincaré coiffé d'un casque à pointe. A Paris les salons briandistes ridiculisaient (comme Giraudoux dans son roman, *Bella*) Poincaré-Rebendard, le poing éternellement dressé contre l'Allemagne dans ses discours de monuments aux morts. Briand aurait-il sa revanche ?

Finalement, on réunit un nouveau « comité d'experts », en octobre. L'Allemagne avait fini par consentir à la négociation. Le *plan Dawes*, qui fut alors mis au point, avait le mérite d'établir, pour la dette allemande, un échéancier précis. La violence, les polémiques, les crédits engagés pour une opération dont l'issue était si discutable, tout indignait la gauche, et décevait la droite : l'Action française désavouait Poincaré que combattait, pour les élections de 1924, une coalition radicale et socialiste.

LE RETOUR A L'ORDRE DE 1926-1928.

Le « cartel des gauches », formation électorale du printemps de 1924, sut gagner le pouvoir, mais non le garder. L'échec des gouvernements du Cartel est exemplaire : il manifeste avec netteté l'impuissance où se trouvait alors la gauche dans l'exercice du pouvoir : elle était désunie, elle était incompétente dans les questions financières.

L'échec du Cartel fut la cause directe du retour de Poincaré aux Affaires, appelé par le pays comme un sauveur. Blum, Herriot, Auriol avaient mené avec vigueur la campagne de 1924 et gagné les élections, soutenus par *Le Quotidien* et par la presse radicale et socialiste. La propagande des instituteurs et des petits fonctionnaires, tout acquis aux idées de la gauche réformiste, devait gagner des régions et des couches nouvelles de population. Le Cartel avait au total 329 députés sur 582. La gauche avait pris pouvoir : le radical Herriot était président du Conseil.

S'il put, en quelques semaines, liquider l'affaire de la Ruhr, amorcer le rapprochement avec l'Allemagne et établir des relations diplomatiques avec l'U.R.S.S., Herriot, d'entrée de jeu, fut confronté au problème financier. La droite organisait, dès son arrivée au pouvoir, l'exode des capitaux. Les petits porteurs menaçaient de demander le remboursement des bons à court terme. Les grands intérêts subventionnaient des ligues comme les *Jeunesses patriotes* de Pierre Taittinger ou le *Faisceau* de Georges Valois. Les catholiques, furieux de la politique anticoncordataire que menait le nouveau gouvernement en Alsace, adhéraient à la *Fédération catholique* du général de Castelnau.

Ces groupes de pression jetaient le trouble dans la rue, multi-

pliaient les manifestations, menant de violentes actions antiparlementaires. Débordés par la panique financière, les radicaux lais-
saient faire... Herriot, lâché par Caillaux et ses amis, dut pourtant
se retirer, en avril 1925. Le gouvernement du Cartel n'avait pas
duré un an.

Briand, qui lui succéda avec une majorité de fortune, eut tout
juste le temps de signer avec Stresemann les accords de Locarno,
qui sanctionnaient le rapprochement franco-allemand. Il fut emporté
par la crise financière. La spéculation contre le franc, sur les places
étrangères, était à son sommet en 1926 quand la livre atteignait
250 francs! Les ligueurs hurlaient, autour du Palais-Bourbon :
« Herriot, voleur! Herriot, à la Seine! » Les chauffeurs de taxis
trafiquaient sur la livre, les femmes s'arrachaient dans les magasins les kilos de sucre et les bas de soie.

Briand tombé, Poincaré fut accueilli comme un sauveur, et
d'abord par la Chambre issue du Cartel des gauches. Dès son
retour, la « confiance », phénomène quasi magique, revenait dans le
public. Les spéculateurs qui avaient joué la baisse du franc jouaient
maintenant la hausse. La monnaie se redressait d'heure en heure
sur les marchés extérieurs.

Avec un cabinet qui comprenait aussi bien Herriot que Louis
Marin, avec Briand aux Affaires étrangères, comme garant de la
continuité d'une politique de rapprochement avec l'Allemagne,
Poincaré prit à bras-le-corps l'ensemble du problème financier.
Fallait-il « revaloriser » le franc, lui rendre sa parité d'avant la
guerre, celle du bon vieux « franc germinal »? Fallait-il seulement
le stabiliser, à un taux qui rendît les prix français compétitifs à
l'étranger? Poincaré choisit la deuxième solution, qui n'arrangeait
pas les affaires des rentiers, ses admirateurs inconditionnels.

La stabilisation avait un avantage considérable : dévaluation
déguisée, « banqueroute aux 4/5e », comme disait Léon Daudet,
elle permettait à l'État de rembourser facilement ses dettes, à
l'étranger comme à l'intérieur. Même si François de Wendel et
Édouard de Rothschild, tous les deux régents de la Banque de
France, s'opposaient à cette solution au nom de l'orthodoxie monétaire, la « stabilisation de fait » de 1926 fut suivie en 1928 d'une
« stabilisation de droit » qui créait le *franc Poincaré*, représentant
65,5 mg d'or fin. Le gouvernement put régulariser sa dette, créer
la Caisse d'amortissement, qui assurait aux petits porteurs le remboursement de leurs créances, même si celles-ci étaient fortement
amputées par la dévaluation. L'augmentation des impôts, une meil-

leure gestion administrative mirent le budget en équilibre. Le franc avait été sauvé sans aucune aide extérieure.

Tout semblait rentrer dans l'ordre : la production agricole et industrielle retrouvait en 1929 ses niveaux d'avant la guerre, et les dépassait dans certains secteurs. Les élections législatives de 1928 avaient donné la majorité aux candidats poincaristes. Poincaré devait rester au pouvoir jusqu'en juillet 1929. Il n'en fut chassé que par la maladie, au moment où il faisait voter par le Parlement la loi sur le remboursement des dettes interalliées. On avait oublié le climat de guerre sociale de l'immédiat après-guerre. L'isolement et le recul numérique des communistes semblaient garantir aussi la stabilité du système politique : une gauche réformiste, à l'anglaise, disputait le pouvoir à une droite conservatrice, mais libérale, qui donnait à la France, en 1930, les assurances sociales et la gratuité de l'enseignement secondaire.

Avait-on trouvé le port ? La crise mondiale, singulièrement sous-estimée par les responsables français, la victoire du Front populaire et l'entrée des communistes dans l'arène politique allaient remettre en question cet équilibre : on s'apercevrait bientôt que la France, pas plus que l'Angleterre, ne pouvait faire comme si la Première Guerre mondiale n'avait pas existé.

Fin de Chapitre 18

CHAPITRE 19

La France des années 30

PP. 192 - 227

A partir des années 30, la France est entraînée, comme les autres nations européennes, dans la guerre par la crise, sans qu'elle puisse s'opposer à cette mécanique des forces. Ses dirigeants se flattent d'éviter la crise et de repousser la guerre : double illusion. Les événements extérieurs imposent leur dure nécessité à notre vie politique et rendent dérisoire la recherche de solutions purement françaises à des problèmes mondiaux. La France des années 30, si fière de son équilibre retrouvé et de son « Empire » colonial, s'achemine les yeux fermés vers une des plus grandes catastrophes de son histoire.

La lutte contre la crise mondiale, entreprise par les gouvernements de droite qui se succèdent sans interruption ou presque de 1929 à 1935, ne parvient pas à esquiver la victoire électorale du Front populaire en 1936, où pour la première fois depuis 1920 le parti communiste faisait partie d'une « union des gauches ». Pas plus que la droite, la gauche au pouvoir ne parvenait à imposer des solutions nettes : elle était semblablement paralysée par le système.

Le régime parlementaire vieilli semblait incapable de s'adapter aux situations nouvelles : la gauche gagnait presque constamment les élections, en 1924, 1932 et 1936 ; mais elle était incapable de définir des choix, faute de disposer du pouvoir économique et des organes d'opinion. Elle devait donc abandonner le pouvoir à la droite parlementaire. Mais celle-ci n'avait pas de majorité suffisamment solide pour imposer une politique claire. D'ailleurs les hommes de droite redoutaient tellement la Révolution qu'ils répugnaient aux bouleversements salutaires, aux réformes indispensables. On craignait à droite le mouvement, et à gauche l'échec par précipitation. Léon Blum, sur le tard, tenterait de gouverner comme Poincaré, avec un cabinet « d'union nationale »...

Il n'existe donc, pour le changement, ni moyens ni volonté. Rien de comparable à la grande remise en question du New Deal aux États-Unis. Dans le cadre du conservatisme et de la peur, le seul désir qui se manifeste est celui de la survie. Cette timidité des dirigeants correspond très largement aux tendances de la masse : épuisés par la guerre, les Français ont mis dix ans pour retrouver leur niveau de vie et leur capacité de production. Mais ils n'ont pas retrouvé le dynamisme ni l'optimisme. La peur du lendemain incite de plus en plus les familles à cultiver le fils unique. La retraite tranquille et l'héritage sans partage restent un idéal pour les paysans, les bourgeois grands et petits, et même pour les ouvriers qui ressemblent aux pêcheurs à la ligne de La Belle Équipe, le film de Julien Duvivier. Les ouvriers français votent à gauche et rêvent à droite, au bonheur individuel par la propriété.

L'impuissance du Parlement devant la crise est pire encore devant la menace de guerre, qui se précise à partir de 1936 : pas plus que le Front populaire ne peut imposer au pays les décisions d'une majorité divisée, les gouvernements Daladier et Paul Reynaud n'ont les moyens d'opposer un front uni à Hitler, dans le désarroi de la gauche et l'aveuglement d'une droite qui redoute bien plus la révolution que le fascisme.

La droite française et la crise mondiale.

LA NOUVELLE DONNE.

Si les niveaux de production de 1929 étaient comparables à ceux de 1913, c'était au prix de modifications assez sensibles des forces de production. Les milieux politiques n'étaient pas toujours conscients des mutations en profondeur imposées à la société par la nouvelle donne des cartes économiques.

Comment les 41 000 000 de Français de 1929 pourraient-ils être comparés aux 39 700 000 qui peuplaient le territoire en 1914 ? D'abord le territoire lui-même avait changé, il s'était accru des « provinces perdues ». Les Français n'étaient en 1919 que 38 700 000 avec l'Alsace-Lorraine, et si la natalité de l'immédiat après-guerre avait donné quelque espoir de reprise à long terme, en 1928 il avait fallu déchanter : la France avait aussi peu de mariages et de naissances qu'en 1914. Les Français étaient redevenus malthusiens.

En l'absence de ressources suffisantes en main-d'œuvre française, il avait fallu ouvrir toutes grandes les vannes de l'immigration : il y avait 1 500 000 étrangers en 1921 (contre 1 million en 1914). En 1930 on compterait 3 millions de Polonais, de Belges, d'Espagnols et d'Italiens : aux plus dures besognes, on trouvait désormais les étrangers.

Si le prolétariat ressemblait déjà, dans certaines banlieues, à celui d'aujourd'hui, la population active n'avait guère changé dans ses grandes masses : 13 millions d'hommes et 8 millions de femmes travaillaient. 51 % (au lieu de 44) vivaient dans les villes. La France restait en équilibre. Comme avant la guerre, les gouvernements encourageaient le maintien de la population rurale dans les campagnes, par le régime douanier, les subventions, et la politique coopérative.

Grâce aux provinces du Nord-Est, la production industrielle avait gagné en puissance dans les industries d'équipement : 12 millions de plus de tonnes de houille par an, 39 millions de tonnes de fer au lieu de 22, 8 millions et demi de tonnes d'acier au lieu de 5... Certaines industries avaient démarré en flèche : l'automobile par exemple. Les usines françaises sortaient déjà 250 000 voitures par an en 1929. La concentration de la main-d'œuvre dans ces grandes usines s'était renforcée : la sidérurgie avait doublé ses effectifs ; l'automobile, l'aluminium exigeaient d'énormes installations. Exploitant à fond les brevets allemands, l'industrie chimique faisait des progrès spectaculaires, et la Compagnie française des Pétroles installait ses centres de raffinage.

Les petites et moyennes entreprises étaient d'un tiers moins nombreuses. Dans certains secteurs, le marché était déjà dominé par de véritables *trusts* : le *Cartel de l'Acier* était créé en 1926. En 1928 la société Poulenc fusionnait avec les Usines du Rhône pour donner Rhône-Poulenc. Une *Confédération générale de la Production française* réunissait des représentants des grandes entreprises pour définir une politique commune des salaires et des investissements. Le capitalisme français s'organisait. Que pouvaient les faibles majorités parlementaires, composées de députés généralement ignorant de la chose économique, devant tant de puissances ?

Les entreprises industrielles étaient solidement tenues en main par les banques, dont le dynamisme était spectaculaire : les « quatre grands » (*Crédit lyonnais, Société générale, Comptoir national d'Escompte* et *Crédit industriel et commercial*) avaient des succursales dans toutes les régions. Les banques d'affaires investissaient dans les secteurs de pointe : la *Banque de Paris et des Pays-Bas* dans le pétrole et la radio, par exemple. Les banques de dépôt dressaient le constat de la ruine des classes moyennes et des rentiers. La fortune française avait tendance à se concentrer en quelques mains. Le mythe des « deux cents familles » date des années 30.

Les heureux bénéficiaires de l'évolution économique de l'après-guerre étaient donc les banquiers et les industriels des secteurs de pointe (automobile, aluminium, caoutchouc, chimie, aéronautique). Par contre les patrons du textile étaient déjà en difficulté, de nombreuses affaires commerciales avaient disparu devant la concurrence des grands magasins et des magasins à succursales multiples. Mais les grandes victimes de l'après-guerre étaient les agriculteurs. S'ils avaient retrouvé le volume de production de l'avant-guerre, ils subissaient la baisse continue des prix agricoles. Les exploitants avaient des problèmes insolubles. Les petites propriétés étaient mises en vente. Il n'y avait plus qu'un million de domaines de moins d'un hectare (au lieu de deux). La création du *Crédit agricole* en 1920 et la multiplication des coopératives n'avaient pu enrayer le mouvement de concentration. Si les campagnes survivaient encore, c'était en raison seulement de la protection de l'État.

LE PROFIL FRANÇAIS DE LA CRISE.

La crise de 1929 ne fut en France ni aussi rapide, ni aussi sensible qu'ailleurs. La monnaie venait d'être redressée par Poincaré. Elle pouvait affronter la tempête. Les réserves d'or étaient importantes. Les activités rurales fixaient une grande partie de la population. Les campagnes pouvaient connaître la misère, non le chômage. La France n'était de ce point de vue ni l'Angleterre, ni l'Allemagne.

La récession atteignit l'industrie dès 1930, même dans l'automobile. Le textile fut tout de suite le plus touché. Les prix agricoles s'effondraient : — 30 % pour le blé, — 20 % pour le vin... Mais la loi Loucheur d'aide au logement encourageait la construction, et les échanges avec les colonies se développaient. C'est en 1935 que les effets de la crise furent les plus sensibles : on produisait moitié moins d'acier, 2/3 de moins de fer. Le coton était touché à 35 %, comme l'automobile. Même le bâtiment reculait. La France avait 400 000 chômeurs, ce qui paraissait énorme. Chômeurs et agriculteurs étaient les premières victimes : avec un quintal de blé, le paysan pouvait s'acheter en 1929 une tonne de charbon : en 1935 il n'en achèterait plus que cinq cents kilos.

L'aide de l'État aux prix agricoles était trop mesurée pour être vraiment efficace. Elle ne pouvait, sans danger, être plus importante. L'État avait fixé, en 1933, un minimum pour le prix du blé. En fait, les gros marchands, pour vendre à coup sûr, consentaient des avantages occultes à leurs acheteurs. Comment les en empêcher ? L'action de l'État dans les départements vinicoles était plus inefficace encore : comment contraindre les viticulteurs à l'arrachage des plants dans une période de sous-emploi et de difficultés de crédits ?

Car le crédit n'existait plus. La balance commerciale avait accru son déficit. La monnaie, grâce aux réserves d'or, était forte sur les marchés extérieurs ; il devenait donc avantageux d'acheter. L'argent avait tendance à fuir le marché national, cependant que les touristes désertaient la France. Le déficit de la balance comptable était constant. Il ne fallait plus compter sur les paiements allemands et les recettes fiscales étaient en baisse. L'État, de nouveau, devait emprunter pour vivre et restreindre son propre crédit.

Dès lors les banques ne pouvaient que suivre le mouvement ; encore un certain nombre d'entre elles suspendaient-elles leur activité, au grand scandale des épargnants. Ceux-ci n'avaient plus confiance ni dans la monnaie, ni dans la bourse ; ils achetaient de l'or, thésaurisaient. Les plus fortunés faisaient fuir leurs capitaux à l'étranger. L'argent devenait rare et cher.

L'État se montrait plus préoccupé de défendre la monnaie que de relancer l'économie. Il freinait la consommation des objets ou denrées d'importation, il évoluait vers l'autarcie, donnant à l' « Empire » le sens d'un espace économique fermé. En 1931 eut lieu à Paris une immense « exposition coloniale ». La restriction du crédit empêchait les industriels d'investir, le maintien de la monnaie à un taux élevé leur fermait les marchés extérieurs. Le seul moyen pour eux de « tenir » était de licencier le personnel.

Les gouvernements successifs bravaient l'impopularité pour tenir le contrat monétaire. Une « zone franc » avait été déterminée en Europe par une entente avec les banques de Belgique et de Suisse. Il fallait tout faire pour défendre cette zone. Laval irait, en 1935, jusqu'à lancer la fameuse « déflation » qui amputait les dépenses de l'État de 10 %, y compris les traitements des fonctionnaires !

Ce système fermé, coercitif, supposait un pouvoir politique fort, mettant l'effort de redressement à l'abri de la démagogie, de la pression légitime des producteurs et consommateurs. Le mécontentement des Français ne trouvait pour le combattre que des gouvernements faibles, de plus en plus discrédités : de juillet 1929 au printemps de 1932 huit ministères s'étaient succédé ! On voyait tourner les vedettes, dans l'arène politique, comme les chevaux dans les cirques de province : toujours les mêmes en piste, Laval, Tardieu, Chautemps et Steeg. Radicaux de droite et centristes modérés faisaient feu des quatre fers pour redresser une situation de plus en plus compromise.

Les élections n'arrangeaient pas la situation politique, elles la rendaient au contraire plus confuse : la gauche radicale et socialiste l'emportait en 1932, avec Blum et Herriot. Pas plus qu'en 1924, Herriot ne pouvait définir une politique financière, n'ayant pas, dans ce domaine, le moindre pouvoir. Il devait gouverner à droite, s'attirant immédiatement l'opposition des socialistes. La Chambre, en cette période de crise, était ingouvernable. La gauche n'avait pas les moyens de sa politique. Elle n'avait même pas de politique.

LES DÉPUTÉS, A LA SEINE !

De nouvelles élections n'auraient pas apporté de solution : chaque fois la gauche l'aurait emporté, et les milieux d'affaires auraient immédiatement organisé le boycott du système politique. Comme en 1924-1926 ils recommencèrent à subventionner des Ligues, pour exercer sur le Parlement une « pression salutaire ».

On réactivait l'Action française, qui devenait virulente, notamment dans son antisémitisme, le Faisceau, les Jeunesses patriotes, dont l'allure était de plus en plus fascisante. Les Croix-de-Feu n'avaient pas besoin de soutien financier pour exister. Ils regroupaient plusieurs centaines de milliers d'anciens combattants : tous des hommes du front, déçus, amers, indignés de l'inconscience des parlementaires et des désordres de l'économie, décidés à obtenir un assainissement des mœurs politiques, un pouvoir exécutif plus fort. La Ligue des Croix-de-Feu, animée par le colonel de La Rocque, ne comprenait à l'origine que les combattants décorés de la croix de guerre. Mais elle s'était considérablement élargie et recrutait dans tous les milieux, fonctionnaires compris. Elle devint ainsi un véritable phénomène politique, une puissance électorale, bien qu'antiparlementaire, qui pouvait être mobilisée facilement. Les Croix-de-Feu défilaient le dimanche, sur les Champs-Élysées, avec la tenue du front, le casque et les décorations. L'ancien combattant tenait dans la mythologie sociale des années 30 une place immense. Il mobilisait la passion des foules. Bien d'autres Ligues, comme la Solidarité française, subventionnée par le parfumeur Coty, propriétaire du *Figaro*, manifestaient alors dans la rue. Mais aucune n'avait le succès populaire des Croix-de-Feu.

En 1935 l'Italie était fasciste depuis treize ans, et l'Allemagne nazie depuis deux ans. S'il n'y a pas eu de mouvement fasciste français, les ligues antiparlementaires inquiétèrent suffisamment les partis pour susciter quelques examens de conscience spectaculaires : chez les radicaux, Jean Zay, Pierre Mendès France, Jacques Kayser, Pierre Cot, Jean Mistler demandaient plus de clarté, plus de courage dans les choix politiques. Ils avaient l'accord de Daladier quand ils exigeaient dans les congrès radicaux un programme précis, une ligne politique, au grand scandale des vieux élus. Chez les socialistes les jeunes parlementaires remuants comme Déat, Adrien Marquet, Renaudel se préoccupaient aussi d'efficacité et d'une redéfinition des buts de guerre du parti. Se rapprochant des socialistes belges disciples d'Henri de Man, ils se détachaient de la S.F.I.O. pour fonder le parti socialiste de France (P.S.F.) qui avait à son programme la réalisation d'un « socialisme national ».

Tous les milieux politiques et intellectuels réagissaient devant la montée du fascisme : un jeune radical, Gaston Bergery, fondait la revue « frontiste » *La Flèche*. Chez les catholiques, on s'interrogeait sur les droits et la dignité de la personne humaine. En 1932 paraissait pour la première fois le journal démocrate chrétien *L'Aube*. Emmanuel Mounier, philosophe et moraliste, fondait *Esprit*. Le mouvement catholique de gauche retrouvait ses assises et son inspiration.

Les grands scandales financiers avaient porté à son comble l'exaspération du public. En 1931 l'affaire Oustric avait longuement défrayé la chronique, mais c'est surtout l'affaire Stavisky qui devait mettre le feu aux poudres, en raison des compromissions qu'elle impliquait dans le milieu parlementaire. Alexandre Stavisky, le célèbre escroc, était protégé par un procureur de la République parent du Président du Conseil Chautemps. Avec la complicité du député-maire de Bayonne, il avait fait sauter la caisse du Crédit municipal. On incarcéra le directeur du Crédit, mais non Stavisky, qui prit la fuite. Le scandale, au début de 1934, était devenu public. Le ministre des Colonies Dalimier, qui avait couvert l'escroquerie, dut démissionner. Un député radical compromis fut arrêté, ainsi que deux directeurs de journaux. Le cabinet Chautemps tomba dans le scandale, le 27 janvier, quand on apprit que Stavisky s'était suicidé dans un chalet de Chamonix. Toute la presse d'opposition affirmait qu'il avait été tué par un policier, pour qu'il ne pût parler.

Quelques jours après la chute de Chautemps éclatait la crise très grave du 6 février : ce jour-là les ligues rassemblaient leurs militants autour du Palais-Bourbon, pour manifester contre les parlementaires complices des « voleurs ». Daladier, en formant son gouvernement, voulait changer le préfet de police Chiappe, beau-frère d'Horace de Carbuccia, directeur de *Gringoire*, un journal d'extrême droite. La manifestation avait pour but de faire pression sur le gouvernement pour qu'il garde le préfet Chiappe.

Il y avait là les ligueurs de l'Action française, la canne au poing ; ceux de la Solidarité française et surtout les Croix-de-Feu, innombrables. On apprit que, dans la « ceinture rouge » de Paris, les communistes convoquaient à leur tour leurs militants. Allait-on vers la guerre civile ?

Au Palais-Bourbon, où Daladier présentait son cabinet, les communistes réclamaient à grands cris « les soviets! ». Le député de droite Vallat quittait la séance en lançant : « Ma place est dans la rue aux côtés de mes camarades de combat. » « Aventurier! provocateur! » criait Thorez à Tardieu qui répliquait : « Je vous reconnais le droit de tout dire, je vous ai mis en prison et je recommencerai quand je pourrai. » Cependant on apprenait (il était 19 h 30) que les manifestants avaient enfoncé le barrage de gardes mobiles du pont de la Concorde. « On tire », criait Scapini, aveugle de guerre. Les députés en venaient aux mains, arbitrés par les huissiers...

Les premiers gardes blessés affluaient dans la cour du Palais-Bourbon ; qui avait donné l'ordre de tirer ? La question fut posée en séance à Daladier, qui était bien en peine pour répondre. En peu de temps il y eut des dizaines de morts, des quantités de blessés.

> « La Chambre se vidait peu à peu de ses membres, raconte André Cornu, et les moins courageux n'étaient pas les derniers à partir. »

Il n'y avait plus en fin de séance que cinq députés présents, dont Herriot. Ils se sauvèrent comme ils purent. Les manifestants voulaient les jeter à la Seine.

Chose étrange, les Croix-de-feu, au plus fort de la journée, ne donnèrent pas l'assaut final. Le Parlement était à prendre, ils se retirèrent en bon ordre. Pourquoi cette décision du colonel de La Rocque? A-t-elle été improvisée ou négociée avec le pouvoir? En tout cas Daladier, lui aussi, se retirait, sacrifiant son cabinet à l'émeute. Un vieux radical très populaire, Gaston Doumergue, ancien Président de la République, était appelé en hâte dans sa retraite de Tournefeuille pour former un gouvernement d'union. Le calme revenait, provisoirement.

Pour calmer les « ligueurs », Doumergue faisait appel à Tardieu et au maréchal Pétain, idole des anciens combattants. Pétain prenait la Défense nationale. Herriot était membre du gouvernement d'union, comme otage de la gauche.

Ce gouvernement croupion devait tenir neuf mois. Le grand renouvellement de la politique française, par le regroupement de toutes les gauches — communistes compris — se profilait à l'horizon. Avec le 6 février, les Français s'étaient crus au bord de la guerre civile. Le 9 février, peu après la constitution du cabinet Doumergue, les communistes avaient organisé un « rassemblement antifasciste » et le 12 la C.G.T. avait lancé un mot d'ordre de grève générale. Des centaines de milliers de manifestants étaient descendus dans la rue en une sorte de « Front populaire » spontané. Toutes les organisations de gauche et d'extrême gauche, syndicales, politiques et ligueuses (la Ligue des Droits de l'Homme, par exemple) étaient présentes. La grève générale s'était réalisée sur le thème de l' « unité d'action ». Le fascisme et l'hostilité aux gouvernements de la droite d'argent (Laval et Tardieu) en étaient le ciment.

Le Front populaire.

LAVAL, LE PÈRE DU « FRONT ».

Car la droite était fondamentalement pour la non-intervention, à l'égard du fascisme. L'année 1936 était celle des premières agressions : l'Italie s'était lancée dans la guerre d'Éthiopie. L'Allemagne hitlérienne réarmait. Au début de mars 1936, elle devait occuper sans coup férir la Rhénanie, déclarée à Versailles « démilitarisée ». Le gouvernement français n'avait pas réagi. L'état-major consulté estimait qu'il ne pouvait intervenir sans mobiliser. La stratégie française restait défensive, à l'abri de la ligne Maginot, construite à grands frais de Longuyon à la vallée du Rhin, malgré les recommandations du colonel de Gaulle qui avait publié en 1934 *Vers l'armée de métier*. Pétain et Weygand s'étaient déclarés hostiles à cette conception d'une force « cuirassée » capable d'intervenir avec 3 000 chars sur un front de cinquante kilomètres, hors des frontières. Devant la provocation de Hitler, la France, que l'Angleterre n'aurait pas soutenue dans cette « aventure », s'estimait donc les mains liées.

Hitler pourrait ainsi construire tranquillement sa ligne Siegfried et mettre la Ruhr à l'abri des Alliés, cependant que la Belgique dénonçait l'accord militaire de 1920 avec la France et revenait à la neutralité. La frontière du Nord, non défendue par la ligne Maginot, était désormais ouverte.

On sait aujourd'hui que Hitler bluffait et qu'une simple avance des forces françaises du Nord-Est aurait suffi à faire échouer le coup monté en Allemagne contre l'avis des chefs de la Reichswehr. Cette première reculade n'était pas sans conséquences : elle obligeait les responsables à rechercher des sécurités diplomatiques, puisqu'il ne pouvait y avoir de sécurité militaire. Dans cet esprit Laval avait fait, dès 1935, le voyage de Moscou. De ces conversations franco-soviétiques était sortie l'approbation publique donnée par Staline à la politique française de réarmement : désormais les communistes français pourraient, par antifascisme, devenir « patriotes ». Le parti allait barioler de tricolore les drapeaux rouges de ses cortèges. Il sortait de l'isolement politique pour entrer dans le combat, aux côtés des autres formations de gauche. Contre de simples promesses de Staline, Laval avait « dédouané » le P.C.F.

LE RASSEMBLEMENT DES GAUCHES.

Le Front populaire n'était pas une entente entre députés, mais d'abord un rassemblement des masses sur le thème de l'antifascisme, avec la très active participation des communistes. Le 14 juillet 1935, un gigantesque défilé organisé par toutes les formations de la gauche avait réuni 500 000 Parisiens sur le parcours de la Bastille à la République. Thorez défilait côte à côte avec Blum, mais aussi avec Daladier. Les radicaux avaient rejoint le mouvement, malgré la réserve d'Herriot. L'union des gauches était réalisée dans la rue.

Le « rassemblement populaire » ne comprenait pas que les partis politiques : les centrales syndicales, la Ligue des Droits de l'Homme, le Comité Amsterdam-Pleyel de lutte contre la guerre et le fascisme, le Comité de vigilance des Intellectuels antifascistes, avec Paul Rivet, le philosophe Alain et Jacques Soustelle, le Mouvement d'action combattante réunissant des anciens combattants de gauche, toutes ces formations multipliaient les meetings, réclamaient la dissolution des ligues fascistes. Le mouvement était largement suivi en province. La fièvre de l'union avait gagné les syndicats ; au congrès de Toulouse, en février 1936, la C.G.T. et la C.G.T.U. s'étaient pour la première fois réunies depuis la scission de 1921. Les deux centrales redonnaient pour but d'entreprendre la grande refonte du système économique et social, et la défense de la démocratie politique.

BLUM, THOREZ ET DALADIER.

Le régime n'avait pas alors de meilleur défenseur que la gauche. Critiqué à droite par les parlementaires comme Tardieu ou Flandin, mis en question par les « ligueurs », il était défendu par tous ceux qui voyaient dans le Parlement un rempart des libertés contre la menace sournoise du fascisme. C'est dans la légalité que la gauche voulait gagner les élections, dominer le Parlement et prendre le pouvoir.

Contre le Front populaire qui préparait fébrilement sa campagne, la droite constituait le *Front national*, de l'extrême droite d'Action française, aux radicaux hostiles au Front comme Joseph Caillaux, l'ancien président du Conseil. La droite française, comme la droite espagnole, prétendait éviter la guerre civile par une politique de fermeté. Des troubles sanglants, des émeutes, des attentats se multipliaient en Espagne. Voulait-on d'une pareille situation en France ? On soulignait, à droite, que l'antifascisme, c'était la guerre civile. Le journaliste-aviateur de Kerillis et l'ancien ministre André Maginot, deux héros de la guerre, dénonçaient inlassablement dans les leaders du Front populaire des fauteurs de trouble :

> « Hitler, disaient-ils, guette l'occasion de se jeter sur vous et de vous terrasser dans une guerre atroce. »

La droite redoutait bien davantage le Front populaire que Hitler. « Le pain, la paix, la liberté », tel était le slogan de la gauche. La paix ? Il y avait de l'ambiguïté à soutenir le vieux mot d'ordre pacifiste, qui avait été longtemps celui de la gauche (« guerre à la guerre ») quand les communistes devenaient partisans du réarmement, de la paix armée en somme. Il est vrai que la propagande communiste était devenue furieusement tricolore. Dans son célèbre discours de la « main tendue », Thorez faisait appel à tous, même aux Croix-de-Feu :

> « Nous te tendons la main, volontaire national, ancien combattant devenu Croix-de-Feu, parce que tu es un fils de notre peuple, que tu souffres comme nous du désordre et de la corruption, parce que tu veux, comme nous, éviter que le pays ne glisse à la ruine et à la catastrophe. » [Et Thorez d'ajouter :] « Nous, communistes, nous avons réconcilié le drapeau tricolore de nos pères et le drapeau rouge de nos espérances. »

Le mot d'ordre de *L'Humanité* était : « Pour l'ordre, votez communiste. »

Comme en Espagne à la même époque, la gauche remportait un triomphe aux élections. Le programme socialiste rédigé par Georges Monnet, qui proposait aux agriculteurs un plan précis de lutte contre la baisse des prix, était pour beaucoup dans le ralliement des campagnes aux candidats de la S.F.I.O. La gauche obtenait 5 600 000 voix contre 4 200 000 à la droite. Le Front avait 386 élus, contre 222 au Front national. Pour la première fois les socialistes arrivaient en tête des partis de gauche avec 149 élus. Les communistes, en progrès spectaculaire, avaient 72 députés et les radicaux une centaine. Les radicaux avaient perdu 400 000 voix.

Le leader du parti le mieux placé, Léon Blum, était tout désigné pour former le gouvernement.

« Je ne sais pas, disait-il, si j'ai les qualités d'un chef... je ne peux pas le savoir... Mais il y a quelque chose qui ne me manquera jamais, c'est le courage et la fidélité. »

UN NEW DEAL FRANÇAIS?

Pour la première fois dans l'histoire de la République, un socialiste formait le gouvernement. C'était une révolution. Bien qu'il n'eût pas obtenu la participation des communistes, et qu'il dût gouverner avec les radicaux daladiéristes, il était devenu, d'un coup, la bête noire de la droite. On imagine mal la haine que suscita Blum dans les milieux conservateurs. La presse s'acharnait sur lui, l'accusant de toutes les trahisons. N'était-il pas intellectuel et bourgeois? Tout ce que l'on avait pu dire, jadis, contre Jaurès fut repris et amplifié contre Blum, avec, en plus, les injures antisémites. Il était le juif qui voulait donner aux communistes les clés de la France bourgeoise.

Blum voulait avant tout sortir de la crise, et jeter les bases d'une sorte de *New Deal* français. Auriol et Monnet se chargeraient de prendre les mesures financières nécessaires, et de réaliser les réformes de structures indispensables. La politique dite du « pouvoir d'achat » voulait augmenter les salaires sans augmenter les prix et maintenir la monnaie à une valeur stable.

Ce tabou monétaire, très étrange dans une majorité de gauche, devait être responsable de l'échec économique du programme. Un des rares radicaux qui eût connaissance des mécanismes monétaires mondiaux, Raymond Patenôtre, en avait averti Léon Blum, que par ailleurs il soutenait ardemment : on ne pouvait faire le *New Deal* avec une idéologie monétaire de droite. Il fallait, d'entrée de jeu, faire sauter le verrou et dévaluer.

Mais d'abord « remettre la France au travail », comme l'écrivait Patenôtre dans son journal, *Le Petit Parisien*. La période des élections avait été marquée par une série de grèves spontanées « sur le tas », avec accordéon et casse-croûte, éventuellement des piqueniques dans les bois de Vincennes et de Boulogne : le Front populaire était, de ce point de vue, une joyeuse kermesse. A peine nommé président du Conseil, Blum se faisait un devoir d'accueillir une à une toutes les délégations syndicales et tentait d'obtenir, en promettant des avantages décisifs, le retour des travailleurs dans les usines.

En mai et juin 1936 une série de réunions, dues à l'initiative du gouvernement, confronta les représentants du patronat et les syndicats ouvriers. Elles aboutirent en juin aux accords Matignon, qui augmentaient d'un coup l'ensemble des salaires de 12 %. Les fonctionnaires retrouvaient l'intégralité de leurs traitements, amputés par Laval, dont tous les décrets étaient abolis. Les patrons acceptaient la présence de représentants ouvriers dans les réunions traitant de l'emploi. Les conditions de travail devaient être définies dans le cadre de conventions collectives négociées bilatéralement. La semaine de quarante heures devenait obligatoire. Les congés payés devaient permettre aux travailleurs d'avoir deux semaines de vacances par an aux frais de leurs patrons.

Cette politique sociale résolument novatrice provoquait l'opposition immédiate des milieux patronaux. Ne pouvant tenir sur les prix, le gouvernement assistait impuissant à la hausse généralisée des prix industriels, entraînant de nouvelles grèves, et de nouveaux ajustements de salaires. On arrivait à des augmentations de 25 % dans certains secteurs. Les industries les moins armées ne pouvaient pas suivre. Les grèves sévissaient en permanence dans le textile.

LES PRIX AGRICOLES ET LA MONNAIE.

Le monde agricole était très satisfait de l'augmentation autoritaire des prix réalisée grâce à la création par le gouvernement de l'*Office du blé*. Les prix des céréales devaient être désormais alignés sur l'indice général des prix. Les agriculteurs obtenaient une augmentation immédiate et très substantielle. Ils n'avaient pas voté socialiste pour rien. Des primes étaient attribuées simultanément aux éleveurs et aux viticulteurs.

La politique agricole, comme la politique industrielle, supposait de vastes investissements de l'État. Mais comment trouver les ressources nécessaires quand on affirmait, en priorité, le souci de défendre la monnaie ? À l'évidence, il fallait dévaluer. Mais Blum avait gardé la hantise de la dévaluation. Il préférait multiplier les risques monétaires, accepter l'inflation, demander des avances à la

Banque de France, plutôt que de reconnaître le fait de la dévaluation, qui lui paraissait désastreux pour l'opinion.

La conséquence immédiate de cette politique « au jour le jour » était le ralentissement dramatique des exportations. Les prix français avaient un écart de 25 % au moins avec les prix étrangers. Le refus de la dévaluation rendait nos prix impraticables sur les marchés extérieurs. L'or sortait sans cesse de France et la Banque de France, réformée par le Front populaire (des fonctionnaires avaient été substitués aux anciens « régents », représentants des intérêts privés), voyait ses réserves d'or et de devises disparaître. Il fallut bientôt recourir au cours forcé de la monnaie et envisager enfin, « à chaud », la dévaluation.

L'opération apportait de l'eau au moulin de la droite. Le mot lui-même faisait peur. Poincaré, qui connaissait bien son public, avait baptisé sa dévaluation « stabilisation ». On dirait inévitablement à droite que les socialistes avaient « vidé les caisses » jadis remplies par Poincaré, que le Front populaire avait une fois de plus fait la preuve de l'incapacité de la gauche à gérer les affaires de l'État.

Le *franc Auriol* appelé encore *franc élastique* était dévalué de 25 à 34 % par rapport au *franc Poincaré*. L'absence de contrôle des changes (refusé par les radicaux) rendait la monnaie instable très sensible à la spéculation extérieure. La dévaluation improvisée ne s'était pas faite à un taux suffisamment bas pour permettre la reprise massive des exportations. Elle n'arrêtait nullement l'hémorragie des capitaux, les épargnants n'ayant aucune confiance dans la nouvelle monnaie. La politique financière du Front était un échec total. Il fallait renoncer au *New Deal*.

La réforme de la Banque de France, la création de l'Office du Blé, la signature des accords Matignon, la création de la Société nationale des Chemins de fer français (S.N.C.F., entreprise d'économie mixte) étaient du moins des réformes tangibles, qui engageaient l'avenir et montraient, pour l'économie, une voie possible. Ces réalisations donneraient plus tard la période du Front populaire en exemple à tous ceux qui s'efforceraient d'établir en France un dirigisme planificateur.

LES CONTRADICTIONS POLITIQUES DU FRONT.

En juillet 1936, des officiers de l'armée espagnole, menés par le général Franco, tentaient un coup de force avec l'aide des soldats du Maroc, Maures et légion étrangère. Une inexpiable guerre civile commençait. Une partie de l'armée et de la marine soutenait en effet la République et constituait des « milices » armées. Les atrocités qui furent commises de part et d'autre, l'âpreté des combats, l'importance des pertes, tout était de nature à impressionner l'opinion publique en France. Terrorisée à droite, tétanisée à gauche, l'opinion affolée cherchait un pôle, une raison solide de se stabiliser dans une position fixe.

Sentimentalement, Blum se sentait porté à soutenir le Front populaire espagnol. Mais comment intervenir, sans déclencher une guerre européenne ? Le 18 juillet des navires et des avions allemands et italiens avaient participé au *pronunciamiento* du général Franco. Dès le mois d'août, l'Angleterre entraînait la France de Blum dans une politique de non-intervention qui était une « farce de neutralité », car comment contrôler l'aide militaire des dictatures ? Les Allemands envoyaient sans arrêt des chars et des avions, les Italiens des combattants. L'aide des Soviétiques était inefficace, parce que trop lointaine. Tout ce que la France pouvait faire était de laisser passer les volontaires des « Brigades internationales » et leur armement. Elle devait s'aligner sur la position britannique de stricte non-intervention.

Cette politique était soutenue par les radicaux et par les « pacifistes » du parti socialiste, qui encourageaient Blum à la prudence. Les communistes enrageaient de ne pas pouvoir entraîner la majorité dans le « combat antifasciste ». L'agitation des esprits était telle que les polémiques sur la guerre d'Espagne dépassèrent en intensité et en violence la bataille qui s'était engagée sur la politique économique et sociale. Pourtant, sur le front du travail, les grèves avaient repris, quasi permanentes. Même les électeurs de gauche, les socialistes de province, étaient hostiles au désordre, à l'inflation, à la dégradation de l'économie.

L'extrême droite profitait évidemment de ces bonnes dispositions pour accentuer sa campagne contre Blum, dans les termes les plus crûment racistes. Léon Daudet et Charles Maurras fulminaient, dans *L'Action française*, contre « les juifs au pouvoir » et le « cabinet crétins-talmud ». Sans doute avait-on dissous les ligues, mais elles s'étaient arrangées pour tourner la loi : elles avaient constitué des partis classiques : les Croix-de-Feu étaient devenus le *Parti social français* (P.S.F.) Un ancien communiste, devenu fasciste, Jacques Doriot, avait lancé le *Parti populaire français* (P.P.F.). Une organisation clandestine de militaires et d'anciens combattants, subventionnée par des industriels (le *Comité secret d'action révolutionnaire ou C.S.A.R.*, appelé familièrement la *Cagoule*), préparait un éventuel coup de force sur le modèle espagnol, en noyautant l'armée, la police et l'administration.

On semblait au bord de la guerre civile : la grandiose exposition de 1937, qui devait bouleverser la colline du Trocadéro, ne pourrait pas être inaugurée car les chantiers étaient en grève permanente. Les contradictions du Front étaient telles qu'il était unanimement attaqué dans la majorité de la presse dont les organes étaient aux mains des grandes affaires — mais non pas unanimement défendu dans la presse de gauche, les communistes étant de plus en plus hostiles et les radicaux de plus en plus réservés. Blum avait dû intervenir pour remettre au travail les ouvriers agricoles des grandes propriétés de Seine-et-Marne, à la demande des sénateurs radicaux.

LA LIQUIDATION.

Ulcérés par la politique espagnole du cabinet, les communistes devaient vivement protester contre la *pause* réclamée par Blum sur le terrain économique et social en février 1937. Ils exigeaient que le gouvernement aille beaucoup plus loin dans la collectivisation de l'économie. En mars, les gauches manifestaient dans la rue contre les militants du P.S.F. La police dut rétablir l'ordre. Il y eut aussi des blessés dans les rangs de la gauche.

L'incident mit le feu aux poudres : Blum, pour se maintenir, dut proposer un train de mesures économiques et sociales dirigistes. Il fut renversé au Sénat, à la suite d'une violente attaque de Joseph Caillaux. Ainsi finit le Front populaire.

Blum, cependant, allait être rappelé au pouvoir par le Président de la République Lebrun, dans des circonstances tragi-comiques. Un événement très grave ébranlait l'Europe : les troupes allemandes, le 12 mars 1938, avaient occupé l'Autriche : l'*Anschluss* (le rattachement de l'Autriche à l'Allemagne) était réalisé au mépris du droit. Les nazis autrichiens menés par Seyss-Inquart s'étaient imposés au malheureux chancelier Schuschnigg, qui avait dû démissionner. Chamberlain avait déconseillé aux Autrichiens toute résistance, et l'Angleterre avait fait savoir à la France qu'elle n'interviendrait pas dans l'affaire autrichienne. Pour la première fois les nazis annexaient, par un coup de bluff, un pays européen, et la

France, comme pour la réoccupation de la Rhénanie, restait muette. La violente réaction de l'opinion publique en France, cette fois très sensibilisée au danger de guerre, surprit le nouveau gouvernement Chautemps en pleine crise ministérielle. On se demande comment la France aurait pu tenter la moindre offensive devant l'Anschluss, alors que le président du Conseil se retirait « sur la pointe des pieds », démissionnait en pleine tempête, estimant qu'il n'avait pas l'autorité nécessaire pour exercer le pouvoir.

C'est dans ces conditions que Blum fut, pour la seconde fois, chargé de constituer le gouvernement. Très sensibilisé au danger fasciste, désespéré de n'avoir pas pu venir en aide aux républicains d'Espagne, qui perdaient pied chaque jour davantage, Blum tenta de constituer un cabinet d' « Union nationale », appelant à la fois au pouvoir Louis Marin et Maurice Thorez. Ni l'un ni l'autre n'acceptèrent. La France n'était pas mûre pour la guerre et l'affaire de l'Anschluss était, du point de vue français, la répétition générale de Munich.

Munich et la « drôle de paix ».

LA GUERRE A L'HORIZON.

Le gouvernement Daladier qui prit le pouvoir en avril 1938 avait peu de temps pour préparer le pays aux épreuves que l'on sentait poindre à l'horizon, et dont le nouveau président du Conseil était, plus qu'aucun autre, conscient. Il voulut d'abord liquider définitivement le Front populaire, et rassurer la droite en mettant aux Finances un libéral incontestable, adversaire déclaré de la politique du Front, Paul Reynaud. Habile et déterminé, celui-ci réalisait en peu de temps la dévaluation qui s'imposait, à froid et avec l'aide des milieux financiers. En mai 1938 le franc « ajusté» permettait la reprise économique. La semaine de quarante heures était abolie par « décret-loi », le déficit budgétaire était résorbé, l'or reprenait le chemin des caves de la Banque de France.

Le réarmement, facteur essentiel de la reprise, permettait au gouvernement d'opposer une argumentation efficace aux grévistes cégétistes : faisait-on grève dans les usines de Hitler ou de Mussolini? Puisque les communistes étaient antifascistes, comment pouvaient-ils encourager les grèves, alors que la Défense nationale exigeait tous les concours? Au congrès radical de Marseille, les militants avaient manifesté leur volonté de rompre avec les communistes, dénoncés désormais comme fauteurs de désordre.

La France divisée pourrait-elle faire face à une nouvelle menace des dictatures? Il devenait parfaitement clair que la politique d'agression de Hitler ne se limiterait pas à l'Autriche. En Tchécoslovaquie vivaient plus de trois millions de Sudètes, de langue allemande. Le *parti allemand des Sudètes* recevait ses ordres de Hitler. Il demandait bientôt l'autonomie et le rattachement au Reich. Le Président de la République tchécoslovaque, Beneš, demandait à la France et à l'U.R.S.S., ses alliées, une assistance immédiate.

Daladier ne pouvait que confirmer un traité d'alliance formellement signé. Il fit savoir qu'en cas d'agression contre la Tchécoslovaquie, la France honorerait sa signature. Georges Bonnet, ministre des Affaires étrangères, s'efforçait aussitôt de sonder sur leurs intentions les Anglais et les Soviétiques.

Le conservateur Neville Chamberlain était le partisan résolu d'une politique de non-engagement de l'Angleterre en Europe. Il prêchait l'« apaisement » et justifiait même la revendication de Hitler sur les pays allemands d'Europe. Il fit savoir qu'il n'était pas disposé à entrer en guerre pour la Tchécoslovaquie. Quant aux Soviétiques, ils donnèrent leur accord pour une intervention armée, à condition que la Pologne et la Roumanie permettent à l'armée rouge de traverser leur territoire. Elles refusèrent vigoureusement. La France abordait donc seule la crise des Sudètes.

Le 12 septembre, Hitler, à Nuremberg, demandait d'une voix vibrante l'annexion pure et simple des territoires contestés. Le 18, il fit connaître sa volonté à Chamberlain, qui avait pris l'avion pour lui rendre visite à Berchtesgaden. Daladier dut se résigner à envoyer un ultimatum à Beneš, en commun avec Chamberlain, pour que les Tchèques acceptent le démembrement.

Fort de l'accord de Beneš, Chamberlain retourna voir Hitler, le 22 septembre, à Godesberg. Il fut surpris de l'entendre formuler de nouvelles exigences : comment demander aux Tchèques d'évacuer le territoire sudète sans emmener leurs biens? Chamberlain ne pouvait l'accepter. La crise était ouverte.

La mobilisation générale avait été décrétée en Tchécoslovaquie.

La France et l'Angleterre avaient rappelé plusieurs classes. Hitler avait donné des ordres de concentration de troupes. La guerre risquait d'éclater.

Sur l'initiative de Mussolini, une conférence des chefs de gouvernement des quatre grandes puissances occidentales se tint à Munich les 29 et 30 septembre. L'U.R.S.S. et la Tchécoslovaquie étaient exclues des discussions. Daladier rappelait volontiers le rôle de conciliateur joué par Mussolini dans cette conférence, où lui-même rencontrait pour la première fois le chef nazi. Hitler devait accepter finalement l'occupation progressive des territoires sudètes, du 1er au 10 octobre, et la liquidation des biens des résidents tchèques. Chamberlain puis Daladier signaient avec lui un pacte de non-agression. La France avait abandonné son alliée tchécoslovaque et perdu tout prestige en Europe centrale. Elle avait également brisé l'alliance russe.

Daladier était convaincu, à son retour de Munich, que ce n'était pas « la paix pour cent ans ». Mais il avait vu sur les visages des Munichois un tel désir de paix, une telle joie après la signature des accords, qu'il ne pouvait manquer d'accepter les gerbes de roses et les vivats du Bourget même si sa légendaire lucidité lui soufflait qu'il fallait attendre la tempête. Il s'attendait, pour son retour, à être hué. Il fut encensé.

Les forces politiques en France s'étaient divisées pendant la crise : les radicaux et les socialistes divergeaient d'opinion sur le règlement accepté à contrecœur par Daladier, qui laissait pratiquement les mains libres à Hitler. La tendance Paul Faure chez les socialistes rejoignait celle de Georges Bonnet chez les radicaux : la vieille idéologie « pacifiste » de la gauche approuvait, comme disait Blum, « avec un lâche soulagement », des accords désastreux qui n'avaient que l'avantage d'éviter une guerre immédiate. Les communistes, les jeunes radicaux, de Mendès France à Jacques Kayser, certains socialistes blumistes, des démocrates chrétiens et même quelques hommes de droite comme Champetier de Ribes, Louis Marin et Paul Reynaud protestaient vivement contre Munich. Dans son ensemble, cependant, la vieille droite était munichoise.

DALADIER PRÉPARE LA GUERRE.

D'avril 1938 à mars 1940, Daladier devait sans relâche préparer la guerre. Déclarée en septembre 1939, elle devait commencer sur le front de l'Ouest en mai 1940 seulement. A cette date, Daladier avait cessé d'être président du Conseil.

Gouvernant au centre, à coups de décrets-lois, Daladier donnait satisfaction à tous ceux qui, dans le pays, souhaitaient le retour à l'ordre. Il entreprenait une action de grande envergure contre les communistes, très mécontents de Munich. En novembre 1938 il faisait échouer une tentative de grève générale. Il avait « réquisitionné » les travailleurs.

La menace extérieure lui permettait de renforcer considérablement les budgets militaires, et de pousser les travaux de mise en activité de la ligne Maginot. Après le retour de la Belgique à la neutralité, il avait fallu construire des ouvrages légers, à la hâte, jusqu'à la mer du Nord. Une visite faite dans la région de Sedan avait convaincu Daladier qu'une attaque allemande à travers les Ardennes était impossible avec des moyens modernes.

La guerre avait éclaté à propos de l'affaire polonaise : dès la fin de mars 1939, Hitler avait présenté des revendications sur Dantzig et le « corridor » polonais. Il demandait un lien permanent avec la Prusse orientale, que la paix de Versailles avait séparée de l'Allemagne. Le 1er avril la décision de Hitler était prise : il envahirait la Pologne à la date du 1er septembre. Il envisageait la guerre de sang-froid. Les Alliés avaient-ils protesté quand il avait occupé Prague, le 15 mars ? Il pouvait raisonnablement penser que les Occidentaux ne viendraient pas non plus au secours de la Pologne.

L'Angleterre cependant sortait de sa torpeur. Elle faisait savoir le 31 mars qu'elle ne tolérerait pas une nouvelle agression contre la Pologne, avec laquelle elle engageait des conversations pour une alliance militaire. Conjointement avec la France, elle entreprit de négocier avec les Soviétiques pour conclure une entente contre Hitler. Molotov accepta une alliance politique, mais demanda, pour une alliance militaire, des garanties précises : des experts franco-britanniques furent envoyés à Moscou en août.

Les Polonais restaient hostiles à toute ouverture de leurs frontières aux troupes soviétiques. L'alliance militaire Paris-Londres-Moscou échouait une fois de plus. On apprenait alors que simultanément Molotov avait négocié avec von Ribbentrop : dans la surprise et la peur, les Français connurent, le 22 août au soir, les données du pacte germano-soviétique, pacte de non-agression qui laissait à Hitler le champ libre en Pologne. Mais l'opinion française ignorait encore que Staline et Hitler s'étaient très simplement partagé la Pologne, cependant que l'U.R.S.S. était autorisée à occuper la Finlande, l'Estonie, la Lettonie, la Lituanie et la Bessarabie roumaine. Les « actualités » cinématographiques du monde entier devaient montrer Staline portant un toast au champagne à la santé de Hitler.

La guerre était inévitable : en France, Daladier mettait les communistes hors-la-loi. Les députés du P.C. étaient frappés de déchéance parlementaire quand ils acceptaient le pacte. Beaucoup furent arrêtés et déportés en Algérie.

Les Polonais s'attendaient à un assaut imminent. Ils avaient toujours refusé de négocier avec l'Allemagne. Beck, totalement inconscient, s'imaginait qu'une résistance était possible. Daladier comprit que l'Europe était au bord de la guerre. Aussi écrivit-il à Hitler, pour le mettre en garde :

> « Je crois sincèrement, lui dit-il, qu'aucun homme de cœur ne pourrait comprendre qu'une guerre de destruction puisse s'engager sans qu'une dernière tentative d'arrangement pacifique ait lieu entre l'Allemagne et la Pologne. »

En fait Hitler refusa la négociation que le gouvernement polonais, au demeurant, ne lui proposa que le 31 août. Assuré du soutien de Staline, Hitler franchissait comme prévu le 1er septembre la frontière polonaise, avec une puissante armée. La France et l'Angleterre avaient mobilisé leurs troupes. Le 3 septembre, elles déclaraient la guerre à l'Allemagne.

LA « DROLE DE GUERRE ».

La France entrait en guerre avec une opinion divisée, un moral qui n'était pas à toute épreuve. La lutte anticommuniste, largement justifiée par le pacte germano-soviétique, empêchait une formule d' « union sacrée » comme en 1914. Les socialistes ne s'y seraient pas prêtés, et pourtant ils soutenaient le gouvernement et approuvaient la répression sans précédent qui frappait les membres du P.C.F. A l'extrême droite, le débat portait sur la guerre elle-même, dont on soulignait l'inutilité. Il est vrai que, dans ce secteur aussi, le pacte germano-soviétique avait brouillé les cartes : on ne pouvait plus emboucher la trompette anticommuniste sans attaquer l'Allemagne. On accusait les responsables d'avoir poussé Hitler dans les bras de Staline.

Dans l'ensemble le pays avait du mal à admettre la nécessité d'une nouvelle guerre mondiale, si peu de temps après la boucherie de 1914-1918. Puisque les dirigeants occidentaux n'avaient pu arrêter Hitler dès le début, puisque les Anglo-Saxons nous avaient empêchés d'imposer à l'Allemagne une « paix de sécurité », pourquoi ne pas leur laisser la responsabilité d'un nouveau conflit ? Staline montrait la voie : il avait manœuvré à nos dépens, repoussé la guerre vers l'Occident. Il aurait fallu faire comme lui. Les seuls partisans de la guerre étaient ceux qui avaient refusé la honte de Munich, moins les communistes : les jeunes radicaux, les socialistes blumistes, un petit groupe de la droite patriote.

La « drôle de guerre » de l'hiver 39-40 donna longtemps aux Français le sentiment que la paix était à tout moment possible. En trois semaines Hitler avait envahi la Pologne, avec 70 divisions dont 7 blindées, regroupant 500 chars, les fameuses *Panzerdivisionen*. 3 000 avions avaient soutenu l'attaque, réduisant les points de résistance et les centres nerveux du pays. La *Blitzkrieg* avait fait merveille.

La leçon fut-elle comprise de l'état-major français ? Il n'avait nullement esayé d'attaquer le rideau de 50 divisions qui faisaient « pendre leur linge » sur la ligne Siegfried que Hitler avait hâtivement fait construire en face de la ligne Maginot. Le général Gamelin n'avait même pas pu prendre Sarrebruck. Jusqu'au mois de mai, le front de l'Ouest devait rester absolument immobile.

En France, Daladier, usé par la « drôle de guerre », avait donné sa démission le 22 mars ; en dehors des hostilités entre la Finlande et l'U.R.S.S., rien n'avait bougé en Europe. Paul Reynaud, à peine au pouvoir, décida de brusquer les événements, et de « couper la route du fer » entre l'Allemagne et la Suède. On prit aux Allemands, qui avaient occupé préventivement le Danemark et la Norvège, le port de Narvik. Jusqu'au 10 mai, jour de l'attaque allemande à l'ouest, le corps franco-britannique devait tenir Narvik.

L'INVASION.

Les 105 divisions du front de l'Ouest reçurent l'attaque des Allemands le jour même où Churchill, furieusement antifasciste, remplaçait à Londres le timide Chamberlain. Cette fois, c'était vraiment la guerre. Les Allemands, forts de 145 divisions dont les *Panzer* revenues de Pologne, attaquèrent avec une aviation formidable : 3 500 bombardiers et 1 500 avions de chasse contre 500 appareils pour les Occidentaux. L'aviation britannique était réservée pour la défense des îles. Elle ne devait guère participer aux combats.

1 500 chars commandés par Guderian franchirent les routes étroites des Ardennes, pendant qu'une attaque de diversion attirait vers la Belgique et la Hollande le gros des troupes franco-britanniques. Les Alliés ne purent sauver la Hollande qui capitula, pendant que les Belges abandonnaient le canal Albert. Les Allemands avaient percé à Sedan et franchissaient la Meuse. Les divisions blindées fonçaient vers l'ouest pour atteindre la mer, par Abbeville. L'infanterie portée suivait. L'aviation détruisait les colonnes alliées sur les routes, déjà encombrées par les civils qui fuyaient vers le sud.

Gamelin fut limogé. Reynaud désigna Weygand le 19 mai. L'ancien chef d'état-major de Foch tenta de sauver les armées du Nord en montant une attaque à travers les colonnes de Guderian. Mais l'aviation rendait toute action impossible. Déjà l'armée anglaise fonçait vers les ports d'embarquement. A Dunkerque une formidable flottille, ravagée par les attaques en piqué des Stukas, tenta d'évacuer vers l'Angleterre le plus possible de soldats anglais et français. 270 000 Anglais et 100 000 Français purent ainsi échapper à la capitulation. Les Allemands firent cependant prisonnier tout ce qui restait des armées françaises du Nord.

Weygand tenta de tenir sur la ligne de l'Aisne et de la Somme. Il lui restait 49 divisions. Les Allemands attaquèrent le 5 juin avec 100 divisions, dont 10 *Panzer*. Le 8 juin ils étaient sur la Seine. Le 10 juin, le gouvernement quittait Paris pour Tours et Bordeaux.

Pour les Français, c'était l'effondrement. La radio annonçait d'heure en heure les nouvelles les plus désastreuses : le « coup de poignard dans le dos » de Mussolini, qui choisissait la date du 10 juin pour nous déclarer la guerre. On signalait partout, en une sorte de panique, des avions de bombardement italiens s'attaquant aux civils... On ne savait pas que 6 divisions françaises devaient suffire pour tenir en respect sur les Alpes 32 divisions italiennes. On ne savait pas que les élèves de l'École de cavalerie de Saumur avaient résisté jusqu'au bout, forçant l'admiration de l'ennemi. On voyait les officiers isolés, recherchant leurs corps dans la déroute, se plaignant des trahisons. On voyait des colonnes de soldats perdus, fuyant vers le sud à pied, en charrettes, dans les tenues les plus hétéroclites. Tout mouvement de troupes était rendu impossible par la ruée des civils sur les routes et les attaques continuelles de l'aviation. Aux carrefours, on voyait les militaires brûler les drapeaux et même les billets de banque des caisses des régiments. Des corbillards, des bennes à ordures transportaient une population en proie à la panique. Les gens mangeaient et couchaient au hasard de la route. Les enfants et les vieillards des hôpitaux étaient évacués, transportés, quand ils le pouvaient, dans les véhicules de l'armée. L'accueil des réfugiés sur le parcours était impossible : à Briare, ils passaient à raison de 12 000 par jour. Ceux qui restaient au village redoutaient les pillages, les vols la nuit. Ils se barricadaient chez eux, enterraient vivres et argent. L'essence se vendait vingt francs le litre. Un verre d'eau, un simple verre d'eau, coûtait parfois, entre Seine et Loire, la somme fabuleuse de dix francs.

Quand les ponts de la Loire sautent, le 16 juin, des centaines de milliers de Français doivent perdre tout espoir de gagner le Sud. Mais il en est passé plusieurs millions : Agen, qui a 25 000 habitants, en a 45 000, Cahors passe de 12 000 à 60 000! Il y a 40 000 réfugiés à Lourdes. A Toulouse, à Bordeaux, ils sont innombrables. Les émigrants sont accueillis tant bien que mal par les municipalités du Midi. Ils couchent dans les écoles ou dans les halles. On organise des secours, des repas collectifs. On les loge peu à peu chez l'habitant.

Les nouvelles, les vraies et les fausses, enlèvent à la nation le peu de moral qu'elle peut conserver. On annonce partout l'arrivée des Allemands. Quand ils arrivent vraiment, la foule insulte les soldats qui tirent dessus. A quoi bon résister ? La trahison règne partout. Les communistes passent pour être complices de la Cinquième colonne pour renseigner et diriger l'ennemi. Deux motocyclistes de la Wehrmacht suffisent pour qu'une ville se rende. On craint par-dessus tout les bombardements. Tout le monde attend la fin des combats. La France est à genoux.

Le 25 juin, la ligne Maginot était encerclée. Les Allemands, dépassant Lyon, avaient atteint Valence. A l'ouest, ils étaient entrés dans Paris, puis ils avaient foncé sur Brest et Bordeaux. Ils n'avaient rencontré nulle part de résistance organisée. Ils avaient fait des centaines de milliers de prisonniers. Les hommes se rendaient en masse, persuadés qu'ils seraient aussitôt relâchés. Les Allemands, très souvent, ne les gardaient même pas.

Devant la déroute, Paul Reynaud hésitait. Fallait-il continuer le combat en Afrique du Nord, comme certains le suggéraient, ou constituer avec la Grande-Bretagne une véritable union politique, un État unique, comme le proposait Winston Churchill ? Georges Mandel et le général de brigade Charles de Gaulle, membre du gouvernement Reynaud, poussaient à la poursuite de la guerre. Mais la majorité des ministres était de l'avis de Weygand et du maréchal Pétain : il fallait demander l'armistice.

L'ARMISTICE ET LE 18 JUIN.

Pour le pays désorienté, le départ de Paul Reynaud mettait un comble à la confusion. De Gaulle était parti en avion pour Londres où il avait lancé, sur l'antenne de la B.B.C., son fameux appel du 18 juin :

« Quoi qu'il arrive, disait-il, la flamme de la résistance française ne doit pas s'éteindre et ne s'éteindra pas. »

A l'époque, ce message devait passer tout à fait inaperçu. Tout le monde en France attendait l'armistice.

Il fut signé le 22 juin à Rethondes, dans le wagon de Foch. Hitler avait exigé ce cérémonial. « L'heure est venue de cesser le combat », avait dit Pétain, d'une voix lasse, à la radio. Le général Huntziger, chef de la délégation française, avait dû signer en cédant à peu près sur tout, y compris sur les clauses « déshonorantes » : livraison des réfugiés politiques allemands et application à l'Italie d'un protocole semblable à celui qu'imposaient les Allemands.

L'armée française était réduite à 100 000 hommes, cantonnés en zone Sud. La France « libre » était réduite aux deux cinquièmes du territoire. La zone « occupée », théoriquement française, s'étendait au nord d'une ligne Genève-Tours-Bordeaux, avec une bande le long de l'Atlantique qui allait jusqu'en Espagne. La France devait payer une énorme indemnité d'occupation. Ses prisonniers restaient en Allemagne jusqu'à la conclusion de la paix. Elle sauvait sa flotte, qui devait être désarmée, et son « empire » colonial. De cet armistice désastreux, l'opinion publique ne retenait que la démobilisation immédiate : c'était — enfin — la fin de la guerre, la fin du désordre. Elle voyait en Pétain un sauveur et un père.

Il avait sauvegardé ce qui pouvait l'être. Il parlait de concorde et de paix :

> « Nul ne parviendra, disait-il le 23 juin, à diviser les Français, au moment où leur pays souffre. »

Le pays, dans son désarroi, acceptait ces paroles comme un baume.

Le 10 juillet Pétain réunit les chambres et leur demanda les pleins pouvoirs pour définir le nouveau régime. C'était demander la fin de la République. Sauf 80, tous les députés et sénateurs s'exécutèrent. La IIIe République avait vécu.

La France du Maréchal.

UNE FRANCE AFFLIGÉE.

Partout où l'on côtoyait les Allemands, on s'étonnait de les voir si « corrects », si bien attentionnés envers la population. Étaient-ce là les affreux envahisseurs que la propagande de Daladier annonçait ? On s'aperçut en fait très vite que la remise en ordre, sur l'ensemble du territoire, dépendait de leur volonté. A entendre les discours du Maréchal, on pensait que l'occupation serait « temporaire » et que la France resterait unifiée. En fait on découvrit peu à peu les intentions réelles des Allemands : il n'y avait pas une France, mais quatre, dès l'été de 1940.

D'abord, la « zone interdite ». Elle ne figurait pas dans les clauses de l'armistice. Les réfugiés la découvrirent quand ils demandèrent l'autorisation de rentrer chez eux : elle leur fut refusée s'ils habitaient au nord de la « ligne verte » définie par l'*Ostland* (société agricole d'Allemagne orientale). Créée le 23 juillet, cette ligne incluait douze départements français : Nord, Pas-de-Calais, Somme, Aisne, Ardennes, Marne, Haute-Marne, Côte-d'Or, Meuse, Meurthe-et-Moselle, Vosges, Doubs. Dans toute cette zone, l'*Ostland* fit le recensement des terres des réfugiés, de celles des prisonniers, prescrivit des remembrements, organisa la colonisation par des Allemands. Dans les Ardennes, 110 000 hectares furent ainsi « occupés ». Les récoltes allaient naturellement en Allemagne. C'est seulement à la fin de 1941 que les Allemands admirent le retour dans leurs foyers des émigrés. La frontière de la « zone interdite » ne fut supprimée qu'en mai 1943.

L'armistice n'avait nullement prévu l'annexion de l'Alsace-Lorraine : elle fut cependant réalisée par les Allemands sans préavis, au début du mois d'août. On installa simplement les anciens postes frontières d'avant 1914. Vichy protesta pour la forme, mais contribua en fait à développer dans la France libre la propagande allemande pour le rapatriement des Alsaciens-Lorrains. Ceux-ci étaient accueillis en gare de Strasbourg par les jeunesses nazies chantant le *Horst Wessel Lied*. On fêtait le retour des « frères exilés ». En Lorraine on rebaptisait fébrilement les villes et les rues. On installait partout des écoles en allemand. La place de la République à Strasbourg devenait la *Bismarck Platz*. Il y avait à Mulhouse une *Adolf Hitler Strasse* ! L'Alsace et la Lorraine étaient redevenues allemandes. Leurs fils seraient enrôlés dans la Wehrmacht.

La zone occupée était strictement contrôlée par l'armée et la police allemande, même si la France de Pétain y maintenait ses fonctionnaires. Les « réfugiés » devaient y revenir en grand nombre, et dans un temps relativement court, grâce aux efforts des chemins de fer : au début d'octobre, 3 500 000 Français étaient rentrés dans leurs foyers.

Là, des surprises les attendaient. Ils ne pouvaient communiquer avec leurs parents restés en « zone libre » que par des cartes d'un modèle unique, les fameuses « cartes interzones ». S'ils voulaient envoyer de vraies lettres ou franchir sans « Ausweis » la « ligne de démarcation », les Français de la zone occupée devaient payer des « passeurs » clandestins : 10 francs la lettre, de 100 à... 5 000 francs pour passer un homme. Jusqu'en février 1943 le franchissement de la ligne fut un fructueux profit pour certains Français, un instrument politique et policier très efficace pour les Allemands, un des moyens de maintenir la France en servitude.

Pour ceux qui étaient restés en zone libre, la vie n'était guère plus facile : les réfugiés repartis, l'absence des prisonniers parut cruelle, surtout dans les foyers ruraux où ils étaient les plus nombreux. Les hommes démobilisés ne retrouvaient plus leur travail, les entreprises fermaient, faute de matières premières. Quand elles rouvraient, c'est qu'elles travaillaient pour les Allemands. La France s'installait dans la condition d'une nation colonisée.

L'OPINION DIVISÉE.

Le régime de Vichy promettait la concorde et l'union dans l'effort. Il avait connu au début dans l'opinion un incontestable succès. C'était une monarchie absolue, volontairement réactionnaire, avec, à sa tête, le « père de la patrie ». Le Maréchal, qui disposait de tous les pouvoirs, voulait que la France « renonce aux erreurs et aux mensonges ». Le 12 juillet, il était devenu « le chef de l'État français », il avait son effigie sur les timbres, les monnaies, et les cocardes tricolores que l'on distribuait gratuitement aux enfants des écoles. Ceux-ci se massaient sur les parcours officiels pour venir l'applaudir dans les tournées qu'il entreprenait à travers la France « libre ». Las des parlementaires rendus responsables des malheurs de la patrie, les Français acceptaient volontiers le « sacrifice » de celui qui « avait fait à la France le don de sa personne ».

Mais le donataire ne faisait pas la part égale entre tous les Français. D'abord, il excluait les communistes. Même si la persécution anticommuniste fut un peu relâchée au début du règne (Daladier et Reynaud s'en étaient chargés), elle devint beaucoup plus efficace à partir de 1941, après l'invasion de l'U.R.S.S. par l'Allemagne. 30 000 communistes furent arrêtés. Les partis politiques avaient été dissous. Dans les villes de plus de 2 000 habitants on avait supprimé l'élection au conseil municipal. Les maires étaient désormais nommés par Vichy. La France était dépolitisée. Les communistes et les socialistes n'avaient plus d'existence légale. Les syndicats étaient également supprimés, remplacés par des *corporations*, dont les conseils étaient nommés par le gouvernement.

Ainsi la gauche politique était exclue de l'État : elle ne devait plus exister. Bientôt une Cour de justice était réunie à Riom pour juger Reynaud, Blum, Daladier, et tous les politiques considérés comme responsables de la défaite. Ils étaient arrêtés, condamnés, certains, comme Georges Mandel, assassinés par la milice. Curieusement, Daladier partageait un moment sa cellule avec le colonel de La Rocque, le chef des Croix-de-Feu.

Après les politiques, les fonctionnaires. On révoquait tous ceux qui refusaient de prêter serment au Maréchal. Préfets et hauts fonctionnaires étaient souvent remplacés par des amiraux plus volontiers vichystes. La lutte entreprise contre les francs-maçons s'accompagnait d'une vive campagne de presse qui les présentait comme des « fossoyeurs de la nation ». Ils étaient particulièrement persécutés dans l'enseignement.

> « L'Université, disait le Maréchal, dont la mission est d'éclairer les esprits, a pour premier devoir de préserver la foi chez ceux qui l'ont, et d'indiquer à ceux qui ne l'ont pas le prix qu'elle a dans la vie. »

Les instituteurs francs-maçons ou communistes étaient révoqués, les écoles normales (ces antiséminaires, disait Pucheu) étaient fermées.

On chassait les Français juifs des administrations et de l'armée. La loi portant statut des juifs du 3 octobre 1940 leur interdisait non seulement les emplois publics mais l'accès aux cadres de la presse et de l'industrie. Les juifs étrangers pouvaient être internés ; quant aux juifs algériens, ils perdaient la nationalité française qu'ils avaient depuis 1870. Xavier Vallat, *premier commissaire aux questions juives*, affirmait sa volonté de « défendre l'organisme français du microbe qui le conduisait à une anémie mortelle ».

Cette législation visait les juifs de zone libre. En fait, la persécution antijuive avait commencé dans les autres zones, et les Allemands l'avaient organisée sans que Vichy intervienne pour s'y opposer. En septembre les juifs ne pouvaient pas regagner la zone occupée. Les commerçants juifs devaient porter une affiche, rédigée en allemand et en français, désignant leur entreprise comme juive. Étaient considérés comme juifs tous ceux qui étaient adeptes de la religion juive mais également ceux qui avaient plus de deux grands-parents juifs.

Un avocat israélite de la zone Sud, Pierre Masse, avait écrit à Pétain :

> « Je vous serai obligé de me dire si je dois aller retirer ses galons à mon frère, sous-lieutenant d'infanterie tué à Douaumont en avril 1916... » (cité par R. Aron : *Histoire de Vichy*).

Non seulement les juifs protestaient en vain, mais il devenait de plus en plus évident que Vichy alignait, à leur égard, sa position sur celle des Allemands. En mai 1942 le port de l'étoile jaune leur était imposé en zone Nord. 400 000 étoiles étaient réparties dans Paris dans les commissariats de quartier pour être distribuées aux juifs. Les anciens combattants portaient dans la rue toutes leurs décorations au-dessus de l'étoile. Même les enfants devaient la porter en classe.

Le commissariat aux Affaires juives menait une active politique de spoliation. Les juifs non français étaient enfermés dans des camps, leurs biens saisis. On s'en prit bientôt aux Français juifs, arrêtés pour des infractions diverses, par exemple pour le refus du port de l'étoile. La première rafle, en zone occupée, avait eu lieu le 20 août 1941, à Paris, dans le XIᵉ arrondissement. On avait conduit les juifs arrêtés à Drancy, puis à Compiègne, et de là en Allemagne. D'autres rafles devaient se succéder, surtout en 1942. Les 16 et 17 juillet plus de 13 000 juifs parisiens furent rassemblés au Vélodrome d'Hiver, à la demande des Allemands. Sur les 350 000 juifs qui vivaient en France, en 1939, 150 000, dont 20 000 enfants devaient être déportés.

Les plus riches, ou les plus heureux, avaient réussi à franchir les frontières, à gagner l'Angleterre ou la Suisse, ou l'Espagne. Le plus grand nombre de ceux qui échappèrent se réfugièrent dans la zone libre ou en Afrique du Nord. La question juive divisait et passionnait les Français. Ils ne voyaient pas sans horreur les coups montés de la persécution. Mais ils se disaient bien souvent que ces juifs étaient des étrangers, des émigrants récents, des « apatrides », que le Maréchal protégeait les bons juifs, les Français. La lâcheté, la dénonciation décimèrent les familles dans cette époque sinistre. Mais il y eut l'entraide, le courage, la volonté populaire, bien souvent affirmée, de refuser la honte du racisme.

LA RÉVOLUTION NATIONALE.

Ni juifs, ni maçons, ni communistes, ni syndicalistes, sur qui Vichy pouvait-il compter ? Sur les anciens combattants, ceux qui avaient souffert du désastre de juin 40, et qui étaient préparés par la propagande des « ligues » d'avant-guerre à rejeter sur la politique la responsabilité du désastre. Ceux-là furent regroupés dans la *Légion*, fidèle phalange du Maréchal. Chaque village avait un « président » de la « légion française » qui devait exercer l' « autorité morale » en même temps que le curé. Ancien combattant, le légionnaire portait le béret basque et la francisque. Il était souvent dépositaire d'un bureau de tabac ou d'un débit de boisson. Il était censé représenter le nouveau militant de la révolution nationale. Le président de la Légion était Xavier Vallat, ancien combattant, mutilé de guerre, dont la vigilance antisémite était notoire.

Après les anciens combattants, les jeunes. Le Maréchal répétait sans cesse que la défaite de 40 venait de l'« esprit de jouissance » et qu'il fallait lui substituer « l'esprit de sacrifice ». En juillet 1940, le général de la Porte du Theil avait reçu mission de Pétain d'organiser avec 100 000 garçons de 20 ans des « chantiers de jeunesse ». Des unités de moins de 2 000 hommes, avec un uniforme vert, campaient ainsi loin des villes, vivant la vie des bûcherons. Largement réfractaires au début de l'expérience, les jeunes devaient apprendre les joies de l'entraide et de la vie dans la nature, et surtout penser à ce réarmement moral de la nation, qu'enseignaient les cadres sortis de l'École d'Uriage, et qui seraient les meilleurs éléments des futurs maquis.

Jeunes des Chantiers, de l'École des cadres, des « compagnons de France », des scouts et éclaireurs de France, tous ces « moins de 20 ans » des années 40 ne pouvaient manquer de reconnaître une certaine dette à la « révolution nationale », même s'ils devaient résister de toutes leurs forces et payer de leur vie cette résistance aux abandons du régime vichyste. A travers les mouvements de jeunesse, le régime essayait surtout de se gagner les catholiques.

L'Église catholique et l'Église protestante avaient, au début de Vichy, pris officiellement parti en faveur de Pétain : « Pétain est la France et la France est Pétain », disait le cardinal Gerlier, et le pasteur Bœgner, en 1940 : « Il n'est qu'un seul devoir, suivre le Maréchal. » L'administration vichyste avait abandonné la séparation de l'Église et de l'État. Les congrégations rentraient en France, elles étaient payées par l'État. Des écoles religieuses s'ouvraient partout. Il est vrai que si la hiérarchie catholique devait, pour une grande partie, rester fidèle au vichysme, le doute puis l'indignation s'étaient manifestés chez certains évêques et chez les dignitaires protestants. Le même pasteur Bœgner qui accueillait Pétain avec confiance en 1940 lui écrivait deux ans plus tard, après les persécutions juives pour le supplier

« d'imposer les mesures indispensables pour que la France ne s'inflige pas à elle-même une défaite morale dont le poids serait incalculable ».

Cette évolution de l'esprit public, sensible dès l'été de 1941, montrait les limites de la « révolution nationale » : elle n'avait finalement réussi à rallier que les catholiques les plus réactionnaires ou les légionnaires à tempes grises, sensibles aux mots d'ordre de

Maurras. Unanimement — ou presque — respectueuse à l'égard du Maréchal au lendemain de l'armistice, l'opinion devait de plus en plus se diviser jusqu'à rendre le « sinistre vieillard » responsable de tous les abandons, de la désastreuse politique de collaboration.

LA COLLABORATION.

Pour toutes les familles de la droite qui s'étaient retrouvées à Vichy, la collaboration n'était pas prévue au contrat. Les militaires de la nouvelle armée française et même les chefs de la marine voyaient d'un bon œil une alliance avec l'Allemagne, contre l'Angleterre qui avait coulé des unités de la flotte française à Mers-el-Kébir. Ils étaient en tout cas favorables à une stricte neutralité. Les « technocrates » de la haute administration, comme Barnaud ou Lehideux, étaient sensibles à l'orientation d'un régime qui refusait la mainmise des financiers sur les producteurs. Ils rêvaient de définir les règles d'un progrès planifié, sans souci immédiat de profit. La collaboration ne figurait pas dans leurs plans.

Tous ceux qui entouraient Pétain de bonne foi, sans appétit de carrière ou de revanche, les Romier, les Carcopino, les Baudouin et même les Bergery, faisaient comme si l'occupant n'existait pas, comme si les Allemands étaient encore les sujets de Guillaume II et non les exécutants aveugles du pouvoir nazi. La « poignée de main de Montoire » devait réveiller bien des consciences.

A Montoire, en octobre 1940, le vieux Maréchal avait serré la main de Hitler, à l'instigation de Pierre Laval, l'âme damnée de la collaboration. Cette politique imposée en réalité par les Allemands livrait l'État français aux exigences de plus en plus importantes des Allemands en argent et en nature, sans aucune contrepartie. Hitler refusait de rendre les deux millions de prisonniers. Montoire était un marché de dupes.

Laval croyait à la victoire allemande et ne manquait pas une occasion de le clamer. Pétain passait pour plus nuancé : on lui prêtait le réalisme du vieux chef, qui voulait gagner du temps sans trop se compromettre. La poignée de main de Montoire détruisait cette image du « double jeu ». Même s'il put un moment se passer de Laval et faire venir aux Affaires l'amiral Darlan, il dut bientôt reprendre Laval. Sur ordre de l'occupant.

En 1942 ces ordres étaient comminatoires : la fiction de l'indépendance relative de Vichy irritait les Français : le dirigisme des technocrates vichystes avait étendu le contrôle de l'État à toutes les activités économiques, et d'abord aux banques. Le marché de l'or était strictement réglementé. Il en était de même de la Bourse et des marchés financiers. Rien ne pouvait échapper à l'État — donc à l'occupant. Les virements par chèques supérieurs à 3 000 francs étaient répertoriés. Les salaires étaient contrôlés, les grèves impensables. D'ailleurs la France industrielle était presque tout entière située dans la « zone interdite » administrée directement par les Allemands, ou dans l'Alsace-Lorraine devenue *Reichsland*, ou dans la zone occupée. Les Allemands disposaient librement du fer, du charbon, du pétrole, des grandes usines sidérurgiques ou métallurgiques. Ils imposaient en plus une politique de prélèvements financiers et de saisies matérielles.

Vichy, faute de devises, ne pouvait pas importer de biens de consommation et les Allemands, en vertu de la collaboration, accroissaient de mois en mois leurs demandes en denrées agricoles. Or 380 000 agriculteurs étaient prisonniers. Il n'y avait dans les fermes ni main-d'œuvre, ni engrais, ni machines en assez grand nombre, ni carburant pour les machines. Les terres ensemencées étaient réduites, les rendements pauvres. Il fallait organiser la pénurie. L'opinion ne pardonnerait pas au régime vichyste les douleurs morales et physiques du rationnement.

LA FRANCE DE LA PÉNURIE.

La production industrielle fonctionnant dans sa quasi-totalité au bénéfice de l'occupant, il n'y avait plus de charbon pour le chauffage, ni d'essence pour les voitures. Même le courant électrique était strictement rationné. Les autobus avaient des « gazogènes », comme les camions de livraison. On voyait reparaître les voitures à chevaux, les fiacres et surtout les bicyclettes. Les courses dans Paris se faisaient en « vélo-taxis ».

Dans Paris où le drapeau à croix gammée flottait sur les édifices publics, tout était rationné : les pâtes, le pain, le sucre, puis le beurre, le fromage, le café. La viande n'était vendable que certains jours. Le vin et l'alcool n'étaient pas servis tous les jours dans les restaurants et cafés. Le pain devenait de plus en plus noir. Il y avait des « queues » interminables devant les magasins d'alimentation. Pour déjeuner au restaurant, il fallait apporter ses « tickets ». Les vêtements, les chaussures étaient également rationnés. On fabriquait des souliers à semelles de bois, le cuir étant saisi par l'occupant. Les costumes étaient en « erzatz », en « végétalose ».

Des biscuits vitaminés étaient distribués dans les écoles pour éviter les ravages de la tuberculose. Des restaurants communautaires accueillaient les indigents. Parallèlement à l'alimentation officielle, les Français prenaient l'habitude, quand ils en avaient les moyens, de s'alimenter clandestinement. Beaucoup recevaient des « colis » de la campagne, quand ils n'allaient pas chercher eux-mêmes les vivres, qu'ils rapportaient en ville dans de lourdes valises. Le « marché noir » permettait de fructueuses affaires : le beurre se vendait ainsi dix fois son prix, la viande quatre fois. On élevait des animaux en pleine ville. En démolissant le quartier du Vieux Port, à Marseille, les Allemands eurent la surprise de trouver dans les caves des porcs, des moutons et même des vaches d'élevage. Les restaurants du « marché noir » servaient du « Pernod » et des produits d'avant la guerre, à prix d'or. La France devenait un terrain de contrebande généralisée. On troquait le tabac contre du beurre, du beurre contre des pneus de bicyclette... Jusqu'en 1942 les convois d'Afrique arrivaient encore à Marseille, livrant le chocolat, les agrumes, le café, l'huile... Il est vrai que les Allemands tentaient de saisir la plus grande partie de ces arrivages. Mais les quais de Marseille avaient bien des fuites... tout ce trafic cessa en 1942. Les enfants de l'occupation ne devaient pas connaître le goût des oranges.

Ces restrictions devaient marquer durablement toute une génération de Français. Les paysans et les commerçants de l'alimentation étaient à l'évidence les profiteurs de la situation. Les trafiquants du marché noir (appelés B.O.F. : beurre, œufs, fromage) édifiaient des fortunes rapides, spectaculaires. Certains bouchers avaient construit des abattoirs clandestins. Un trafic parallèle s'organisait, parfois avec la complicité de l'administration et des Allemands, eux-mêmes clients du « marché noir ». On exécuta à la Libération bien des profiteurs de ce trafic, sans tambours ni trompettes, simplement parce qu'ils avaient suscité l'envie et l'exaspération des ventres-creux, de ceux qui n'avaient ni les moyens d'acheter, ni les moyens de vendre.

De telles conditions de vie minaient le moral de la nation. La révolution nationale de Vichy, qui se voulait un réarmement moral, était un remarquable échec. Les Français faisaient trop souvent de l'immoralité un principe et s'ils attendaient la libération, c'était — toute honte bue — pour retrouver la paix de vivre, la jouissance tranquille de l'avant-guerre.

Les modes de l'époque exprimaient l'écœurement de la jeunesse et le refus du conformisme menteur de Vichy. Les *zazous* dansaient le *swing* sur des airs américains, portaient de longues vestes et des cheveux longs. Ils raillaient le « retour à la terre » et exprimaient leur révolte contre la guerre, la misère et la honte. Dans les cafés chauffés avec des poêles à sciure, les écrivains confrontaient leur isolement : ceux que l'on devait appeler plus tard les *existentialistes* s'étaient souvent connus au *Café de Flore* autour d'un poêle, parce que le froid les chassait de leurs chambres. Dans le relâchement général de la moralité, dans le découragement accablant des Français, dans l'isolement des femmes de prisonniers, dans l'abattement des ouvriers d'usine exploités par l'occupant, au-dessus de toute révolte possible, un espoir se formulait, de plus en plus net, celui de la résistance d'abord, de la révolte violente et de la révolution ensuite. Toute la France de la frustration et de la pénurie, la France de l'amertume, tournait le soir le bouton du poste de radio pour entendre les émissions de Londres.

CHAPITRE 20

La République de la Libération

Depuis la fin de 1942, on savait en France que la Libération se préparait, même si elle n'était pas proche. Ce sentiment était nouveau, irrésistible. En 1940 le désastre avait enlevé tout espoir aux Français. Les Allemands semblaient dominer leur guerre et l'on pouvait penser, comme Laval, que la France devait s'habituer à survivre dans une Europe allemande.

Après Stalingrad et les revers de Rommel en Afrique, la victoire de l'Allemagne devenait improbable. Sauf imprévu, elle devait finalement céder devant la formidable machine de guerre industrielle lancée contre elle dans le monde entier. Même si la « majorité silencieuse » gardait en France une grande reconnaissance au Maréchal pour son rôle en 1940 (Pétain reçu à Paris au printemps de 1944 mobiliserait encore une foule ardente), elle était consciente que la carte de la guerre avait changé. Elle écoutait de plus en plus la radio anglaise, et les familles achetaient des cartes du monde pour y planter les drapeaux de couleur des fronts alliés.

Quant au régime de Vichy, il perdait la face : le débarquement américain du 8 novembre à Alger avait eu pour conséquence immédiate l'invasion par les Allemands de la zone Sud et le sabotage de la flotte française à Toulon. Aucun pouce du territoire français n'échappait désormais à l'ennemi. Dès lors, à quoi bon Vichy ? Le royaume de Bourges perdait son sens. L'armée d'armistice était dissoute et les Allemands cherchaient les jeunes hommes pour les soumettre au S.T.O. (Service du travail obligatoire).

Par contre de Gaulle devenait pleinement crédible. Il avait gagné la bataille à Londres, il avait constitué une force combattante, il s'acharnait à unifier et à dominer les mouvements de la Résistance intérieure. A Alger, il s'imposerait aussi sûrement qu'à Londres. L'« autre France » avait un chef.

Personne ne voyait clairement l'avenir, et pour cause, en 1943. Pourtant la « majorité silencieuse » sentait confusément que la France de demain exigerait un Régime plus efficace que la IIIe République, qui avait perdu la guerre. Que la Libération rapporte les libertés, tout le monde le souhaitait; qu'elle assure la sécurité et la paix civile, c'était le vœu du plus grand nombre. Quant à tous ceux qui, ouvertement ou dans l'ombre, assumaient depuis 1940 parfois le combat de la France résistante, ils savaient parfaitement ce qu'ils ne voulaient plus : plus de caste politique, de caste galonnée, de « synarchie », de hiérarchie dans l'Église. On voulait une démocratie efficace et sociale, qui respectât l'homme.

De Gaulle et la Résistance française.

L'AUTRE FRANCE.

Résister, en 1940, c'était passer la Manche, gagner Londres. De Gaulle fut entouré d'une poignée d'hommes : les marins de l'île de Sein, les légionnaires de Narvik, puis une foule sans cesse croissante de volontaires isolés qui « ralliaient » la France libre par leurs propres moyens : intellectuels catholiques ou juifs, juristes, écrivains, journalistes, quelques hommes politiques, officiers de toutes les armes... La première victoire de de Gaulle fut de se faire reconnaître par Churchill comme le « chef de tous les Français libres ».

Sa seconde victoire fut de rallier une partie de l'Empire : s'il échoua à Dakar, il réussit, grâce à Leclerc, en Afrique équatoriale. S'il dut abandonner la Syrie et le Liban, il put compter sur les Nouvelles-Hébrides, la Nouvelle-Calédonie, Tahiti, les comptoirs des Indes : dès 1940 il pouvait créer le *Conseil de défense de l'Empire.*

Un accord avait été signé avec la Grande-Bretagne, pour permettre aux volontaires français de combattre dans l'armée et l'aviation britanniques. Certains pilotes français, comme Pierre Clostermann, devaient s'illustrer dans la R.A.F. Plus tard un accord semblable permettrait le recrutement dans l'aviation rouge de la célèbre « escadrille Normandie-Niemen ». La libération des territoires français permettait d'organiser des unités combattantes à croix de Lorraine : celles des F.F.L. (Forces françaises libres). Elles combattaient aux côtés des Alliés sur les champs de bataille d'Afrique ; Leclerc à Koufra, Kœnig à Bir Hakeim. Grâce à leurs faits d'armes, les Alliés reconnurent le *Comité national français;* ils étendirent à la France libre le bénéfice de la loi « prêt et bail ». De Gaulle s'était fait reconnaître, dès septembre 1941, par tous les belligérants.

Il eut plus de mal à s'imposer en Afrique du Nord, où l'on aimait Pétain et le général Giraud. Celui-ci fut soutenu, contre de Gaulle, par les Américains. Mais de Gaulle tenait bien en main la situation à Londres. Des hommes politiques importants l'avaient rallié, Blum, par écrit, avait approuvé son action, il avait donné aux différents partis toutes sortes d'apaisements, il s'était affirmé désireux de rétablir dès que possible en France la légalité démocratique. Même si Roosevelt put un moment lui imposer Giraud comme « commandant en Algérie » (à la conférence de Casablanca) de Gaulle put mettre en place à Alger une sorte de petit Parlement, le *Comité français de Libération nationale*, qui disposait de la « souveraineté française » sur tous les territoires non occupés par l'ennemi, et qui le soutint puissamment dans l'élimination de Giraud. Les membres de ce comité, de Fajon à Mendès France et de Le Troquer à Jacquinot, représentaient toutes les formations politiques françaises. Politiquement, Giraud ne représentait rien.

Cette victoire définitive de juin 1943 rendait de Gaulle incontestable comme représentant de l' « autre France », celle de l'au-delà des mers. Mais il n'aurait pu prétendre parler au nom de tous les Français s'il n'avait su rallier la résistance intérieure.

L'ARMÉE DES OMBRES.

En 1940 les résistants étaient une poignée. Les maladresses de Vichy et l'engagement des communistes dans la guerre aux côtés des Alliés les rendirent beaucoup plus nombreux dès 1941. En 1942 une « armée des ombres », souterraine, entraînée, efficace, était en place. Elle sortirait en 1943 au grand jour pour constituer, avec les anciens de l'armée de Vichy et les réfractaires du S.T.O., les grands « maquis » nationaux.

L'acte de résister était au départ individuel, une sorte de saut dans l'inconnu, la réaction d'une conscience contre la honte, l'agenouillement, la misère de la collaboration. Il y avait des résistants dans tous les milieux, toutes les classes sociales, des jeunes et des moins jeunes, des hommes et des femmes, parfois presque des enfants. Le passage à la clandestinité n'était jamais spectaculaire : les réseaux se constituaient prudemment, lentement. Parfois ils avaient pour cadre un milieu professionnel : le rail, l'armée. Le plus souvent, ils résultaient d'engagements individuels et spontanés

La France était trop morcelée pour que la Résistance pût être autre chose, à l'origine, qu'un ensemble de mouvements autonomes, de recrutement et d'inspiration régionale. Il y avait une résistance dans la zone Nord, une autre en zone libre, une autre encore en zone « interdite » et même en Alsace-Lorraine, où les déserteurs de la Wehrmacht étaient chaque jour plus nombreux. Les contacts entre les différents foyers étaient difficiles, aléatoires. La Résistance était largement régionale : elle reconstituait la France des provinces, la Savoie, la Bretagne, la Corse, le Limousin... L'Histoire de la Résistance, telle qu'elle est aujourd'hui décrite, doit faire une part très large à cette éclosion spontanée des mouvements provinciaux, qui cherchaient, après plusieurs mois d'existence précaire, un dénominateur commun.

Les Français étaient trop profondément divisés pour que les mouvements de résistance pussent avoir une idéologie commune. Les intellectuels chrétiens et juifs de la première vague de recrutement n'étaient que rarement communistes et trouvaient difficilement un langage commun avec les réseaux établis par le parti en 1941 et 1942. Que dire des officiers de l'armée de Vichy ? Des jeunes de l'École des cadres, ou des ingénieurs du rail ? La Résistance était le rassemblement de Français venus de tous les horizons politiques, militant souvent dans des mouvements dont ils ne partageaient nullement l'idéologie dominante.

Les actes individuels de sabotage étaient nombreux dès 1940. Ils avaient été durement réprimés et fournissaient à la Résistance ses premiers martyrs. La manifestation des étudiants le 11 novembre à l'Étoile était citée en exemple par les propagandistes. Car la première tâche des réseaux était la « propagande clandestine » qui utilisait tous les moyens : le bouche à oreille, les tracts, les inscriptions sur les murs, les lettres ronéotées et les journaux, voir même les prédictions, comme celle de sainte Odile qui affirmait :

« Le conquérant aura atteint l'apogée de ses triomphes vers le milieu du sixième mois de la deuxième année des hostilités. »

Les « petites nouvelles » destinées à soutenir le moral des sympathisants étaient véhiculées par *Résistance*, *Les Petites Ailes*, des feuilles éphémères qui circulaient sous le manteau. Des groupes se formaient en zone Nord : celui du musée de l'Homme, animé par des intellectuels, le groupe Combat, dirigé par un militaire, Frenay. Bientôt paraissaient de véritables journaux clandestins comme *La Voix du Nord* ou, en zone Sud, *Franc-Tireur*, qui tirait en 1941 à 6 000 exemplaires. Parmi ses martyrs, le groupe Franc-Tireur devait compter l'historien Marc Bloch, torturé et fusillé par les Allemands. Dans la zone occupée paraissait *Libération*, l'organe du réseau d'Astier de la Vigerie.

La deuxième tâche de la Résistance était le renseignement. Dans la désorganisation de l'Intelligence Service en France, les Anglais avaient encouragé de Gaulle à constituer le B.C.R.A. (Bureau central de renseignements et d'action) qui devait tout de suite enrôler des volontaires :

> « Les Anglais, écrit Marie-Madeleine Fourcade, qui ne s'attendaient à découvrir chez nous que de petits groupes de techniciens, furent stupéfaits de la quasi-génération spontanée de nos formations patriotiques et de leur variété. »

Parmi ces réseaux spontanés, il y avait celui du colonel Broussard, ancien commandant de Saint-Cyr, et le réseau Confrérie Notre-Dame du colonel Rémy. Dès la fin de 1940, six réseaux essentiels fonctionnaient, bien coordonnés par Londres. De Gaulle disposait donc de moyens permanents de contacts avec les membres de la résistance intérieure.

Encore fallait-il convaincre ceux-ci de la nécessité d'une action unique, non seulement coordonnée mais commandée à partir de Londres. La constitution de groupes autonomes communistes rendait l'unité difficile. Traqués par Pétain, les communistes avaient jeté les bases d'une action régionale dès 1940, avec des chefs comme Charles Tillon dans le Bordelais, Havez en Bretagne, Guingouin dans le centre. Le parti était entré dans la clandestinité dès 1939, les cellules avaient été dissoutes, remplacées par des « groupes de trois ». Les groupes spécialisés de l'*Organisation spéciale* furent entraînés pour l'action directe. Ils devinrent en 1941 les *Bataillons de la jeunesse*, puis les *Francs-tireurs et partisans* (F.T.P.). Les chefs de groupe étaient souvent des anciens de la guerre d'Espagne, rompus à la guérilla. Le futur colonel Fabien devait tuer de ses mains un officier de la Kriegsmarine, en août 1941, au métro Barbès. Les premiers F.T.P. étaient partisans du terrorisme, accusaient Londres d'attentisme et voulaient entrer au plus vite dans la guerre révolutionnaire. En 1943 les groupes d'action furent intégrés dans une hiérarchie proprement militaire coiffée par Tillon. Les F.T.P. avaient leurs maquis, leurs approvisionnements, leurs imprimeurs et même leur service de santé, patronné un moment par le professeur Robert Debré.

Les non-communistes avaient aussi leurs maquis : il était urgent de songer à unifier les mouvements de Résistance. L'armée de l'armistice était passée à la clandestinité. Elle armait et instruisait les réfractaires du S.T.O., les anciens prisonniers évadés, les jeunes recrues enthousiastes des provinces. Elle avait multiplié les dépôts d'armes et de matériel en prévision de la « revanche ». Les camps militaires d'entraînement fonctionnaient parfois côte à côte : un maquis F.T.P., un maquis F.F.I. (Forces françaises de l'Intérieur).

Le renforcement des effectifs, l'intensification des actions de propagande et de renseignements devaient provoquer des réactions violentes de l'occupant. La population assistait dans la terreur à cette guerre inexpiable, qui se traduisait par des attentats, des arrestations spectaculaires, des déportations, un renforcement considérable de l'appareil policier, une propagande pro-allemande étalée à la radio, dans la rue, dans les journaux. Moins la guerre avait de chances d'être gagnée par l'Allemagne, plus les collaborateurs étaient virulents ; par voie de conséquence, plus les mouvements de Résistance avaient tendance à unir leurs forces sous la menace. La création de la *Milice française* en 1943, sous l'autorité de Joseph Darnand, accélérait le processus de fascisation. Darnand exerçait la réalité du pouvoir politique, Vichy ne comptait plus ; Philippe Henriot s'occupait de la propagande ; Déat, ministre du Travail, organisait les prélèvements en main-d'œuvre au profit des Allemands. La répression et la propagande allaient de pair : la radio vichyste condamnait les résistants, que la police vichyste livrait à la *Gestapo*. Au régime longtemps ambigu de Vichy succédait la dictature fasciste. Les réseaux étaient démantelés, les résistants traqués, les dénonciations et l'efficacité des fichiers de la *Gestapo* risquaient d'avoir raison des mouvements, s'ils ne parvenaient pas à s'unir.

Dès novembre 1942 un premier pas avait été franchi en zone Sud : un *Mouvement unifié de résistance* (*M.U.R.*) avait permis la fusion de plusieurs groupements gaullistes. Une *armée secrète* avait été constituée, dont la mission était de rechercher toutes les possibilités d'action immédiate. L'A.S. prit aussitôt contact avec les F.T.P. pour coordonner cette action. C'est ce que souhaitait, à Londres, le général de Gaulle.

Mais il voulait aussi avoir l'initiative et le contrôle des opérations, à partir du *Comité de libération*. Le préfet Jean Moulin avait été parachuté en France à la fin de 1942 avec la mission de prendre contact avec toutes les organisations de Résistance. Délégué général du *Comité français de libération nationale*, Jean Moulin avait été arrêté, torturé, et exécuté en juin 1943. Mais il avait réussi, avant de se faire prendre, à coordonner tous les réseaux. En mai 1943 s'était constitué le *Conseil national de la Résistance* (C.N.R.) reconnu par tous les maquis, communistes compris.

LE PROGRAMME DU C.N.R.

Georges Bidault, président du C.N.R., désigné par les réseaux de Résistance intérieure, ne devait pas tarder à entrer en conflit avec Alexandre Parodi, délégué général de Londres. Le général de Gaulle lui avait ordonné d'affirmer son autorité au-dessus des partis.

> « L'État, disait-il, est au-dessus de toutes ces formes et de toutes ces actions. »

Pour Bidault, au contraire, la Résistance avait un programme précis, qu'elle entendait faire respecter, même à Londres : la *charte du C.N.R.*, rédigée sous l'autorité de Bidault, définissait l'action politique qui devait être entreprise après la Libération. On se proposait d'en finir avec les puissances financières de l'avant-guerre, de nationaliser le crédit, les industries de base, de purifier la presse et les banques. On demandait la sécurité sociale et l'indépendance des syndicats. On exigeait l'abandon de l'idée d'empire colonial. On voulait une République pure et libre, insensible aux groupes de pression et libérée des vieilles castes. On exigeait de toutes parts une nouvelle définition des droits de l'homme ; il fallait que tous fussent protégés dans l'avenir contre ce que le nazisme représentait : le mépris de l'homme, le racisme, la volonté d'asservissement des consciences.

La charte du C.N.R., à l'évidence, marquait la réunion — ou le compromis — de deux courants de pensée : l'un communiste ou socialiste, qui venait du Front populaire : il voulait socialiser les moyens de production pour changer la société en profondeur ; l'autre courant, démocrate-chrétien, inspiré par les idées « personnalistes » de la revue *Esprit* ou du journal *L'Aube*, militait pour une démocratie sociale avancée, où les droits des individus fussent garantis. La *charte* serait à l'origine des toutes premières réalisations de la IVe République.

LA RÉSISTANCE ET LA NATION.

La Résistance devait atteindre parfaitement son but, qui était d'abord de sensibiliser la population à la nécessité du combat pour la Libération. Elle devait être puissamment aidée par la radio de Londres et l'action personnelle du général de Gaulle : les émissions de la B.B.C. en langue française augmentaient régulièrement ; il y avait à la fin de la guerre cinq heures de programmes par jour. La B.B.C. était le lieu de rencontre de tous les Français résistants : Maurice Schumann et Pierre Brossolette, Pierre Olivier Lapie et Pierre Bourdan, Jean Marin et Jean Oberlé en étaient les animateurs quotidiens. « Les Français parlent aux Français », la célèbre émission de la B.B.C., livrait à Radio-Paris de Jean Herold Paquis et à Radio-Vichy de Philippe Henriot une véritable guerre des ondes. Les Anglais appelaient de Gaulle le « général-micro ».

La radio était en effet l'arme absolue pour la propagande. Les Allemands brouillaient les émissions et interdisaient l'écoute de la B.B.C. Mais les Français, de plus en plus nombreux, étaient au rendez-vous. On put, grâce à la radio, lancer de véritables campagnes d'intoxication, faire couvrir, par exemple, tous les murs de France des fameux « V » de la victoire. On se servait aussi de la radio, par les « messages personnels », pour donner des directives ou établir une liaison rapide avec les réseaux d'action.

Les auditeurs français avaient ainsi l'écho quotidien de la lutte. L'existence des maquis, à partir de 1943, leur donnait en outre le contact souvent direct avec les groupes armés qui vivaient presque au sein de la population, « empruntant » les voitures réquisitionnées et les armes de chasse, demandant des vivres, des soins, des complicités permanentes. Nul ne pouvait ignorer la Résistance, et les engagements que livraient les maquis étaient devenus en 1944, malgré la propagande de Vichy, la revanche de la France intérieure.

Les effectifs engagés étaient devenus importants : De 1 500 000 travailleurs français réclamés par l'Allemagne au titre du S.T.O. la moitié seulement devait prendre le chemin des usines d'outre-Rhin, 130 000 environ rejoignaient les maquis, où ils étaient encadrés par des officiers d'active ou par des chefs improvisés, dans le cadre des unités F.F.I. ou F.T.P. En 1943 déjà, 4 000 hommes combattaient en Corrèze. Des zones entières étaient contrôlées par les maquisards, armés par les parachutages britanniques. En 1944 les Allemands devaient envoyer 12 000 hommes pour « réduire » le maquis des Glières. Ils employèrent les blindés et l'aviation contre les 5 000 combattants du Vercors. Trois divisions allemandes furent utilisées dans le Jura.

Plus encore qu'aux opérations militaires, la population civile était sensible aux actions de sabotage entreprises avec une fréquence croissante par le mouvement de Résistance-rail. A partir du débarquement de juin 1944, les cheminots réalisèrent 800 déraillements et plus de 3 000 sabotages. L'armée d'occupation avait le plus grand mal à assurer ses liaisons.

A l'approche des armées alliées, les maquis combattaient à découvert, barrant les routes, faisant sauter les ponts, attaquant les colonnes en retraite de la Wehrmacht. Dans les villes les résistants armaient la population qui offrait spontanément son concours : combien de Parisiens des barricades faisaient-ils réellement partie des organisations de Résistance ? Ils étaient descendus dans la rue aux premières heures de l'insurrection, tout à la joie d'en finir avec l'occupant dans l'odeur de la poudre.

Des centaines de milliers de déportés, des dizaines de milliers de fusillés faisaient de la Résistance un grand mythe national, auréolé de martyrs. Les massacres perpétrés par les troupes allemandes dans des villages comme Oradour-sur-Glane rendaient particulièrement odieux ceux qui, parmi les Français, avaient admis ou aidé l'occupant. La Libération devait nécessairement s'accompagner d'une épuration. L'exécution de Pucheu à Alger, celle de Philippe Henriot à Paris, annonçaient que cette épuration ne s'accomplirait pas sans violence.

L'installation du nouveau régime.

LES LAMPIONS DE LA LIBÉRATION.

En août 1944, de Gaulle faisait son entrée dans Paris libéré, dans un concours extraordinaire de population. Il se refusait à proclamer la République sur le balcon de l'Hôtel de Ville. Pour lui, elle n'avait pas cessé d'exister. Un nouveau gouvernement provisoire avait été constitué, avec, comme ministre des Affaires étrangères, Georges Bidault, président du C.N.R. Plus de la moitié des membres du gouvernement étaient des hommes politiques ou d'anciens parlementaires communistes, socialistes, radicaux, démocrates-chrétiens. Pour la première fois dans son histoire, la France avait des ministres communistes : de Gaulle avait reconnu et admis tous les partis.

Il devait tout de suite reprendre en main la situation intérieure, compromise par les menées indépendantes des « commissaires de la République » qui s'étaient improvisés dans les provinces, surtout par l'existence, dans certaines régions, de « milices patriotiques » en armes, d'obédience communiste.

Un climat de terreur régnait dans de nombreuses régions. De nouveau, les dénonciations se donnaient libre cours : l'épuration frappait à la hâte, sans contrôle. Ses excès sont difficiles à mesurer : 10 000 exécutions sommaires selon le ministère de l'Intérieur, de 20 000 à 100 000 selon d'autres estimations. La situation réelle était mal connue du gouvernement de Paris qui n'avait que peu d'autorité sur les commissaires de la République, véritables proconsuls de la Révolution. Au demeurant les règlements de compte n'étaient pas toujours imputables à la politique. Les responsables communistes n'étaient pas moins débordés que les gaullistes : il était difficile de maîtriser les vengeances personnelles, les haines de familles ou de clochers.

La situation était assez inquiétante pour que de Gaulle souhaitât d'y mettre un terme : il obtint des ministres communistes la dissolution des milices patriotiques en octobre 1944. Le 6 novembre, une grâce amnistiante permettait à Maurice Thorez, condamné le 25 novembre 1939 à six ans de prison pour désertion, de rentrer de Moscou. Si l'on en croit le biographe de Thorez, Philippe Robrieux,

> « la coïncidence n'était pas fortuite. Il fallait désarmer les milices sur le terrain : les responsables du parti s'en chargèrent ».

Ils consolidaient, en revanche, leurs avantages politiques. Ils étaient largement représentés dans l'Assemblée consultative de 248 membres qui devait préparer la mise en place du nouveau régime. Présents au gouvernement, ils comptaient dans l'administration de nombreux partisans ou sympathisants : « que de hauts fonctionnaires et parmi les plus haut perchés jouent le communisme gagnant », disait le socialiste Robert Lacoste. Il y avait des préfets, des généraux communistes, et même, si l'on en croit Jules Moch, des policiers et des gardes mobiles.

Les communistes, avec d'autres, avaient récupéré les locaux et le matériel de la presse « collabo ». *L'Humanité* en octobre 1944 avait 456 000 lecteurs, contre 382 000 au *Figaro*. Le P.C. éditait des hebdomadaires, des journaux, pour les femmes, les jeunes, les enfants. La presse communiste devenait beaucoup plus importante que la presse catholique. En province, les quotidiens avaient des titres patriotiques : *La Marseillaise*, *Le Patriote*. Le parti dominait très largement le « quatrième pouvoir ».

L'épuration s'était faite selon ses vœux : 30 000 personnes avaient été arrêtées, Laval avait été condamné à mort et exécuté, Pétain condamné à mort et gracié... par de Gaulle. La France vichyste, qui applaudissait encore Pétain en mai 1944, ne comptait plus désormais que sur de Gaulle pour dominer le communisme. La droite française était culpabilisée, déconsidérée, démantelée, rejetée aux ténèbres extérieures. Et pourtant les Français s'inquiétaient, dans leur masse silencieuse, des excès de l'extrême gauche triomphante. Même s'ils écoutaient depuis deux ans la radio anglaise, ils avaient plaint Pétain lors de son interminable procès. Ceux-là auraient souhaité une réconciliation spectaculaire Pétain-de Gaulle, assurant la continuité et l'harmonie des deux France. Bien des partisans de la « révolution nationale » en 1940, convertis vers 1943 à la Résistance, soutenaient de Gaulle par haine des communistes. Une force électorale conservatrice était ainsi sous-jacente, disponible, et n'attendait que les élections pour s'exprimer.

LES VOTES.

Les Français — et maintenant les Françaises — retrouvaient ou découvraient l'usage du droit de vote. Les élections manquaient à l'univers mental des Français. Ils n'avaient pas élu de députés depuis 1936! S'ils avaient retrouvé les bals et les fêtes populaires, ils s'impatientaient des lenteurs de la remise en ordre, bientôt ils se plaindraient de trop voter.

Ils avaient tellement hâte de revenir à l'avant-guerre : l'année « kaki à goût de chewing-gum fabriqué aux États-Unis » (Georgette Elgey) n'avait pas apporté de satisfactions immédiates de ce point de vue. Les prisonniers et les déportés qui rentraient dans leurs foyers y trouvaient les restrictions, les coupures de gaz et d'électricité, la persistance du marché noir.

> « En 1944, disait de Gaulle, les Français étaient malheureux, maintenant ils sont mécontents, c'est un progrès. »

Ils n'éprouvaient pas un intérêt primordial pour les débats constitutionnels. Le 21 octobre 1945 ils avaient voté contre le retour à la IIIe République, mais ils avaient aussi refusé le régime proposé par les communistes, où l'Assemblée aurait un pouvoir illimité. Pour le P.C., c'était un échec, mais les partisans du renouveau n'avaient pas de quoi se réjouir : si les électeurs voulaient du changement, c'était uniquement dans le décor.

Seuls ou presque, les anciens partis avaient leurs faveurs. On l'avait bien vu aux élections municipales d'avril, où le *Mouvement républicain populaire* (M.R.P.) d'inspiration démocrate chrétienne, était le seul parti nouveau qui avait pu obtenir des suffrages et des sièges. Les formations issues de mouvements de résistance avaient échoué. Le résultat fut le même aux législatives d'octobre : les électeurs reprenaient, avec les vieux partis, les personnages de l'ancienne comédie : il y avait 152 communistes élus à l'*Assemblée constituante*, 142 socialistes et autant de M.R.P. que de communistes. Ces derniers avaient recueilli les voix des anciens partis de la droite : les voix « antimarxistes ». Seuls les radicaux avaient perdu la faveur du public : Daladier, Herriot étaient impopulaires. Leurs amis eurent une trentaine d'élus.

DE GAULLE ET LES PARTIS.

Le général de Gaulle avait été élu, à l'unanimité, Président du Gouvernement provisoire de la République par la nouvelle Assemblée. Il refusait aux communistes les grands ministères, mais leur confiait des portefeuilles d'importance économique et sociale. Maurice Thorez était ministre d'État. Les gaullistes n'étaient pas oubliés : Soustelle et Malraux faisaient partie du cabinet. A peine constitué, celui-ci entrait en conflit avec l'Assemblée.

Les partis étaient impatients de retrouver leur place dans la nation : avec les 3/4 des suffrages, les trois grands partis groupaient les 4/5ᵉ des sièges. Ils avaient leur presse, leurs militants, leurs leaders. Les hommes de Londres et ceux d'Alger avaient trouvé leur place dans les appareils. Pour eux le Général devenait un gêneur. Ils voulaient le pouvoir, tout de suite.

De Gaulle avait eu besoin de ces hommes politiques pour mener, pendant la guerre, son combat, pour imposer aux Alliés une image de marque démocratique de la France libre. Dans le célèbre échange de lettres qu'il avait eu avec Léon Blum, il avait reconnu la légitimité des partis. Il en mesurait maintenant pleinement les dangers et les faiblesses. Le « système des partis » risquait de frapper d'impuissance la République à peine née. Où serait, dans six mois, dans un an, l'unité de la Résistance ? Grâce au référendum, le Général avait gagné du temps. Mais il avait, de son point de vue, perdu les élections.

De la Chambre tripartite ne pouvait sortir une Constitution conforme aux vues du Général, avec un Exécutif efficace, un Législatif pondéré. Il s'en voulait d'être pris au piège du parlementarisme, il voulait rester en dehors des affrontements partisans, comme un recours pour la France.

En janvier 1946 un débat s'était engagé à l'Assemblée. Le socialiste André Philip, un des hommes de Londres, avait demandé une restriction des crédits militaires. De Gaulle comprit ce jour-là que sa place n'était plus à la tête du gouvernement. Il ne pouvait lutter de l'intérieur contre l'immense appétit de pouvoir des hommes des partis. Il fit part de sa décision au Conseil des ministres :

« Ma mission est terminée, dit-il, le régime exclusif des partis a reparu. Je le réprouve. »

Il ne fit aucune déclaration à la radio. A l'Assemblée, il avait dit à André Philip :

« Le point qui nous sépare, c'est une conception générale du gouvernement et de ses rapports avec la représentation nationale. Si vous ne tenez pas compte des nécessités absolues d'autorité, vous irez à une situation où, un jour ou l'autre, vous regretterez amèrement d'avoir pris la voie que vous aurez prise... Veut-on un gouvernement qui gouverne ou bien veut-on une assemblée omnipotente, déléguant un gouvernement pour accomplir ses volontés ? Personnellement, je suis convaincu que cette deuxième solution ne correspond en rien aux nécessités du pays dans lequel nous vivons, ni à celles de la période où nous sommes. »

Telle était la raison profonde du départ du Général.

Mais après quatre ans de guerre, de silence, d'oppression, l'appétit de liberté, la volonté de tout dire, le désir d'ouverture, de discussion, rendaient inévitable le retour à un parlementarisme qui risquait d'être excessif, dans la mesure même où les Français, longtemps privés de luttes politiques, souhaitaient les débats d'idées, les affrontements spectaculaires, la liberté totale. Le langage sévère du Général paraissait insupportable, comme s'il avait ordonné le silence aux violons du bal.

Le 26 janvier, les hommes du M.R.P. auraient pu éviter le départ du Général en refusant de participer à un gouvernement qu'il ne présiderait pas. Ils se précipitèrent dans le cabinet du socialiste Gouin. La République revenait aux parlementaires.

Ils firent approuver par le pays une Constitution selon leurs vœux : non sans luttes, ni sans efforts. Le régime de l'assemblée unique et omnipotente, qui avait la faveur des marxistes, fut une fois de plus écarté. On choisit un régime parlementaire avec deux assemblées, comme sous la précédente République. Le Président n'était pas l'élu du pays, mais des deux chambres réunies ; il avait à peine plus de responsabilités que ses prédécesseurs. Le gouvernement était très étroitement responsable devant la majorité de l'Assemblée. Quant à la deuxième chambre, baptisée « Conseil de la République », elle était une résurgence très atténuée du vieux Sénat. A une faible majorité, le pays avait voté cette Constitution défendue par Georges Bidault et le M.R.P., critiquée vivement par le général de Gaulle dans son discours de Bayeux, le 16 juin 1946. La IVe République voyait enfin le jour. Il la reniait.

Reconstruction et restauration.

UN NOUVEAU SYSTÈME ÉCONOMIQUE.

La permanence du système politique parlementaire hérité du passé contrastait singulièrement avec le nouveau système socio-économique qui se mettait en place, à la suite des grandes lois de 1944-1946 qui définissaient les orientations de la future société.

Les grandes ordonnances de 1945 avaient donné satisfaction à la *Charte du C.N.R.* et aux partis de la gauche. La sécurité sociale était mise en place. Les secteurs clé de l'énergie étaient nationalisés, le charbonnage, l'électricité et le gaz. Air France devenait comme la S.N.C.F. une société « nationale ». Le crédit était entre les mains de l'État : les quatre grandes banques de dépôt étaient nationalisées ainsi que les compagnies d'assurances. Depuis le 2 décembre 1945 la Banque de France avait cessé d'être une banque privée. Le Conseil national du Crédit devait superviser tous les investissements et protéger la monnaie. Seules quelques banques de dépôts et les banques d'affaires (Rothschild, Paris-Bas, Banque d'Indochine, etc.) échappaient à la nationalisation.

Jamais la France n'avait connu une telle vague de collectivisation. L'expérience du Front populaire semblait bien timide, au regard de cet engagement massif. Les industries elles-mêmes n'étaient pas épargnées : pour des raisons politiques, Renault passait sous le contrôle de l'État ainsi que Gnome et Rhône. En outre la loi du 22 février 1945 créait les *comités d'entreprise*. Composés de représentants élus des travailleurs, ces comités étaient chargés de surveiller les conditions de travail, la gestion des entreprises, d'organiser l'action sociale. Grâce à l'emprise du P.C. sur la centrale syndicale C.G.T. qui groupait cinq millions et demi d'adhérents, les fonds des comités d'entreprise permettaient de constituer un important groupe de pression, et de faire bénéficier le parti d'une clientèle politique fidèle. La France avait fait un pas de géant dans la voie d'un socialisme d'État. Elle avait installé la gauche dans une position politique en apparence très solide.

Le contrôle des moyens d'information, une des idées maîtresses de la Résistance, était également réalisé au profit de la gauche. On voulait empêcher la presse écrite et parlée de retomber sous le contrôle des groupes capitalistes. Le monopole s'était emparé de la radio. Les radios privées n'étaient pas autorisées. L'agence *France Presse*, contrôlée par l'État, distribuait aux journaux les nouvelles et le ministère de l'Information leur distribuait le papier. L'État aidait la presse, la sienne : celle du tripartisme.

LES PLANIFICATEURS.

Le redressement se fit dans le cadre d'un plan, animé par un homme d'expérience, rompu aux négociations internationales, familier des affaires anglo-saxonnes, Jean Monnet. Les vues très modernes de Jean Monnet sur la solidarité des économies européennes et les modalités de l'aide américaine permirent au plan français d'être efficace parce qu'il était très précisément adapté. Le but était de faire retrouver à l'économie française, dès 1948, son niveau d'activité de 1929. En 1950, ce niveau devait être dépassé de 25 %. Le plan était indicatif, non contraignant. Il « indiquait » aux responsables de la politique et de l'économie ce qui devait être fait. Il n'avait pas, comme dans les pays socialistes, le pouvoir d'imposer ses prévisions. L'économie était « concertée », non « dirigée ».

Grâce au plan, qui permettait aux organismes financiers de prévoir les masses d'investissements nécessaires pour assurer la remise en état et le développement des secteurs-clés, la reconstruction fut très rapide. Les structures économiques rénovées étaient efficaces ; les pertes en hommes et en capitaux étaient bien moindres qu'en 1919. Le matériel industriel était périmé, plus que détruit. Les ports et les transports avaient — il est vrai — beaucoup souffert des bombardements. Mais, en cinq ans, tout était effacé. Dès 1945 l'agriculture tournait à 80 % de ses chiffres de 1938. En raison de l'obstruction des ports, l'industrie devait stagner deux ans. Mais l'aide américaine négociée par Jean Monnet devait permettre de rétablir rapidement la situation.

En 1945 Jean Monnet avait conclu un important accord prêt-bail avec les États-Unis : deux milliards de dollars en or étaient en réserve à la Banque de France. A partir de 1947 les circonstances politiques en Europe allaient favoriser l'intensification de l'aide américaine : les débuts de la guerre froide et les événements de l'Europe de l'Est firent bénéficier les pays de l'Ouest des crédits sans cesse accrus de l'aide *Marshall*. Les entreprises françaises, et particulièrement les entreprises nationalisées, en sentirent tous les bienfaits.

LES MÉFAITS DE L'INFLATION.

La France se reconstruisait. Les salariés avaient acquis des avantages sociaux appréciables et la montée des salaires avait été contenue jusqu'à la fin de 1946 par les efforts des communistes, membres des gouvernements. Le pouvoir d'achat des travailleurs était remis en cause par la hausse des prix que ni l'État ni les entreprises ne parvenaient à dominer. La course salaires-prix semblait impossible à juguler.

Les communistes ne pouvaient longtemps contenir la marée des revendications. Ils prirent le parti de se faire les porte-parole des salariés, au sein des cabinets. Pour ne pas perdre leur position politique et syndicale, ils renonçaient à la lutte contre l'inflation. Bientôt la monnaie perdait toute valeur. Il y avait cinq fois plus de billets en circulation qu'avant la guerre. Les prix avaient quadruplé. Il avait fallu augmenter de 150 % les tarifs des transports. Pendant l'année 1946 les prix agricoles avaient augmenté de 70 %! On devait prolonger jusqu'en 1947 les tickets de rationnement. En deux ans les prix alimentaires devaient tripler, alors que les prix industriels doublaient seulement. Quant aux salaires, ils n'avaient augmenté que de 60 %.

L'inflation rendait la pression sociale irrésistible. Les communistes ne pouvaient pas ne pas se sentir solidaires d'un mouvement en profondeur. Au lieu de mettre fin aux grèves, ils les encourageaient, et leur situation au sein des gouvernements socialistes devenait de plus en plus intenable. La détérioration du climat social remettait en question le difficile équilibre politique du tripartisme. Une nouvelle donne était nécessaire.

LES CONVULSIONS POLITIQUES : LES COMMUNISTES A LA PORTE.

Un gouvernement Ramadier mit fin aux embarras du parti communiste. Les socialistes étaient très inquiets : depuis les élections de novembre 1946, les communistes ne cessaient de progresser à leurs dépens, sur le plan politique comme sur le plan syndical, où ils s'étaient rendus maîtres absolus de la puissante C.G.T. Des bruits de complot communiste circulaient. Le feu courait outremer. A peine éteint en Algérie (grâce à l'action énergique du socialiste Naegelen), il embrasait l'Indochine, puis le Maroc et Madagascar. Les communistes étaient-il partout présents pour détruire l'ancien empire?

Vincent Auriol, élu Président de la République, avait chargé Paul Ramadier de former le gouvernement, après l'échec de Léon Blum : c'est Ramadier qui démissionna en avril 1947 les ministres communistes sans leur demander leur avis. Ils apprirent leur départ par le *Journal officiel*. Désormais, les socialistes devraient rechercher leurs alliés à droite, chez les républicains populaires et sans doute au-delà. La politique française devait changer. Mais que feraient les communistes? On craignait une épreuve de force.

Au plus fort du désordre, des grèves violentes et des bruits de complot, de Gaulle intervint. Il décida, en avril 1947, de créer le *Rassemblement du peuple français*, pour opposer aux partis une force unanimiste, particulièrement au parti communiste, dénoncé avec vigueur comme « séparatiste ». Le discours de Strasbourg faisait appel à la France résistante, au « drapeau de la France libre ». L'appel fut entendu... par toute la France anticommuniste qui élit en masse les gaullistes aux élections municipales d'octobre 1947.

Dès lors le gaullisme devenait un ennemi commun pour les trois partis dominants. Il venait de faire la preuve, aux municipales, que ses élus prenaient leurs voix aux M.R.P. Il était détesté des socialistes qui l'accusaient de méditer un coup d'État. Il était naturellement la cible des communistes.

LA « TROISIÈME FORCE ».

Dans ces conditions, les deux victimes de la nouvelle conjoncture politique, les socialistes et le M.R.P., décidèrent de vivre ensemble, puisque tel était leur intérêt. L'orientation du régime vers le centre était définitive. Elle était en outre commandée par le *leadership* américain, au plus fort de la guerre froide : l'acceptation totale par la France du plan Marshall, en juin 1947, impliquait son engagement dans le camp occidental sans la moindre réserve, c'est-à-dire son engagement dans l'anticommunisme.

La « troisième force », entre le gaullisme hostile au régime et les communistes mis au ban du système, n'était pas une voie facile : la majorité très faible des gouvernements était à la merci d'un incident de séance. De 1947 à juillet 1950, la France ne connut pas moins de six gouvernements. Les socialistes se divisaient entre eux sur la défense des colonies, la question scolaire opposait les radicaux aux républicains populaires, qui voulaient aider les écoles religieuses. Les radicaux étaient très hostiles à la politique économique des socialistes.

Il est vrai que le « coup de Prague » de février 1948 devait donner à réfléchir aux socialistes français et à leur nouveau secrétaire général Guy Mollet. Non seulement ils allaient orchestrer et diriger la lutte contre le mouvement social en France, manifestement politisé par les communistes (en décembre 1947 le syndicat Force Ouvrière quitterait la C.G.T., pour devenir la C.G.T.F.O., indépendante des communistes), mais ils allaient suivre et parfois précéder le M.R.P. dans la politique d'intégration européenne et atlantique. En juillet 1949, la France ratifiait le *Pacte atlantique* qui constituait une association commune de défense contre l'Est. L'Europe des Six était en gestation grâce au *pool charbon-acier*, mis sur pied, du côté français, par le M.R.P. Robert Schuman et signé en mai 1950. Le traité de la *Communauté européenne du charbon et de l'acier*, signé en avril 1951, engageait délibérément notre économie dans la voie d'une étroite concertation avec nos voisins européens, et particulièrement avec l'Allemagne.

L'UNION FRANÇAISE.

Un autre ciment soudait les centres et les rendait solidaires : ils étaient hostiles à la décolonisation. L'opinion, dans sa majorité, ne concevait pas la nécessité d'abandonner les colonies, même si elle était hostile à une coûteuse politique de maintien par la force. Cette contradiction devait subsister pendant tout le drame de la décolonisation.

Radicaux, républicains populaires et socialistes s'étaient disputé avec une certaine âpreté les possessions de l'ancien empire colonial français. Ils disposaient chacun de leurs sphères d'influence, de leurs intérêts matériels, moraux ou confessionnels. Le Président Vincent Auriol veillait personnellement aux destinées de la nouvelle *Union française*, avec la plus vigilante attention.

Il ne pouvait pas éviter l'accumulation des révoltes, que l'on avait décidé de briser dans le sang. L'affaire indochinoise était, dans l'immédiat, la plus grave. L'échec des négociations de Fontainebleau avec Ho Chi Minh en 1946 avait abouti à la généralisation du conflit. En 1950, c'était le désastre de Cao Bang. A l'Assemblée, seuls les communistes et quelques socialistes osaient se dire hostiles à cette politique coloniale. Les gaullistes reprochaient vivement au régime l'abandon de l'Union française.

Le corps expéditionnaire en Indochine impliquait un effort considérable : 375 000 hommes qui recevaient constamment des renforts. L'essai de constitution d'un Viet Nam nationaliste et anticommuniste avec l'empereur Bao Dai avait été un échec. Le rapport du général Revers, qui préconisait un regroupement des forces françaises dans le delta, était saisi à Paris sur des ressortissants vietnamiens. L' « affaire des généraux » empoisonnait le climat politique. La nomination du général de Lattre de Tassigny, et les premiers succès remportés sur le terrain devaient calmer les esprits. Mais le général demandait d'importants renforts. Où les prendre ?

La faiblesse du pouvoir politique à Paris rendait impensable l'envoi en Indochine du contingent. D'ailleurs l'opinion publique ne l'aurait pas admis. Il fallut envoyer l' « armée d'Afrique », mettant ainsi les soldats d'Afrique du Nord en contact avec la guerre révolutionnaire. Or les rapports du général Juin, résident général au Maroc, et du sultan se dégradaient chaque jour davantage, les violences se multipliaient en Tunisie, une soixantaine de rebelles avaient pris le maquis en Algérie dans les Aurès. Les prisons de Madagascar étaient pleines et, en Afrique Noire, le Rassemblement démocratique africain réunissait les partisans de l'indépendance.

Cette situation très grave ne pouvait être maîtrisée par un régime instable, par des gouvernements qui n'avaient pas d'autorité parce qu'ils n'avaient pas de majorité. Les hommes de la « troisième force », pour trouver des assises politiques plus stables, décidèrent d' « aménager » la loi électorale ; en 1951 la loi Queuille truquait délibérément le scrutin en instaurant le système des « apparentements ». Si une liste « apparentée » avait la majorité absolue dans une circonscription, elle enlevait tous les sièges disponibles. Cette disposition devait permettre aux partis du centre de l'emporter très largement sur les extrêmes à la consultation. De fait, les communistes, avec un quart des voix, n'avaient que cent députés. Les gaullistes, qui refusaient les apparentements, avaient 21 % des voix et 119 élus seulement. La troisième force avait une majorité très large de 400 voix. Avec l'ancien mode de scrutin, les communistes auraient été 181 et les gaullistes 144 : la collusion des oppositions aurait ouvert la crise du régime. En acceptant le système des apparentements, le général de Gaulle aurait eu plus de 200 députés. Son refus ouvrait la voie à la République d'un pays légal, qui ne correspondait plus au pays réel.

LE RETOUR DE LA DROITE AUX AFFAIRES.

Désormais la droite d'affaires n'avait plus besoin du Général contre le danger communiste. Elle avait une chambre à sa merci. Il est vrai que l'impressionnante majorité centriste (400 voix) était divisée en quatre formations concurrentes et antagonistes : les socialistes, qui avaient perdu des voix, les M.R.P., grandes victimes de l'élection, le parti radical qui revenait en force, et les « indépendants » qui avaient fait, à droite, une percée remarquée. Pour que des majorités soient possibles à gauche ou à droite, il aurait fallu leur intégrer, soit le parti communiste, soit le groupe R.P.F. Mais si les gaullistes voulaient bien participer à une majorité du centre-droit, ils étaient opposés aux centristes sur la question, essentielle pour eux, de l'intégration européenne. L'entente ne pouvait être que de courte durée. Les tribus gauloises campaient au Palais-Bourbon.

Les milieux d'affaires étaient cependant impatients de rétablir une certaine stabilité monétaire, qui rendît possible l'expansion. Cette politique supposait que la droite prît le pouvoir, qu'une majorité se constituât pour une opération précise : tel fut le but de l' « expérience Pinay » en 1952. Sous la direction tour à tour bonhomme et bourrue de ce « Poincaré du pauvre » comme l'appelaient méchamment les journalistes, le phénomène de la « confiance » put jouer une fois de plus en faveur du franc. Les prix se stabilisaient ; la baisse des prix mondiaux rendait possible une pause bien accueillie de tous côtés dans la course des salaires et des prix. La France de M. Pinay retrouvait avec soulagement son rythme de vie d'avant guerre. A peine sortie de la pénurie, elle entrait dans l'abondance.

Il est vrai qu'elle ressentait déjà pleinement les effets de la troisième révolution industrielle, celle du plastique, de l'électronique, de l'informatique et de l'atome, qui devait se répandre très largement de 1952 à 1960, soutenue par un climat modérément inflationniste. La droite d'affaires revenait au pouvoir au moment où les affaires se portaient bien. Il n'est pas étonnant qu'elle ait relativement réussi.

LA « RÉVOLUTION DES CHOSES ».

Dès 1960 une certaine stabilité avait été réalisée, après deux dévaluations successives de la monnaie (1948 et 1949). L'essor de la production industrielle était alors de 7 à 8 % par an. Les chiffres de la production agricole d'avant la guerre étaient dépassés. Le plan Monnet avait bien réussi.

De 1950 à 1958 la production française devait s'accroître de 50 % ! La stabilisation Pinay de 1952 devait porter ses fruits jusqu'en 1955. Le deuxième plan d'équipement, de 1954 à 1957, devait permettre la modernisation de l'agriculture et les progrès rapides des industries de transformation. La chimie faisait un bond en avant, doublant sa production. Les plastiques et les textiles artificiels, les hydrocarbures étaient largement responsables de ce *boom*. On avait découvert du gaz à Lacq, du pétrole à Parentis, et même au Sahara, en 1956. En 1958 l'indice de la production industrielle était le double de celui de 1939. Le « miracle français » touchait tous les domaines : l'électronique, l'automobile et même l'industrie aéronautique avec le lancement, en 1957, de *Caravelle*.

La société française était bouleversée par l'industrialisation ; et d'abord la démographie. Depuis la guerre, les Français avaient perdu le culte du fils unique. Les lois sociales et les dispositions fiscales avantageaient les familles nombreuses. L'industrie, par ses besoins croissants en main-d'œuvre, encourageait l'immigration de travailleurs étrangers et l'exode rural. Il y avait régulièrement 800 000 naissances au moins tous les ans, un excédent annuel de 250 000 personnes, soit 2 millions et demi de nouveaux Français tous les dix ans.

La région parisienne était la grande bénéficiaire des migrations intérieures. Elle accueillait chaque année 100 000 habitants en plus dans un désordre urbain indescriptible, alors que l'effort de construction et d'équipement demeurait très insuffisant. L'écart des salaires entre Paris et la province était en grande partie responsable de la migration. Paris et sa région comptaient en 1958 plus de huit millions d'habitants, soit 18 % de la population totale de la France. Ces nouveaux arrivés, très jeunes pour la plupart, allaient habiter les sinistres « villes dortoirs » ou les « grands ensembles » de banlieue.

Après Paris, la moitié Nord de la France — au Nord d'une ligne Rennes-Valence — recevait les bienfaits de l'industrialisation, alors que les régions situées au Sud de cette ligne s'enfonçaient, sauf exception notable, dans le sous-développement. Le Nord, la Lorraine et l'Alsace, la Haute-Normandie, la région Rhône-Alpes étaient les lieux privilégiés d'une expansion qui « oubliait » le Midi. La population de Toulouse et de Nice augmentait, mais Marseille et Bordeaux périclitaient, en dépit des hydrocarbures. Des déserts économiques s'installaient dans l'Ouest, dans le Centre, dans le Sud-Ouest. La France était très inégalement développée, mais, grâce au surdéveloppement du Nord, elle basculait définitivement dans l'âge industriel. Sept Français sur dix habitaient la ville en 1960.

LES OUBLIÉS DE L'EXPANSION.

Les problèmes de l'agriculture ne devaient pas être atténués par l'exode rural, bien au contraire ; après une forte période de hausse, les prix agricoles se stabilisaient, alors que les prix industriels continuaient régulièrement à monter. Les paysans ne percevaient pas le profit de leur politique d'investissements dans la modernisation. Ils faisaient travailler l'industrie sans toucher les bénéfices de leurs efforts.

Dès 1953 des mouvements violents de revendication éclataient dans les campagnes, toujours surpeuplées en dépit des départs vers la ville. Les besoins des agriculteurs, intégrés par le crédit et la modernisation dans la vie industrielle, avaient crû plus vite que leurs ressources. Les petits et les moyens exploitants devenaient les protestataires de la société d'abondance, et leur protestation prendrait vite l'aspect d'un mouvement régional, parfois d'allure autonomiste. Le *Centre national des jeunes agriculteurs*, avec Michel Debatisse, organisait des actions concertées, pour faire pression sur les pouvoirs publics et obtenir des ajustements de prix. Les jeunes agriculteurs demandaient en même temps des réformes profondes dans les structures de production et surtout dans les circuits de distribution. Ils exigeaient l'organisation par l'État des principaux marchés, la constitution de sociétés d'intervention foncière permettant de constituer des ensembles plus vastes d'exploitation.

La coexistence, au sein du monde industriel, des grandes entreprises et des petits ateliers était restée, en 1958, la caractéristique de la société française. Il est vrai que la concentration atteignit un degré inconnu auparavant dans les industries lourdes et la chimie par exemple, et que les petites et moyennes entreprises avaient des conditions de vie plus difficiles. C'est pourquoi la revendication ouvrière avait un double caractère ; chez les petits artisans et entrepreneurs, on demandait la protection de l'État contre les grands, l'atténuation de la pression fiscale jugée intolérable.

LES « NOUVELLES COUCHES SOCIALES ».

Mais chez les ouvriers des grandes entreprises, qui étaient très relativement les privilégiés de l'expansion, un syndicalisme « de gestion » semblait se développer, qui insistait moins sur les problèmes de salaires que sur le contrôle de la gestion des entreprises, sur la sécurité de l'emploi, sur la formation du personnel. Les « accords d'entreprise » conclus chez Renault en 1955, qui garantissaient une hausse des salaires indexée sur le coût de la vie et une garantie d'emploi, tendaient à se généraliser, cependant que le syndicalisme assagi renonçait aux grèves « politiques » des années 1950-1952 pour multiplier les « grèves techniques », catégorielles, estimées plus « payantes ».

La nouvelle bourgeoisie de 1958 n'était pas constituée, comme avant la guerre, de rentiers, mais de cadres achetant à crédit et capitalisant grâce au crédit. A l'américaine, la société « de consommation » avait commencé par toucher les salariés les plus élevés dans la hiérarchie, pour gagner progressivement les petits cadres, tentés eux aussi par les facilités du crédit. Les industries modernes, où la proportion des cadres était de 12 à 20 % des salariés, constituaient avec les administrations et le secteur tertiaire (commerce, publicité, services divers) une nouvelle couche sociale, inconnue avant la guere et qui remplaçait les anciennes « classes moyennes ».

Les réactions de cette nouvelle bourgeoisie étaient imprévisibles : on s'aperçut cependant très vite qu'elle aspirait à l'ordre, au confort, à la sécurité, à la dépolitisation. La mode des automobiles, des vacances, des week-ends et des résidences secondaires, les progrès rapides de la télévision, éloignaient les cadres et les ouvriers spécialisés des partis et des syndicats, dont les effectifs fondaient au soleil de l'expansion. La France s'intéressait de moins en moins à la « République des députés ». Elle assistait avec une croissante indifférence aux jeux parlementaires considérés comme futiles, coûteux et anachroniques.

Les convulsions du régime.

LES MALHEURS DE LA DROITE.

La décolonisation continuait d'empoisonner la vie politique : l'affaire d'Indochine obligeait le gouvernement à envoyer de plus en plus de renforts et de matériel. Les soldats de métier menaient une guerre extrêmement dure, sans être le moins du monde soutenus par une opinion qui s'indignait au contraire du coût trop élevé des opérations. Il y avait autour de l'Indochine une odeur de scandale (le trafic des piastres) et de mauvaise foi. Personne ne croyait à l'indépendance du soi-disant Viet Nam de Bao Daï. Quand, en 1950, de Lattre mourut, il était clair que le seul objectif raisonnable, pour son successeur Raoul Salan, était la seule défense du delta du Tonkin.

L'armée d'Afrique avait été partiellement engagée dans les opérations indochinoises, et bientôt la révolte gagnait les protectorats d'Afrique du Nord, où les anciens soldats français étaient nombreux. Les rapports avec la Tunisie s'étaient détériorés au point que Robert Schuman avait dû faire arrêter Bourguiba. On avait envoyé l'armée pour faire face à la guérilla déclenchée dans tout le pays. Pareillement, au Maroc, le mouvement de l'*Istiqlal* vers l'indépendance avait été contrarié par Juin, et le remplacement de Juin par Guillaume avait, à grand-peine, évité la rébellion. On était au bord du drame. Ni en Afrique du Nord ni en Indochine, les responsables politiques français n'avaient de doctrine. Ils ne savaient ni partir ni rester. Ils comptaient sur les Américains pour durer. Leur politique était au jour le jour.

Ils maintenaient l'Union française hors d'eau, alors qu'elle menaçait à tout moment de sombrer. Ils la prolongeaient sans avoir de moyens militaires, financiers et diplomatiques suffisants. La France de M. Pinay n'était pas disponible pour une guerre, même coloniale. L'électorat de droite s'indignait des abandons sans vouloir consentir les sacrifices nécessaires.

Pour la France des années 50, la Résistance n'était déjà qu'un souvenir lointain. La presse de la Libération avait sombré corps et biens. Elle était remplacée par des journaux à grand tirage, entre les mains de quelques groupes financiers puissants. Cette presse de consommation n'avait que faire de l'héroïsme. Le grand feuilleton des années 50 était *Caroline chérie* de Cecil Saint-Laurent, publié dans *France-Dimanche*. Les « intellectuels » étaient-ils plus conscients ? On jouait sur les boulevards *Les Mains sâles* de Jean-Paul Sartre, condamné à Moscou, encensé à New York. Dans *L'Opium des Intellectuels*, Raymond Aron expliquait longuement que les notions de droite et de gauche n'avaient plus aucun sens, qu'on avait oublié la « lutte des classes » parce qu'il n'y avait plus de « classes ». Comment mobiliser les Français en leur expliquant qu'ils défendaient en Indochine le « monde libre » contre le communisme, selon la doctrine de Georges Bidault, alors qu'ils avaient le spectacle quotidien de la démobilisation des communismes européens ?

L'ENTERREMENT DE LA C.E.D.

S'il était difficile de lever le contingent pour se battre en Indochine, on pouvait très bien, par contre, mobiliser l'opinion publique sur le thème de la lutte contre la *Communauté européenne de défense* (*C.E.D.*). Il suffisait d'expliquer aux Français qu'ils risquaient d'avoir une armée commandée par des officiers allemands.

Le projet de C.E.D. était pourtant, à l'origine, une idée française. Les « Européens » du Parlement avaient voulu éviter le réarmement unilatéral de l'Allemagne. La C.E.D. empêchait qu'il y eût une armée nationale allemande. René Mayer, Georges Bidault, un certain nombre de députés socialistes approuvaient le projet d'une armée allemande « intégrée ». Les cédistes soutenaient que leur projet était le moins mauvais possible, puisque les Américains exigeaient que l'Allemagne fût réarmée.

Les communistes faisaient évidemment campagne contre la C.E.D. puisqu'elle était destinée à assurer la « défense de l'Occident » contre les pays de l'Est. Quant aux gaullistes, ils attaquaient vivement le projet au nom de l'indépendance nationale. Ils étaient aidés par certains radicaux, comme Édouard Herriot.

La droite au pouvoir éludait le débat. Ni Pinay ni Laniel, des « indépendants », n'étaient soucieux d'ouvrir un dossier qui allait les brouiller avec les gaullistes. Ils avaient sur les bras l'ensemble des problèmes coloniaux. Ils ne pouvaient capoter sur la C.E.D., d'autant qu'il ne leur était pas toujours facile de la défendre. Un des leurs, René Coty, venait d'être élu Président de la République.

Ils consolidaient leurs progrès dans l'opinion publique, affichant volontiers la défense d'un certain nationalisme. La presse et certains groupes de pression commençaient à exiger le maintien de la présence française en Afrique du Nord. Les *Jeunes Indépendants* soutenaient ce courant d'opinion, également animé par les gaullistes. Michel Debré, dans *Le Courrier de la Colère*, protestait avec vigueur contre le moindre signe de faiblesse outre-mer. Comment être patriote dans l'Union française, et accepter une armée intégrée? Les indépendants ne voulaient certes pas avoir l'air moins cocardiers que les gaullistes. Au Parlement, dans les cadres de l'armée, dans la presse, une nouvelle droite s'affirmait avec force, regroupant les notables indépendants ou radicaux, le gaullisme autoritaire et patriote, et les centurions qui giflaient place de l'Étoile un ministre de la Défense, devant la tombe du soldat inconnu.

LE MENDÉSISME.

Tout ce qui était hostile, en France, au maintien du colonialisme, mais aussi tout ce qui souhaitait une politique nouvelle, adaptée au monde moderne, généreuse et dynamique, nationale, mais efficace, applaudit à la venue au pouvoir de Pierre Mendès France. Il était, d'entrée de jeu, l'homme nouveau.

Le désastre de Dien Bien Phu, en 1954, impliquait l'abandon à court terme de l'Indochine. Il exaspérait les partisans du maintien de la présence française outre-mer. Mais comment se maintenir, alors que la situation s'était constamment dégradée depuis la mort du général de Lattre de Tassigny? Salan avait 400 000 hommes sous ses ordres mais le Viet Minh attaquait en force au Tonkin et vers le Laos, soutenu par les Chinois. On avait espéré attirer et détruire les forces d'Ho Chi Minh dans la cuvette de Dien Bien Phu. On espérait un succès militaire qui permît de négocier la paix dans de bonnes conditions. Le 13 mars 1954, le général Giap donnait l'assaut au camp retranché français, où les meilleures troupes du corps expéditionnaire devaient tomber entre les ma̧ns de l'ennemi.

On imagine mal le retentissement de Dien Bien Phu. La télévision n'était pas encore répandue au point que l'humiliation nationale fût présente dans tous les foyers, mais la presse, dans son ensemble, réagissait avec la plus grande vigueur, en des sens d'iamétralement opposés, à gauche comme à droite. A Paris le gouvernement Laniel tombait dans la confusion. Appeler Mendès France, pour la Chambre, c'était appeler le diable.

Depuis 1946 il n'avait cessé de condamner la politique de facilité, l'absence de vues d'ensemble des dirigeants, la veulerie de l'opinion. Il voulait un redressement, spectaculaire. Celui qui avait eu le courage de proposer à de Gaulle, en 1945, une politique d'austérité n'était certes pas homme à leurrer l'opinion sur les chances réelles de la France outre-mer. Il fallait faire la part du feu, tout de suite, et sauver ce qui pouvait l'être, après tant d'années de flottement. Contrairement à beaucoup de ses collègues radicaux, Pierre Mendès France était pour la franchise et l'efficacité.

Soutenu par les hebdomadaires parisiens qui militaient pour une politique libérale outre-mer (*L'Express* où écrivait François Mauriac et *L'Observateur* de Claude Bourdet et Roger Stéphane), P.M.F. mettait à la fois la majorité de la Chambre et les négociateurs étrangers devant un calendrier précis : il réussissait à négocier et à faire accepter à Paris les accords de Genève qui réglaient le problème indochinois sur le modèle de l'armistice coréen, et permettaient le rembarquement du corps expéditionnaire. L'Indochine était perdue après une guerre de sept ans. Elle avait coûté 3 000 milliards d'anciens francs et fait 92 000 victimes, chez les Français et leurs alliés.

Après cette amputation, le chirurgien Mendès France abordait le problème tunisien. Il propulsait avec lui en Tunisie le général Juin, ouvrait à Carthage une négociation avec Bourguiba, sorti de prison, en faisant une déclaration libérale. Il ne put aller plus loin, devant les menaces du parti africain qui s'était constitué à Paris, et dut même accepter de couvrir au Maroc une politique qu'il n'approuvait pas : on avait déposé le sultan Mohammed V que l'on avait déporté en Corse, puis à Madagascar. Mieux encore, devant les menaces qui pesaient sur l'Algérie, Mendès France avait fait une déclaration très ferme sur la présence de la France dans ses départements du Maghreb, et nommé délégué général le gaulliste Jacques Soustelle qui déclarerait bientôt :

« Un choix a été fait par la France, ce choix s'appelle l'intégration.

Sur le fond de la politique coloniale, Mendès France ne fut donc à aucun moment le « bradeur d'Empire » que dénonçaient ses ennemis de la droite. Il était au contraire entraîné à des contradictions, en raison des conditions difficiles de l'exercice du pouvoir sous la IVe République. S'il était pour l'évolution, il devait se prononcer pour la fermeté sous peine d'être balayé par le courant nationaliste. Même contradiction dans le débat sur la C.E.D. qui empoisonnait l'atmosphère politique : Mendès dut présenter à l'Assemblée, en raison des engagements internationnaux pris par ses prédécesseurs, un traité qu'il n'approuvait pas et qui fut d'ailleurs repoussé, le 30 août 1954, par 319 voix contre 264.

Cet homme d'entreprise et de réalisation était sans cesse contrarié dans sa course par les nombreux freinages du régime d'assemblée : il avait demandé les pouvoirs économiques spéciaux, pour entreprendre une lutte héroïque contre tous les « assistés » de l'État. Mais comment attaquer les « betteraviers » et « bouilleurs de cru » qui touchaient d'importantes subventions pour transformer en alcool leurs excédents de production, sans mécontenter gravement les notables radicaux ses alliés ?

Précisément, P.M.F. voulait renouveler le parti radical, le galvaniser, lui donner un souffle, un programme, des objectifs. Au début de l'automne, il tentait encore de réanimer le débat au sein du vieux parti, encouragé et suivi par de nombreux jeunes partisans. Mais l'affaire d'Algérie devait porter à Mendès France un coup fatal. On allait rendre sa politique tunisienne responsable de la révolte.

Par sa manière très personnelle de gouverner, par son goût de l'efficacité et son refus du compromis, par les dévouements sincères et spontanés qu'il avait réussi à susciter chez de tout jeunes serviteurs de l'État, Pierre Mendès France s'était fait au Parlement beaucoup d'envieux. Les seules sympathies qui lui étaient réellement acquises étaient à gauche ou chez certains gaullistes. Les républicains populaires le rendaient responsable de l'échec de la C.E.D. ainsi qu'un certain nombre de radicaux. La droite l'accusait d'avoir « bradé » l'Union française. Ses propres amis lui reprochaient d'avoir brisé l'union des centres, et rendu la République ingouvernable.

De fait Pierre Mendès France, comme Edgar Faure, comme Antoine Pinay, comme René Pleven, estimait le régime parlementaire menacé. Le gouvernement ne pouvait avoir d'autorité sur des majorités trop restreintes. Peut-être fallait-il réformer les institutions, en finir avec le désordre. Déjà Mendès France avait réussi, au cours de son gouvernement, à faire voter quelques mesures précises pour faciliter le travail parlementaire et renforcer la sécurité des gouvernements. Il était difficile d'aller plus loin, devant les exigences contradictoires des différents groupes politiques : il était en particulier impossible de trouver un accord général sur la réforme de la loi électorale de 1951.

L'AFFAIRE ALGÉRIENNE ET LA FIN DES NOTABLES.

Les gouvernements qui succédèrent à Pierre Mendès France, quelle que fût leur qualité, devaient être nécessairement les victimes de l'instabilité puisque le régime n'avait pas su trouver en lui-même de remède ni de sauveur. Edgar Faure réussit à lancer une politique « d'expansion dans la stabilité » qui assura à l'économie française un essor remarquable. Il organisa la lutte contre la rébellion en Algérie, tout en favorisant, au Maroc, « l'indépendance dans l'inter-dépendance ». Mais ce spécialiste de la pré-révolution (il devait écrire sa thèse sur Turgot) ne parvint pas à faire réformer les institutions. Il prit la décision de dissoudre une Chambre ingouvernable en décembre 1955. C'était la première dissolution de l'histoire de la République depuis Mac-Mahon.

Elle ne fut pas profitable à Edgar Faure. Le *Front républicain* (Mendès France, Guy Mollet, Mitterrand, Chaban-Delmas) l'emportait assez sensiblement sur le centre-droit d'Edgar Faure. A l'extrême droite, un mouvement de contestation fiscale des commerçants et artisans, animé par un papetier du Lot, Pierre Poujade, gagnait, à la surprise générale, 50 sièges après une campagne des plus violentes, qui avait pour thème : « sortez les sortants » : Les poujadistes voulaient en finir avec le personnel politique de la IVe République.

Les gaullistes et les républicains populaires étaient les victimes de la consultation, qui avait en majorité porté à la Chambre des radicaux mendésiens et des socialistes. Le pouvoir était à gauche : le pays voulait la paix en Algérie.

Chargé de constituer le gouvernement, Guy Mollet, élu sur le thème de la paix, s'entourait de Pierre Mendès France et entreprenait des négociations secrètes avec les mouvements d'insurgés. Une visite à Alger devait lui montrer l'impopularité de cette politique. L'Algérie comptait plus de 800 000 Français ou Européens qui ne voulaient pas entendre parler d'une politique d'abandon. Les « tomates » reçues au « gouvernement général » durcirent la position du président du Conseil, moins que l'échec des premières tentatives de négociation. Il nommait bientôt ministre en Algérie son ami Robert Lacoste, et intensifiait l'effort de guerre : on envoya en Algérie le « contingent », on maintint les soldats sous les drapeaux au-delà de la durée légale et l'on rappela les disponibles récemment libérés. Ce rappel fut difficile. Il y eut des troubles dans les centres de recrutement. L'opinion métropolitaine refusait cette guerre comme elle avait refusé la guerre d'Indochine.

Les socialistes durent longuement expliquer, en France, le sens du combat : on mit l'accent, dans la propagande, sur le terrorisme arabe, on diffusa largement les documents réunis par Lacoste sur les victimes des attentats. On justifiait le « quadrillage » militaire de l'Algérie par la nécessité de protéger les civils contre le terrorisme.

L'affaire d'Algérie était d'autant plus irritante pour les socialistes au pouvoir que tous les autres problèmes coloniaux avaient trouvé leur solution : le Maroc et la Tunisie étaient indépendants. Gaston Defferre avait mis au point, avec l'Ivoirien Houphouët-Boigny, une *loi-cadre* pour l'Afrique Noire, qui donnait l'autonomie aux territoires, en leur promettant l'indépendance. L'intransigeance des Européens et des musulmans en Algérie empêchait toute solution : il fallait continuer la guerre.

Pour les Arabes, elle était dirigée à partir du Caire, où le colonel Nasser semblait défier l'Occident. On avait « bouclé » les frontières tunisienne et marocaine, on avait envoyé dans Alger, pour rétablir l'ordre, les parachutistes du général Massu, mais on se trouvait, pour négocier, devant un problème international : les maîtres du jeu n'étaient pas dans les Aurès, mais au Moyen-Orient.

Si l'opinion de gauche s'élevait avec vigueur contre les méthodes employées dans Alger par les « paras » de Massu, un courant de plus en plus important dénonçait dans la presse l'attitude munichoise des Occidentaux devant Nasser, l'ambiguïté de la politique américaine, la honte d'un chantage dont Israël était la première victime. La fameuse « expédition de Suez » montée par Guy Mollet et les Britanniques surprit le monde entier et suscita de violentes campagnes de presse dans tous les pays occidentaux. Au lieu d'approuver le « coup de force » franco-britannique, la plupart des journaux dénonçaient ou ridiculisaient la « politique de la canonnière ». L'absence presque totale de résistance égyptienne rendait le « coup de poing » occidental encore plus inefficace. Les menaces américaines, puis soviétiques, en obligeant les Franco-britanniques à abandonner, montraient au monde, au monde arabe en particulier, que les Occidentaux n'avaient plus les moyens d'imposer par la force le maintien de leur présence outre-mer, et que rien ne pouvait menacer la politique pan-arabe de Nasser, qui profitait à fond du discrédit où le colonialisme était tombé.

Guy Mollet avait donné satisfaction, par sa réaction massive, à la droite du clan colonialiste, qui depuis longtemps demandait une action internationale. L'échec de Suez devait sonner le glas de ce que l'on appelait, dans une certaine gauche parisienne, le « national-molettisme ». Abandonné depuis longtemps par Mendès France, critiqué par bon nombre de ses amis socialistes, attaqué par la droite sur sa politique économique, Guy Mollet tombait et avec lui disparaissait l'espoir d'une politique cohérente de la gauche.

L'AGONIE.

Les gouvernements Bourgès-Maunoury et Félix Gaillard devaient accumuler les blocages. Le projet de « loi-cadre » pour l'Algérie échouait pendant l'été de 1957. De plus en plus, le pouvoir militaire occupait le vide laissé par le pouvoir civil défaillant. En Algérie, l'armée avait charge d'âmes. Les officiers devaient veiller non seulement au moral du contingent, à la protection des Français, mais aussi à la fusion des communautés et à l' « intégration » des musulmans. Ils avaient une tâche écrasante et s'indignaient de n'être pas davantage soutenus et compris à Paris.

En France où la situation économique et financière redevenait mauvaise (on avait dû de nouveau dévaluer) l'humiliation nationale de la crise de Sakhiet devait emporter le gouvernement Gaillard : des avions français avaient bombardé un village tunisien. Il y avait des victimes civiles. Le gouvernement français avait dû recourir aux « bons offices » d'une mission anglo-saxonne pour dénouer la crise. On parlait à droite d'entrer en campagne, d'aller « coucher dans le lit de Bourguiba ». L'opposition nationaliste devenait violente, relayée en Algérie par l'opinion « pied-noir », et par les chefs de l'armée.

La désignation de l'alsacien Pierre Pflimlin comme président du Conseil mit le feu aux poudres à Alger. Pflimlin avait écrit récemment un article où il se déclarait partisan d'une solution libérale, négociée, en Algérie. Le jour du débat d'investiture, le 13 mai 1958, la foule algéroise se rassemblait devant le gouvernement général. Des groupements politiques organisaient une manifestation, qui dégénéra en véritable sécession. Un *Comité de salut public* présidé par Massu s'empara du pouvoir à Alger. Il envoya au Président Coty un télégramme comminatoire. A Paris l'Assemblée investissait le cabinet Pflimlin. Même les communistes avaient voté pour lui. L'incompréhension était totale entre Alger et Paris.

C'est alors qu'intervint de Gaulle, dans la lassitude d'une opinion publique qui ne voyait pas de solution au conflit, en dehors d'un rassemblement des Français autour d'un « sauveur ». Le Général se garda d'approuver l'émeute. Il dressa simplement le constat de l'impuissance du régime, qu'il avait maintes fois dénoncée, et se déclara prêt à assumer la charge du pouvoir suivant une procédure régulière et acceptée de tous. Certains éléments gaullistes assuraient la liaison avec Alger et le Comité de salut public. A Paris la négociation du Général avec les chefs politiques fut longue et difficile. Il reçut certains d'entre eux, rencontra même Pierre Pflimlin. Devant les menaces de l'armée, et l'indignation de l'opinion publique, et malgré la manifestation d'union parfaitement réussie par les gauches réconciliées, l'accord fut enfin conclu : le 1er juin 1958 l'Assemblée votait à une large majorité une loi constitutionnelle qui autorisait le général de Gaulle, chef du gouvernement, à établir une constitution nouvelle. Le Général allait pouvoir réaliser le programme du discours de Bayeux. La IVe République avait vécu. Elle avait d'elle-même mis fin à ses jours.

CHAPITRE 21

La Ve République

PP 261-285

Les équipes et les idées étaient prêtes depuis longtemps quand de Gaulle franchit le Rubicon en mai 1958. Installé au pouvoir, qu'il n'avait pas pris, mais ramassé, il lui suffisait d'imposer aux parlementaires, qu'il traitait désormais avec un mépris poli, les grandes lignes d'une constitution qui avait mûri douze ans dans le silence de Colombey-les-deux-Églises.

La grande fête gauloise était terminée. Il n'y aurait plus de luttes tribales, de comportements incontrôlés, de danses du scalp au Palais-Bourbon, de course au pavois, de navigation improvisée : le grand roi franc avait pris Paris, avec ses barons du Nord. Quand il aurait fait sa paix avec les Sarrazins, il serait bien difficile de le renvoyer dans ses terres.

D'autant que Paris était désormais le centre de l'activité tourbillonnaire de la troisième révolution industrielle. Comme la tornade blanche, celle-ci décapait l'ancienne société. Les choix politiques des hardis barons encourageaient ce bond en avant de l'économie. De 1958 à 1966 pas de chômage, peu de grèves, pas de « question sociale ». Tous sont à l'ouvrage, avec la foi dans l'expansion indéfinie. La « politique de prestige » encourage et facilite les exportations françaises dans le monde entier. Les complexes d'infériorité ont disparu : les Français savent, maintenant, qu'ils peuvent fabriquer et vendre aussi bien que les autres, et qu'ils ont les moyens de bien vivre, de vivre libres, comme des Américains!

L'euphorie, l'optimisme des années 60 ne résiste pas, il est vrai, au grand vent de mai 68. La secousse en France est rude, mais non décisive. Le départ inopiné du Général, en 1969, surprend, afflige beaucoup, mais n'inquiète pas. La France gaullienne, malgré les orages, survit à de Gaulle.

Le miracle français.

UN FRANC TOUT NEUF.

Les conditions d'un véritable départ de l'économie étaient réunies dès 1958. L'effort fait depuis la Libération dans les industries d'équipement portait ses fruits, ainsi que le développement du crédit sous toutes ses formes. La reconstitution de l'épargne et du capital, la concentration financière des grandes sociétés, tout annonçait un grand départ : il y manquait la stabilité financière et politique, permettant de faire des choix industriels pour dix ans, en toute sécurité.

L'assainissement monétaire fut l'œuvre de Jacques Rueff, Antoine Pinay, Valéry Giscard d'Estaing, représentants d'un néo-libéralisme français qui rendait à l'or sa fonction fondative : la dévaluation de 1958 « à froid » fut une réussite parfaite. Le *franc de Gaulle* perdait 14,93 % de sa valeur, mais il se définissait par rapport à l'or et c'était l'essentiel. Le *nouveau franc*, qui valait nominalement cent francs de la IVe République, devait rapidement s'affirmer comme monnaie forte en Europe, et permettre à la France d'affronter sans problèmes les diverses étapes de libération des échanges prévues par le traité de Rome de 1957 entre les six pays du marché commun. La politique étrangère du gaullisme faisait du respect des clauses du marché commun l'une de ses lignes fondamentales.

Dès le début des années 60, cette politique permit la concentration des capitaux. La hausse continue des valeurs mobilières (jusqu'en 1962) assurait aux entreprises un financement puissant. La réforme du marché financier, qui intervint alors, était destinée à assurer la continuité de ce financement : divers avantages fiscaux étaient destinés à assurer aux acheteurs de titres boursiers des placements rémunérateurs. On facilitait la création de sociétés de gestion de l'épargne, qui se substituaient aux acheteurs inexpérimentés dans l'exploitation des portefeuilles, et leur garantissaient un rapport déterminé.

Malgré la baisse des valeurs, qui survint après 1962, et les débuts de la spéculation sur l'or, le marché financier put être réanimé. L'inflation continue du dollar obligeait l'économie française à vivre de plus en plus sur la défensive. Après avoir été trop riche en or et en devises, la France risquait à son tour d'en manquer, si la spéculation, qui avait miné le dollar, jouait à son tour contre le franc.

LES MONOPOLES.

L'élargissement continu du marché financier s'était accompagné, à partir de 1962, d'un mouvement de concentration des capitaux. Des groupes puissants se constituaient, par fusion de sociétés, parfois dans un contexte international ou européen. Péchiney s'alliait, dans l'industrie chimique, à Saint-Gobain. Peugeot et Renault s'associaient. La Fiat italienne prenait, non sans problèmes, une participation dans la Citroën. La plupart des grandes sociétés françaises étaient soumises à ces concentrations, quand elles ne les provoquaient pas.

Le but était d'exercer un contrôle monopolistique du marché, ou de se grouper pour affronter mieux la concurrence. Ainsi Michelin, qui contrôlait Citroën depuis 1934, devait absorber Panhard-Levassor en 1965 et prendre une participation majoritaire dans Berliet. Certains groupes américains profitaient du mouvement de concentration pour absorber des sociétés françaises. La présence américaine était très forte dans les industries électroniques. Michel Debré, ministre des Finances au plus fort de ce raz de marée, croyait bon d'indiquer au micro d'*Europe 1* qu'il ne voyait pas d'inconvénients aux investissements américains en France, à condition qu'ils ne prennent pas de participation majoritaire dans les industries travaillant pour la Défense nationale... La concentration monopolistique était un phénomène mondial. Il était inévitable que l'économie française y fût soumise, quel que fût le désir des dirigeants gaullistes d'éviter les absorptions et de limiter les implantations de capital étranger en France.

LES CHOIX ÉNERGÉTIQUES.

La concentration des capitaux s'accompagnait en France d'une révolution de l'énergie. Le choix politique de l'engagement de la recherche scientifique et technique dans la voie nucléaire ne donnait pas les résultats attendus en raison du coût élevé du procédé français, laborieusement mis au point. Mais le mouvement général de la recherche, la concentration de quelques grandes sociétés en une sorte de *pool atomique* (Péchiney, Schneider, Alsthom, etc.), l'édification des premières centrales nucléaires et la construction du sous-marin atomique servaient finalement le progrès industriel par la mise en activité de certaines techniques de pointe. La France, après prospection du territoire et des anciennes colonies, pouvait produire 770 000 tonnes d'uranium brut par an, et 1 200 tonnes de métal raffiné, ce qui n'était pas négligeable.

C'est à l'électricité et au pétrole que la France gaullienne devait son nouveau profil énergétique. L'équipement rapide en hydro-électricité (la France était, de ce point de vue, en tête des pays européens) fut réalisé dans la période 1950-1962. Il porta ses fruits dans les années 60. La consommation électrique devait doubler tous les dix ans. La France réussit à équilibrer production et consommation. Des régions entières purent accéder à l'industrialisation grâce à l'électricité : la région Rhône-Alpes, déjà très engagée, l'Alsace, la Normandie, les Pyrénées.

La politique pétrolière et gazière contribua à cette expansion. Les oléoducs et les gazoducs sillonnèrent le territoire, permettant les implantations industrielles. Les importations d'hydrocarbures par tankers géants facilitèrent la reconversion des ports, têtes de pont des grands pipe-lines intérieurs. Le développement de l'énergie électrique et pétrolière accélérait la désaffection pour les mines de charbon. Il n'y avait, dans les années 60, aucune inquiétude pour l'approvisionnement de l'Europe en hydrocarbures, à des prix rendant ce type d'énergie meilleur marché. La Ve République devait effectuer de difficiles reconversions de mineurs, dans le Massif Central, mais aussi dans le Nord.

LES NOUVELLES INDUSTRIES.

L'approvisionnement massif des ports en matières énergétiques favorisait l'installation des grandes entreprises sidérurgiques au fil de l'eau, et la désaffection des régions traditionnellement productrices, comme la Lorraine. L'abandon progressif des mines de fer de Lorraine suscitait des troubles graves chez les mineurs, et même dans les entreprises de construction métallique.

Une nouvelle métallurgie se construisait dans les ports. A Dunkerque on importait du minerai étranger à haute teneur en fer, suédois, espagnol ou mauritanien. Des minéraliers géants assuraient l'approvisionnement des hauts fourneaux les plus modernes d'Europe : on traitait à Dunkerque 4 000 tonnes d'acier par jour. Toutes les industries modernes bénéficiaient de l'afflux d'énergie. Péchiney installait des usines d'aluminium dans les montagnes. La France devenait le troisième producteur mondial. Elle investissait en Guinée, en Grèce et même aux États-Unis. La chimie des phosphates et des engrais de synthèse se groupait près des ports. Elle était aux mains de Péchiney et d'Ugine-Kuhlmann.

L'électronique investissait les régions les plus développées, car ses 500 000 salariés devaient avoir une formation professionnelle. Une bataille s'engageait entre les groupes français et étrangers pour la domination du marché. I.B.M. et Bull General Electric dominaient la fabrication des ordinateurs, mais la Compagnie générale d'Électricité et la Compagnie française de Télégraphie sans fil se réservaient les marchés d'appareils électriques. L'État créait une Compagnie française de Télévision, associée à Thompson-Houston et à Saint-Gobain, pour lancer le procédé de télévision en couleurs S.E.C.A.M. inventé par Henri de France.

D'autres industries connaissaient une vive expansion sous le gaullisme : l'automobile par exemple, qui atteignait dans les années 60 des chiffres de production record. La France était au troisième rang des producteurs mondiaux d'avions : Sud-Aviation continuait à construire des *Caravelles* et des hélicoptères. En mars 1969 elle faisait voler le premier prototype de *Concorde*, l'avion supersonique franco-britannique. Nord-Aviation se spécialisait dans les appareils militaires. La *Générale aéronautique Marcel Dassault* construisait les célèbres *Mirages*, chasseurs très appréciés à l'étranger... et des petits réacteurs d'affaires qui se vendaient très bien en Amérique.

LES « BLOCAGES » DE L'ANCIENNE FRANCE.

Ces industries étaient largement exportatrices. Elles constituaient, avec les industries d'armement, le fer de lance de l'appareil économique français. D'autres industries, exportatrices dans le passé, avaient des difficultés pour s'adapter au Marché commun. Les industries textiles par exemple, qui souffraient de la fermeture des anciens marchés coloniaux. Elles supportaient très mal la concurrence de la chimie synthétique. Elles devaient connaître, en pleine prospérité, le « chômage technique ».

Ainsi la France gaullienne, dans bien des domaines, connaissait des crises et des blocages, avec une économie en expansion rapide. Les industries de pointe manquaient souvent de cadres, de techniciens, tandis que les industries les moins adaptées se séparaient de leur personnel, faute de pouvoir le reconvertir. Un gigantesque travail de ventilation de la main-d'œuvre était en cours, une révision souvent déchirante de la carte industrielle de la France, dans la hâte et parfois dans l'improvisation. Ce mouvement des entreprises et des hommes à travers le territoire impliquait des tensions et des conflits locaux, qui débouchaient souvent sur le terrain politique.

Il n'existait alors ni formation professionnelle adaptée, ni crédits pour le recyclage des cadres et des techniciens en sous-emploi. Des régions entières comme le Nord, patrie des textiles, étaient dans l'embarras. Des adaptations astucieuses (comme Moulinex en Normandie) fixaient une main-d'œuvre nouvelle dans des régions traditionnellement agricoles, alors que les régions traditionnellement industrielles comme le Nord avaient beaucoup de mal à se reconvertir.

LE MONDE RURAL.

L'agriculture avait la même fièvre d'adaptation et de changements que l'industrie. Elle devait faire face au Marché commun. La grande agriculture industrielle n'était pas en peine. Elle doublait sa consommation d'engrais, atteignait dans les céréales des rendements record.. Les producteurs de vins fins, de primeurs, de fruits, de produits d'élevage se plaçaient sur les marchés étrangers aussi bien que leurs concurrents italiens, beaucoup mieux que les Allemands.

L'agriculture pauvre, celle du Midi, du Centre, de l'Ouest, avait par contre beaucoup de mal à s'adapter aux conditions nouvelles des marchés. La France de 1967 comptait encore 1 700 000 exploitations agricoles dont la moitié étaient inférieures à dix hectares et la très grande majorité inférieures à cinquante hectares. Les terres les plus ingrates devaient être abandonnées, elles ne nourrissaient plus leur homme.

Depuis 1966 l'État avait pris l'initiative des remembrements. Mais ils étaient plus faciles dans les régions les plus riches, plus difficiles ailleurs, où la méfiance était grande. Le mutualisme, l'organisation des marchés n'étaient pas des remèdes suffisants pour les plus déshérités. Dès 1960 et 1961 des troubles graves éclataient en Bretagne, en Languedoc, à Avignon et à Perpignan. Les Bretons prenaient d'assaut une sous-préfecture.

Ceux qui restaient à la terre (1 500 000 agriculteurs l'avaient quittée de 1954 à 1962) étaient encore 15 % de la population active. Le gaullisme ne pouvait négliger ni leur puissance électorale, ni la menace grave des contestataires de la France verte. Des *Sociétés d'aménagement foncier et d'établissement rural* (*S.A.F.E.R.*) furent mises en place dans les départements, avec mission d'exercer un droit de préemption sur les ventes de terres, de les acquérir et de les revendre à des jeunes agriculteurs. Des *Sociétés foncières agricoles*, (*S.F.A.*) garanties par l'État, achetaient pour leur compte des terres qu'elles louaient à des exploitants. Un fonds d'action sociale donnait une indemnité viagère aux agriculteurs âgés et distribuait leurs terres aux jeunes. Cet énorme travail d'organisation et d'intervention n'empêchait pas les paysans mécontents de se grouper en syndicats très actifs : en 1953 avait été créée la *Fédération nationale des syndicats d'exploitants agricoles* (*F.N.S.E.A.*). Les petits exploitants adhéraient au *Comité de Guéret* (socialiste), au *Mouvement de défense des exploitations familiales* (communiste), au *Centre national des Jeunes agriculteurs* de Michel Debatisse, puis de Serieys. Les jeunes agriculteurs contestaient la « nouvelle société » où ils estimaient leur place insuffisante.

LES VICTIMES DES GRANDES SURFACES.

Autres contestataires : les commerçants. Le bond en avant de la production industrielle avait eu pour conséquence le gigantisme des « points de vente ». Les villes et les banlieues nouvelles n'avaient plus de « boutiques » mais des « grandes surfaces », qui passaient directement les marchés avec les grandes entreprises. Le petit commerce représentait en 1962 70 % du commerce intérieur français. Il n'était plus en 1969 que 50 %. Les magasins populaires (Uniprix, Monoprix), les magasins à prix unique et les « grandes surfaces », véritables « usines à vendre », s'emparaient du marché. On leur reprochait d'obtenir de l'État des conditions fiscales plus avantageuses. Les petits commerçants demandaient à l'État aide et protection, quand ils ne rejoignaient pas les rangs d'un syndicalisme violent, héritier du poujadisme, celui de Gérard Nicoud et du

C.I.D.U.N.A.T.I. Les actes de violence se multipliaient contre les grandes surfaces et les perceptions. Mais le débat des commerçants avec l'État ne faisait pas revenir les clients dans les boutiques : les goûts et les besoins s'étaient modifiés. Les familles de travailleurs se satisfaisaient de produits standard, voire de produits « surgelés », qu'elles achetaient une fois par semaine dans un grand magasin pourvu d'un vaste parking. L'évolution des mœurs s'opposait ici au maintien d'une activité traditionnelle. Les victimes en rendaient l'État responsable.

LA « NOUVELLE SOCIÉTÉ ».

L'État était à la fois conscient de ces changements et de leur caractère inéluctable. Il ne mettait en aucune manière en question la poursuite de l'industrialisation et de l'urbanisation. Au contraire : le choix pour une société industrielle était profond, irréversible. On en acceptait toutes les conséquences sociales et politiques.

L'industrialisation avait accru les effectifs ouvriers, mais bien davantage les emplois « tertiaires ». Ils étaient 40 % de la population active (contre 35 % en 1945). La multiplication de ces emplois était un phénomène mondial, dans les pays industriels. Les travailleurs du tertiaire n'étaient généralement pas syndiqués, sauf dans l'enseignement et dans certaines administrations. S'ils n'avaient pas de revenus très supérieurs à ceux des ouvriers, ils attachaient plus qu'eux d'importance au mode de vie, ils s'intéressaient passionnément aux vacances, aux loisirs, ils recouraient volontiers au crédit. Ils formaient une classe flottante, dépolitisée, très attachée aux valeurs de la « société de consommation ».

La France comptait, en 1969, 190 000 ingénieurs et 450 000 « cadres supérieurs ». La multiplication de ces personnels était une conséquence directe du bond industriel. Ils étaient très attachés au credo de la nouvelle société : expansion, organisation, adaptation. Ils étaient les gardiens privilégiés de l'idéologie dominante et soutenaient généralement la Ve République, même si, lecteurs des hebdomadaires d'opposition, ils étaient susceptibles de basculer du jour au lendemain dans l'autre camp, en fonction de la conjoncture.

Le régime politique se devait de coïncider aussi étroitement que possible avec ces forces politiques nouvelles, disponibles, mais difficiles à mobiliser, promptes à l'adhésion comme à la révolte. La forme politique, rigide dans sa théorie institutionnelle, avait dû s'adapter souplement aux nécessités de l'économie comme aux pulsions de la société. La Vᵉ République n'était pas, comme la précédente, un régime du XIXᵉ siècle prolongé. Sur le tard, la France avait sécrété, dans l'approximation et non sans confusion, une République industrielle.

La République gaullienne décolonise : 1958-1962.

DE GAULLE ET L'ALGÉRIE.

Les premières années de la Vᵉ République devaient être dominées par le problème algérien. Au départ, de Gaulle n'avait pas d'idée préconçue. Il croyait sans doute que son retour au pouvoir suffirait largement à dénouer la situation, à désarmer les antagonismes. N'était-il pas garant désormais, devant les Arabes, de la parole de la France? Quant aux « pieds-noirs » il avait appris à les connaître. La nomination de Michel Debré comme Premier ministre devait suffir à les rassurer. Le polémiste du *Courrier de la Colère* n'était pas l'homme des abandons. Pourtant Soustelle avait été écarté du ministère de l'Intérieur. Où allait le Général?

Avec une Chambre largement dominée par le nouveau parti gaulliste, l'U.N.R. (Union pour la Nouvelle République) qui avait 206 élus aux élections contre 10 au P.C. et 47 à la S.F.I.O., l'opposition de gauche n'avait plus de voix. Le nouveau scrutin d'arrondissement avait donné au général une chambre docile, prête à le suivre aveuglément.

Il avait fait un voyage en Algérie, sans faire vraiment le choix d'une politique. Sans se décider pour l'intégration, il avait dû, devant un adversaire qui ne désarmait pas, accentuer l'effort militaire et lancer le *Plan de Constantine* qui avait pour but de faire « décoller » économiquement le pays. Toute une génération de jeunes Français — et notamment les jeunes cadres sortis des grandes écoles — allait se dévouer totalement aux tâches d'assistance et de sécurité, pendant quatre ans. Une Algérie nouvelle pouvait-elle naître, bien éloignée du vieux pays des colons et des privilégiés? De Gaulle a pu le croire. Pensait-il à cette Algérie de l'avenir, celle de la réconciliation dans l'effort et dans l'égalité, quand il déclarait au très *ultra* directeur de *L'Écho d'Oran*, en avril 1959 : « L'Algérie de papa est morte » ?

Le Général devait sortir de l'imprécision et lancer en septembre 1959 sa fameuse politique de l' « autodétermination », qui devait, pensait-il, donner satisfaction à la fois aux musulmans et aux Français de bonne volonté.

> « Je m'engage, disait-il, à demander d'une part aux Algériens dans leur douze départements, ce qu'ils veulent être en définitive et d'autre part à tous les Français d'entériner ce que sera ce choix. »

Il proposait en effet le choix entre la sécession, qui entraînerait selon lui « un chaos politique », l'intégration ou « francisation » et l' « association » ou « gouvernement des Algériens par les Algériens, appuyé sur l'aide de la France et en liaison étroite avec elle ». Avait-il cru, par cette dernière proposition, se rallier toutes les faveurs ? Était-il mal informé ?

Le gouvernement provisoire de la République algérienne (G.P.R.A.) fit en tout cas savoir qu'il était hostile à cette proposition, parce qu'elle faisait des Français d'Algérie, et de l'armée française les arbitres de la consultation. Quant aux « pieds-noirs », ils affirmaient qu'il n'y avait pas d'autre solution pour l'Algérie que l'intégration et ils prétendaient exprimer ainsi l'opinion des chefs de l'armée. Ce point de vue trouvait en France de nombreux défenseurs dans une certaine presse, au Parlement, voire dans les rangs de la majorité, voire au gouvernement.

L'ALGÉRIE FRANÇAISE CONTRE DE GAULLE.

Le 19 janvier Massu, « pacificateur » d'Alger, donna une interview à un journal allemand, en faveur de l' « Algérie française ». Il fut aussitôt démis de ses fonctions, rappelé à Paris. Alger dressait des barricades.

De nouveau, Paris et Alger n'étaient plus sur la même longueur d'onde. C'est de Gaulle qui rétablit le contact, rudement. Le 29 janvier, il apparut à la télévision dans sa tenue de général de brigade, avec pour insigne la croix de Lorraine. Il donna ordre à l'armée d'obéir, et réaffirma la politique d'autodétermination. Une grève générale symbolique d'une heure fut décidée par tous les syndicats, pour soutenir son action. L'armée et les chefs militaires, qui avaient suivi le discours du Général, même en brousse, grâce aux « transistors », se soumirent aussitôt. Comme le dit dans ses *Mémoires* le colonel Argoud, il y avait dans l'armée de nombreux officiers supérieurs, « incapables de raisonner dès lors que de Gaulle a parlé ». Les officiers partisans de la thèse « ultra », comme Argoud, n'étaient pas la majorité. Les mutins des barricades étaient abandonnés. Tout rentrait dans l'ordre.

Pour un temps seulement : à Paris, le Général avait demandé et obtenu du Parlement les « pouvoirs spéciaux ». Soustelle et Cornut-Gentile, partisans de l'Algérie française, étaient écartés du pouvoir. Déjà Pinay ne faisait plus partie du gouvernement, en raison de son opposition aux données de la politique économique et financière. Les hommes de l'Algérie française risquaient de trouver au Parlement un terrain favorable.

De Gaulle entreprit en Algérie sa célèbre « tournée des popotes » pour rassurer l'armée au niveau de ses capitaines, et décida d'entrer en contact avec les représentants du G.P.R.A. Les premières conversations (Melun, juin 1960) n'aboutirent pas : les rebelles voulaient traiter sur un pied d'égalité avec la France. Le Général ne voulait pas négocier avant le cessez-le-feu. Il demandait « la paix des braves ». Il voulait que les rebelles « laissent le couteau au vestiaire ».

En France, une violente opposition se dessinait contre la guerre. Les intellectuels protestaient contre la torture, le manifeste des 121, signé en particulier par J.-P. Sartre, demandait en septembre l'arrêt immédiat des combats et lançait un appel à l'insoumission.

LA NÉGOCIATION ET LA RÉVOLTE.

Le 4 novembre 1960, de Gaulle, déçu par le faible écho de ses propositions aux Algériens, faisait un pas décisif en faveur de la négociation. Désormais, il voulait aboutir, et vite. « La République algérienne existera un jour », déclarait-il. A Paris, il fallut de nouveau modifier le gouvernement, écarter les partisans de l'intégration. A Alger, Morin remplaçait Delouvrier, cependant qu'à Paris Joxe devenait ministre d'État chargé des affaires algériennes. Désormais de Gaulle et Joxe allaient assumer seuls la négociation, presque en dehors du Premier ministre Debré, dont les sympathies pour l'Algérie française étaient connues.

En janvier 1961 le Général demandait au pays, par voie de référendum, s'il approuvait la politique d'autodétermination, 56 % des inscrits l'approuvèrent. Les communistes et l'extrême droite avaient fait voter « non ». En Algérie sept électeurs sur dix approuvaient. Pour les « pieds-noirs », il ne restait que la révolte.

L'Organisation de l'armée secrète (O.A.S.) constituait ses réseaux clandestins pendant l'hiver de 1960-1961. Elle allait provoquer, à Alger d'abord, à Paris ensuite, une série d'attentats spectaculaires. L'Algérie serait-elle une Irlande ?

Le 22 avril 1961, quatre généraux s'emparaient du pouvoir à Alger, arrêtant les délégués du gouvernement français Morin et Robert Buron, annonçant leur intention de maintenir par la force la présence française. Le général de Gaulle dénonçait avec la plus grande fermeté l'absurdité de la rébellion d'un « quarteron de généraux en retraite ». Le contingent ne suivit pas les ordres des officiers rebelles. Seuls les régiments de mercenaires s'étaient divisés. De ce fait, la rébellion put être facilement réduite, sans que le sang coule. Les généraux Challe, Zeller, Salan et Jouhaud se rendirent ou s'enfuirent. Comme le disait le général de Gaulle au Conseil des ministres :

> « Ce qui est grave, messieurs, dans cette affaire, c'est qu'elle n'est pas sérieuse. »

Son discours du 23 avril à l'armée avait suffi à désamorcer le complot.

> « Au nom de la France, avait-il dit, j'ordonne que tous les moyens, je dis tous les moyens, soient employés pour barrer la route à ces hommes-là, en attendant de les réduire. J'interdis à tout Français, et d'abord à tout soldat, d'exécuter leurs ordres... L'avenir des usurpateurs ne doit être que celui que leur destine la rigueur des lois. »

Cette rigueur, de Gaulle la voulait exemplaire. Elle fut tempérée par l'entourage de Michel Debré et en particulier par Jean Foyer. L'affaire d'Alger avait exaspéré les partisans de l'Algérie française, en France comme en Algérie. Il ne fallait pas de nouveau diviser irrémédiablement les Français.

Pourtant le pouvoir parisien ne pouvait plus compter que sur la force pour imposer sa politique libérale. En mai 1961 avait commencé la première négociation d'Évian avec le G.P.R.A. Elle devait échouer en juin en raison des prétentions algériennes sur le pétrole du Sahara. La crise franco-tunisienne de juillet, à propos de Bizerte, devait envenimer le climat. Il fallait conclure vite : l'armée avait perdu le moral et l'O.A.S. multipliait ses actions terroristes. En septembre un attentat avait failli coûter la vie au général de Gaulle. Il y avait eu huit morts, au métro Charonne, au cours d'une grande manifestation organisée par les communistes, huit morts étouffés qui se précipitaient dans la bouche du métro pour échapper aux charges de la police.

En février, Joxe négociait de nouveau avec le G.P.R.A. Il n'était plus question de se disputer le Sahara. On l'abandonnait. L'Algérie ne serait pas limitée. La communauté européenne serait intégrée à l'État algérien. En mars, à Évian, les accords étaient enfin signés : un Exécutif provisoire devait assurer l'ordre en Algérie, sous la direction de Christian Fouchet. Un référendum aussitôt organisé en France démontrait l'approbation massive du pays (80 %) à cette politique de paix. Une première phase de l'histoire de la Ve République venait de s'achever.

Non sans douleur : la grande majorité des Français d'Algérie choisissait de partir. En 1962, 700 000 d'entre eux regagnaient la métropole, dans un dénuement souvent total. Salan, arrêté au mois d'avril, sauvait de peu sa tête. Les chefs politiques de l'O.A.S., Soustelle et Bidault, trouvaient refuge à l'étranger, attendant une amnistie qui ne surviendrait qu'en 1969. La dernière étape de la décolonisation avait été sans conteste la plus douloureuse.

La grande politique du Général : 1962-1969.

UN NOUVEAU RÉGIME.

Débarrassée de l'affaire algérienne, la Ve République allait enfin pouvoir donner sa mesure, et les Français pourraient mesurer le changement. Jusqu'en 1962, ils avaient admis une sorte de régime d'exception, largement justifié par la situation, sans prêter trop attention aux changements constitutionnels. On savait que le Président de la République était le maître de l'Exécutif, qu'il nommait les ministres et le Premier ministre. On avait déjà

assisté, de 1958 à 1962, à des révocations spectaculaires. L'Élysée
devenait un pouvoir, le « château », comme disaient les députés. Le
Premier ministre était en réalité le « commis » du « château ». Le Président tenait son pouvoir d'un collège électoral de 80 000 grands
électeurs comprenant les parlementaires, les délégués des conseils
municipaux, les conseillers généraux. Le Parlement ne pouvait pas
aussi facilement faire tomber les ministères : la « motion de censure », qui obligeait le Premier ministre à démissionner, devait
être votée à la majorité absolue. Il n'y avait plus d'interpellations
à la Chambre.

De Gaulle, qui avait remplacé Michel Debré par Georges Pompidou, son directeur de cabinet, voulait en finir avec l'ambiguïté
d'un régime qui restait encore, à ses yeux, trop soumis au schéma
parlementaire. Le 12 septembre 1962, il fit savoir qu'il proposait
au pays un référendum sur le principe de l'élection du Président
au suffrage universel. Le Général mettait tout son poids dans cette
réforme, que le milieu parlementaire (et en particulier les sénateurs) contestait :

> « Si la majorité des *oui* est faible, médiocre, aléatoire,
> disait-il, il est bien évident que ma tâche sera terminée aussi-
> tôt et sans retour. »

La situation politique était tendue : les responsables du complot
d'Alger avaient été jugés : on avait épargné les chefs, et fusillé
quelques lieutenants. Jouhaud, condamné à mort, n'avait pas été
exécuté. Degueldre, oui. Bastien Thiry, responsable de l'attentat
du Petit-Clamart contre le Général, avait été fusillé. L'extrême
droite et l'armée en révolte avaient désormais leurs victimes. La
fronde parlementaire se déchaînait. On ridiculisait Pompidou,
choisi par de Gaulle, on voyait dans cette nomination un mépris
pour le Parlement. Ce normalien, ancien fondé de pouvoirs d'une
grande banque d'affaires, connaissait à la fois la finance et la rhé-
torique, mais certainement pas le Palais-Bourbon. Il n'avait obtenu,
pour son vote de confiance, que 259 voix contre 128 et 119 abstentions! Tous les partis d'opposition faisaient campagne contre le
projet de référendum, aidés par une grande partie de la presse. Le
Sénat réélisait comme président Gaston Monnerville, farouche
adversaire du référendum. A l'Assemblée, le gouvernement Pompidou était censuré par 280 voix, sur initiative de Paul Reynaud.
Aussitôt le Général prononçait la dissolution de la Chambre. La

campagne pour le référendum serait jumelée avec des élections législatives.

Mais le pays voyait que de Gaulle avait apporté la paix, ce que les parlementaires n'avaient jamais su faire. Les élections devaient être un triomphe pour de Gaulle, un camouflet pour la caste politique. Il faut dire que le Général n'avait pas hésité à descendre dans l'arène pour régler leur compte aux vieux partis.

> « Les partis de jadis, disait-il, ne représentent pas la nation. »

On avait mené de pair, du côté des gaullistes, la campagne du référendum et celle des législatives ; rondement. Une *association pour la Ve République*, présidée par André Malraux, avait donné les investitures aux candidats de l'U.N.R. et de l'U.D.T. (*Union démocratique du travail*) qui regroupait les gaullistes de gauche. On avait aussi distribué des investitures aux indépendants et à des républicains populaires, créant ainsi, avant les élections, la future majorité. Du côté de l'opposition, le *cartel des non* avait décidé de répartir les candidatures pour battre les gaullistes avec le maximum d'efficacité. Les communistes allaient seuls au combat du premier tour, mais déjà Guy Mollet déclarait qu'entre un communiste et un gaulliste, il choisirait au second tour le communiste.

Un véritable raz de marée gaulliste devait surprendre, dès le premier tour, les observateurs politiques. L'U.D.R. dominait, majestueuse, une poussière de partis. La majorité de ceux que l'on appelait dans *Le Canard enchaîné* les « députés godillots » était absolue. Les députés de gauche n'étaient qu'une centaine. Georges Pompidou revenait aux affaires, prenant une revanche éclatante sur la motion de censure.

Mais surtout le Général avait gagné son référendum. Contre l'avis de tous les partis, les électeurs avaient choisi, par 13 millions de *oui* contre 8 millions de *non*, l'élection du Président de la République au suffrage universel. Les *non* provenaient essentiellement des régions situées au sud de la Loire. L'Est, le Nord, la région parisienne avaient voté *oui*. Le référendum opposait la France des Francs à l'antique *Romania* attachée aux traditions parlementaires. Au nord de la Loire, on souhaitait en politique efficacité et autorité. Au sud, on voulait défendre les franchises, les traditions, et aussi les privilèges. Les deux France avaient parlé selon leur conscience. Mais le scrutin modifiait en profondeur les attitudes politiques :

ce n'est pas dans le cadre des partis que l'on pourrait se défaire du gaullisme : l'opposition devrait jouer durement le jeu de l'élection présidentielle. Il faudrait que la gauche s'y adapte.

LA « POLITIQUE MONDIALE » DU GÉNÉRAL DE GAULLE.

Pour la première fois depuis cinquante ans, la France renouait avec une tradition : concevoir sa politique étrangère à l'échelle du monde, avec des idées d'ensemble, des principes, des moyens. De Gaulle rendait sa fonction à la diplomatie, jusque-là reléguée aux tâches de transmission ou de représentation dans les organismes internationaux.

La première idée simple du Général était la libération des peuples, qu'il était, disait-il, du devoir de la France de soutenir : pour « libérer » l'Afrique noire, il suffisait au Général d'élargir la loi cadre Houphouet-Defferre de 1956 et de créer la Communauté. Les États membres, en 1960, choisirent tous l'indépendance. La coopération succédait à la colonisation pour quatorze États nouveaux d'Afrique Noire et de Madagascar. Des « experts » militaires et civils étaient envoyés dans tous les États, à leur demande, pour assurer le décollage économique, politique, social et scolaire. D'un printemps à l'autre, aux mâts du rond-point des Champs-Élysées, un nouveau drapeau à dominante verte venait annoncer aux Parisiens la visite d'un de ces chefs d'État africains dont certains, comme Senghor ou Houphouet Boigny, étaient déjà très connus du public. Des milliers de « coopérants » prenaient le chemin de l'Afrique Noire, des enseignants, des médecins, des agronomes ou des spécialistes de la formation professionnelle. La France était libérée de l'Empire et les nouveaux Français étaient bien accueillis dans les anciennes colonies.

Il restait à la France à se libérer elle-même des liens qui l'intégraient, depuis 1947, dans les diverses communautés à tendance supranationale. Le général de Gaulle avait accepté une certaine idée de l'Europe. Mais il ne voulait pas que la France y perdît sa souveraineté. A l'Europe intégrée, il préférait l'Europe associée, dont le premier acte était la réconciliation franco-allemande. Les liens privilégiés qu'il établissait avec Conrad Adenauer devaient permettre le spectaculaire voyage en Allemagne de l'Ouest de septembre 1962 et la visite à l'École des Officiers de Hambourg. Le traité franco-allemand de janvier 1963 était un premier pas vers l'axe franco-allemand, qui devait, selon de Gaulle, dominer le Marché commun. Cela supposait, de la part de la France, une volonté déterminée d'intégration économique, malgré les difficultés agricoles, et pendant longtemps l'éviction de la candidature britannique, considérée comme inopportune. Le rêve gaullien d'une Europe unie « de l'Atlantique à l'Oural » supposait l'affranchissement de l'Europe de l'Ouest à l'égard des États-Unis.

LE NEUTRALISME POSITIF.

La politique d'ouverture vers l'Est était la conséquence du refus de l'intégration atlantique. Il fallait « abandonner cette communauté atlantique, colossale, sous présidence et direction américaine ». Cette politique supposait que les partenaires européens du Marché commun suivissent la France. Si le Général réussit à rendre la défense française indépendante par rapport aux États-Unis, les autres pays d'Europe restèrent sous orbite américaine. La France était déphasée.

Mais elle devenait une puissance militaire : la force de frappe nationale, engagée sous la IVᵉ République, avait été discutée et approuvée par le Parlement en 1960. Cette année-là, en février, la première bombe française avait explosé au Sahara. Une loi-programme de cinq ans était adoptée en 1964, après que le Général eut refusé de participer en 1963 à la conférence de Moscou sur la limitation des armes nucléaires. La France gaullienne faisait de son armée moderne l'article essentiel de sa politique étrangère.

Dans ces conditions, l'intégration atlantique avait vécu. Déjà la France avait interdit aux Américains d'installer sur le territoire des « rampes de lancement » pour les fusées. La flotte française était retirée au commandement interallié de l'Atlantique. En 1965 le Général annonçait son intention de retirer la France de l'O.T.A.N. C'était chose faite en 1966.

Le dégagement à l'égard de l'Amérique s'accompagnait d'une politique d'entente et d'ouverture avec les pays de l'Est, y compris la Chine. A la suite d'une mission d'Edgar Faure, la France reconnaissait en 1964 la Chine communiste. Un voyage triomphal accompli par de Gaulle à Moscou en 1966 devait contribuer à accréditer l'image de marque d'une France neutraliste et pacifique, mettant ses bons offices à la disposition d'une réconciliation planétaire de l'Ouest et de l'Est. La médiation française dans l'affaire d'Indochine, ressentie douloureusement à Washington, confirmait cette optique, dont les grandes lignes avaient été fixées dans le discours de Pnom-Penh. Les visites présidentielles accomplies en Afrique, en Amérique du Sud, au Brésil, au Canada (vive le Québec libre! avait crié devant la foule le Général) rendaient non seulement à la France, mais à l'Europe son poids et son prestige dans les relations internationales.

LA « ROGNE ET LA GROGNE ».

Comment cette politique était-elle reçue par l'opinion française ? Depuis cent ans, la règle était l'indifférence relative de l'opinion aux questions de politique étrangère. Toutefois, pour des raisons de fierté nationale, la politique d'indépendance avait paradoxalement la faveur du public : il voulait l'indépendance sans la force de frappe. A partir de 1966 les premiers effets de la crise mondiale mettaient déjà au premier plan les problèmes économiques et sociaux, et la politique extérieure du Général tendait à être présentée comme une inutile et coûteuse « politique de prestige » par ses adversaires de gauche comme de droite.

A l'extrême droite les antigaullistes s'appuyaient sur les rapatriés d'Algérie et comptaient bien constituer, derrière l'avocat Tixier-Vignancour, un groupe de pression puissant en métropole. Les nostalgiques de l' « Algérie française » rejoignaient les opposants à la démocratie directe du Général, les notables de la droite et du centre, les républicains populaires partisans de l'Europe supranationale...

Ces forces disponibles du centre et de la droite, le maire socialiste de Marseille, Gaston Defferre, avait en vain tenté de les unir dans une opposition non communiste au gaullisme, une sorte de nouvelle « troisième force ». Il avait échoué. Force était donc aux socialistes de se retourner vers leurs vieux adversaires communistes pour constituer un « front uni » et peut-être reconstituer un « Front populaire ». Curieusement l'initiative vint d'un homme seul, qui n'avait pas été nourri au sérail de la Cité Malesherbes, François Mitterrand, un homme du centre.

Le renforcement présidentialiste du régime devait donner raison à Mitterrand, qui depuis des années prêchait à l'opposition qu'elle ne pourrait jamais gagner sans les communistes. Mitterrand avait créé avec quelques « clubistes » une *Convention des institutions républicaines* qui allait servir de plate-forme pour présenter en 1965 sa candidature aux élections présidentielles, contre de Gaulle. Il réussit à constituer une majorité incluant les communistes, les socialistes rameutés par Guy Mollet, un important parti de radicaux et le P.S.U. (parti socialiste unifié). La droite et l'extrême droite faisaient voter Jean Lecanuet ou Tixier-Vignancour.

Mitterrand réussit à mettre le Général en ballottage, bien qu'il eût mis toute son autorité dans la balance. Il est vrai qu'il avait négligé l'esprit public, et particulièrement la télévision. La découverte de l'instrument comme moyen d'action politique était récente en France. Jusqu'alors on détournait du petit écran les grands conflits politiques, donnant à l'information télévisée le caractère d'une sorte de journal officiel. Mais les récepteurs de T.V., en 1965, étaient présents dans tous les foyers. Les Français découvraient à l'heure du potage les arguments de l'opposition, qu'ils ne connaissaient guère, ne lisant plus les journaux, et le visage des opposants, qu'ils ne connaissaient pas, puisqu'ils ne passaient pas à la télévision. La jeunesse relative de Lecanuet, l'habileté de Mitterrand étaient une révélation pour les téléspectateurs, qui avaient oublié la politique.

L'âpreté de la bataille, la victoire finale du Général, par trois millions de voix, acclimataient la nouvelle Constitution en faisant la démonstration que l'élection était le résultat d'un vaste débat d'idées politiques entre les deux France. Le régime avait à tort douté de lui-même. Il avait suffi que le Général eût consenti à « dialoguer » avec un journaliste, au lieu de monologuer dans l'Olympe, pour qu'il l'emportât aisément.

Mais il était difficile, désormais, de minimiser l'opposition en parlant de « rogne et de grogne » : le mécontentement des Français avait des causes profondes, et l'élection présidentielle lui donnait l'occasion de s'exprimer politiquement. L'élection législative, ce « troisième tour des présidentielles », comme l'écrivait le directeur du *Monde* Jacques Fauvet, devait confirmer la « dynamique de la gauche » dont parlait François Mitterrand. Le ressac gaulliste se confirmait. Les difficultés des rapatriés d'Algérie, l'apparition du chômage, les crispations de la reconversion industrielle, avec toutes ses conséquences sociales, l'impopulaire « plan de stabilisation », premier signe visible de la crise économique, tout indiquait que les beaux jours de la prospérité étaient finis. La *F.G.C.S.* de Mitterrand avait 120 députés (au lieu de 89) et les communistes étaient 72, au lieu de 41.

LE VENT DE MAI.

La crise de mai 68 devait surprendre le pays en pleine mutation. Les forces politiques étaient le reflet de ces incertitudes profondes. La gauche profitait, à l'évidence, de la mauvaise conjoncture économique et sociale. Elle avait des problèmes d'union et de fusion mais la majorité avait aussi les siens : le gaullisme autoritaire mécontentait de plus en plus les élus « giscardiens » qui demandaient, comme condition de leur alliance, une libéralisation plus avancée de la vie politique et de la vie publique. C'était le « oui mais » de Valéry Giscard d'Estaing. La droite d'opposition exerçait une perpétuelle guérilla aux lisières de la majorité, sans que celle-ci parvînt ni à l'intégrer, ni à la désarmer.

Depuis mars, la crise était ouverte dans certaines universités : des groupes d'agitateurs s'étaient constitués çà et là, à la manière allemande. La T.V. avait diffusé le portrait de Rudi Dutschke (Rudy « le rouge ») et le « mouvement du 22 mars » à Nanterre développait son action de propagande, avec « red Dany », Daniel Cohn-Bendit. Le pouvoir laissait faire, pas fâché de voir ces « professeurs, mandarins hostiles à toutes les réformes, aux prises avec les jeunes déchaînés ». Un peu d'agitation aiderait à transformer l'enseignement supérieur.

Mais la masse des étudiants était devenue considérable : elle avait triplé en dix ans. Ils étaient désormais 600 000 et leur destin concernait bien des familles françaises. Beaucoup s'interrogeaient avec angoisse sur la finalité de leurs études, sur la rareté et la précarité des débouchés, mais aussi sur le sort qui les attendait dans une « société de consommation » où leur insertion était tristement programmée : la crise morale était chez eux plus grave que la crise matérielle.

Les premières bagarres, au début de mai, eurent rapidement pour conséquence la mobilisation spontanée de masses étudiantes décidées à l'affrontement : le 7 mai, ils étaient plus de 60 000 au Quartier latin. Le mouvement s'étendait en province, où les facultés se mettaient en grève.

Relayant et amplifiant la révolte étudiante, le monde ouvrier entrait dans l'action, sous l'effet d'une irrésistible poussée de la base. Un ordre de grève générale était lancé par la C.F.D.T. et la F.E.N. (Fédération de l'éducation nationale) pour le 13 mai. Ce jour-là les syndicats tous réunis organisaient une manifestation de

200 000 personnes à la Bastille. Le lendemain, le général de Gaulle partait pour la Roumanie.

Pendant son voyage, du 14 au 18, la situation s'était considérablement aggravée. Les occupations d'usines se multipliaient, la S.N.C.F. entrait dans la grève, le mouvement des universités parisiennes avait gagné toute la province. L'intervention du Général le 19 (« la Réforme oui, la chienlit non ») ne devait pas calmer les esprits, mais elle mobilisait silencieusement les masses inquiètes devant les affrontements continuels, l'effervescence des journalistes des medias, les images de voitures incendiées et de charges brutales diffusées par les écrans de T.V. Même les paysans, peu touchés jusque-là par le mouvement, commençaient à manifester à partir du 24. La France semblait prise de folie.

De Gaulle annonçait un référendum, pendant que Pompidou commençait à Grenelle une longue négociation avec les syndicats. Guena, ministre des P.T.T., faisait couper les moyens de retransmission en direct des événements du Quartier latin. Les postes périphériques ne pourraient plus rendre compte sur le vif des troubles de la rue, faire entendre à la France le bruit des grenades. Le 29 de Gaulle disparaissait brusquement entre Paris et Colombey-les-Deux-Églises. On avait perdu sa trace. On devait apprendre, par la suite, qu'il s'était rendu en Allemagne, pour rencontrer certains chefs de l'armée. Il reparaissait le 30, annonçait la dissolution de la Chambre et l'organisation d'élections législatives. Il ne parlait plus de référendum.

L'autre France respirait. Les gaullistes organisaient la résistance, mobilisaient les militants. Une immense foule se pressait à leur appel, le 30 mai, de la Concorde à l'Étoile. Dès lors, la partie était gagnée. La foule silencieuse, qui subissait jusque-là les événements, avait retrouvé sa voix.

Elle retrouvait aussi les bulletins de vote. On voterait dès le 23 juin, dans un pays revenu à la vie normale. L'essence, longtemps rationnée, coulait à flots, les trains, les postes, l'E.D.F., les services publics et les banques avaient repris progressivement le travail. Depuis le 13 juin les étudiants nettoyaient la Sorbonne que la police occupait sans problème le 16, ainsi que le théâtre de l'Odéon. Les groupements d'extrême gauche étaient dissous, leurs militants arrêtés. Seules la T.V. et la radio restaient en berne, elles ne devaient reprendre leur rythme normal qu'après le deuxième tour des élections.

Ces élections incroyables assuraient à la majorité un triomphe inattendu. La « chambre introuvable » comptait 294 U.D.R. La majorité était absolue : 358 députés sur 485. La gauche était écrasée, laminée. La grande peur de mai envoyait au Palais-Bourbon les gardiens de l'ordre de la majorité silencieuse. Elle devait avoir pour deuxième conséquence le départ du Général.

Il avait renvoyé Pompidou, pris Couve de Murville, il avait lutté de longs mois contre la crise économique et sociale, contre le désordre monétaire. Mais il sentait que le pays, dans ses profondeurs, demandait autre chose que des expédients. Il voulait une réforme des structures politiques et sociales et surtout une sorte de nouvelle donne morale, une remise en question des rapports sociaux, des relations des personnes au sein de la société. Mais comment de Gaulle pouvait-il imposer la réforme aux anciens et aux nouveaux notables, aux défenseurs de l'ordre du passé et aux bénéficiaires de l'ordre nouveau ? Ni la politique de participation, ni la réforme des institutions ne trouvait dans l'opinion des défenseurs chaleureux. La régionalisation était vivement combattue par les notables, et la participation par le monde des affaires. L'échec du référendum constitutionnel d'avril 1969 permettait à Charles de Gaulle d'effectuer une nouvelle retraite, laissant le pays stupéfait, l'opinion déconcertée, devant un départ qui était un événement.

Les héritiers.

Au temps du Général, on se posait beaucoup de questions sur l'« après-gaullisme ». De fait, la succession était difficile. Mais, comme disait Georges Pompidou, la terre tourne, et les problèmes sont là, qui n'attendent pas.

Mai 68 avait changé les *mentalités*, même si les Français n'en étaient pas sur le moment conscients. Quant aux *réalités*, elles se modifiaient à toute allure sous les effets de la crise mondiale. Une succession de détails gauchissait, en s'accumulant, le profil des jours ; les Français s'apercevaient, au bout du compte, que leur vie avait changé, qu'ils avaient un espace plus restreint, un temps plus rigide, une capacité thoracique plus faible. Une nouvelle histoire s'annonçait pour la France. Serait-ce encore l'Histoire de France ?

La France vivait depuis plus de cent ans dans la croyance au progrès indéfini des sciences, des techniques, du mieux-être. La société française, dans son évolution récente, donnait du corps à cette croyance. Jamais le progrès n'avait été plus spectaculaire que pendant ces trente ans, pour les individus, pour la nation. La pseudo-révolution de mai remettait en question les finalités de ce progrès matériel au moment où, par les effets de la crise, il était considérablement ralenti.

Car la crise s'installait, en dépit des différents plans de « redressement » ou de « stabilisation ». Elle était là, pour contrarier le « miracle français » et la puissante expansion qui avait porté le gaullisme. On parlait désormais de « croissance zéro » et des méfaits de la croissance. On faisait campagne sur la pollution. On remettait en question même la politique démographique, après avoir longtemps encouragé la natalité. L'optimisme de l'après-guerre était mort ; la mode « rétro » l'avait emporté.

Toutes les prouesses techniques dont le règne était si fier, l'avion *Concorde*, l'aciérie moderne de Dunkerque, le projet de tunnel sous la Manche, étaient passées au crible de la rentabilité et de l'opportunité. Il n'était plus possible de faire claquer le drapeau, comme sur le toit des maisons achevées, sur des réalisations de prestige. On avait critiqué la société de consommation ? C'était la production, dans ses forces vives comme dans ses cellules de pointe, qui était mise en question et souvent compromise, quels que pussent être les efforts de remise à flot. On avait de plus en plus le sentiment d'un déphasage entre les commandes de l'État et le moteur à grande puissance de la production. Comme si les ordres, de plus en plus nerveux, étouffaient le régime, comme s'ils étaient de moins en moins opérationnels, sur une mécanique qui ne dépendait plus d'un, de six ou de dix États, mais de l'état du monde. On avait le sentiment que la France ne pouvait plus jouer seule son destin, qu'elle était soumise, comme ses voisins, à la succession des crises de l'or, du dollar, de la monnaie, des prix agricoles, de l'énergie, de tous les maux qui, depuis 1968, l'accablaient en rafales.

La dure nécessité donnait raison à ceux qui voulaient, depuis plusieurs années déjà, réformer la société. On parlait plus haut de nouveau « contrat social », on découvrait l'immensité de la tâche à accomplir ; au-delà des bidonvilles et des travailleurs étrangers, on découvrait d'autres injustices, d'autres « blocages ». D'un coup le sort des femmes, et particulièrement des salariées, préoccupait la presse, les *media*, les pouvoirs publics, les organisations politiques et confessionnelles, comme si les inégalités de droit et de fait entre les sexes étaient une nouveauté. Toute l'Europe se mettait de la partie. Quand on militait en France pour la liberté de l'avortement, on bataillait en Italie pour le divorce. C'est la société occidentale tout entière qui demandait à franchir un pallier, celui de la liberté des mœurs et de la sécurité des hommes et des femmes de toute race et de toute condition. Le problème pour les Français n'était plus seulement de gagner plus pour vivre mieux, mais d'accéder à une nouvelle conception de la dignité de la personne.

Très sensible au niveau de la vie sociale et même familiale, la tendance libérale s'affirmait avec force dans les régions où les minorités revendiquaient, parfois avec violence, leur existence légale. On voyait refleurir les troubadours et les bardes bretons. La France n'avait pas d'Irlande mais elle avait ses autonomistes en Corse, en Bretagne, en Languedoc. Les notables avaient refusé le référendum du Général sur les régions, le jugeant trop timide, ou, au contraire, dangereux. Ils étaient désormais aux prises avec une agitation permanente entretenue par des extrémistes de droite ou de gauche. La vieille tendance centrifuge des provinces périphériques — celles qui avaient subi dans le passé les gabelous et les dragons du roi —, durement réprimée par les Jacobins centralisateurs des Républiques successives, se manifestait de nouveau sous le soleil libéral de la société permissive, et parfois avec éclat.

Il est vrai que la simplification de la vie politique sous la Vᵉ République enlevait aux élites locales traditionnelles beaucoup de leur influence. La décadence du Parlement rendait mince le rayonnement des parlementaires. Les revendications des régions se trouvaient noyées, neutralisées, dans la lutte acharnée que se livraient les deux grands partis au moment des élections. Ni la majorité ni l'opposition n'étaient en mesure de soutenir les thèses régionalistes parce que le pouvoir — comme l'antipouvoir — était, de nature, centralisateur. Comme toutes les minorités professionnelles, sociales ou culturelles, les régions devaient, pour se faire entendre, attirer sur elles l'attention par des voies extraordinaires.

La Vᵉ République était solide dans ses institutions. L'élection de Valéry Giscard d'Estaing l'avait démontré. Les nouveaux cadres de l'État garantissaient au pouvoir une grande efficacité. Ils étaient pleinement admis par l'opinion. Mais comment concilier l'autorité et la liberté, l'efficacité et le contrôle, dès lors que le Parlement perdait son pouvoir de pondération ? La décadence du Parlement était continue, irrémédiable. Mai 68 en avait fait l'éclatante démonstration. Les jeunes gens en colère avaient manifesté partout, même autour de l'O.R.T.F. Il ne leur était jamais venu à l'idée de s'en prendre aux parlementaires. Comme s'ils n'existaient pas. A aucun moment les débats du Parlement n'avaient retenu l'attention du pays. Il était devenu un instrument technique de contrôle, il n'était plus une tribune.

Si la République devait trouver une pondération aux excès de pouvoir de l'Exécutif, il fallait manifestement qu'elle la demande aux Français eux-mêmes, « en direct », comme on dit à la télévision. Puisque les contrôles traditionnels étaient insuffisants, et les vieux notables discrédités, il fallait imaginer d'autres contrôles, et, pour les gouvernants, d'autres conduites. Au lieu de trôner dans l'Olympe ils devaient descendre dans la rue, se mettre au niveau des gens, sans craindre de perdre en prestige ce qu'ils gagnaient en contacts. Ils ne devaient pas redouter la critique des *media*, mais au contraire la rechercher, parce qu'elle était un des modes d'expression possibles des tendances profondes. Ils ne devaient pas interdire les manifestations de l'esprit public, mais les provoquer pour les contrôler. Une démocratie nouvelle était en route, en France comme ailleurs. Et ses règles n'étaient inscrites dans aucune constitution.

La fièvre libérale orientait désormais les réflexions — et parfois les décisions du pouvoir politique. Dans les pays occidentaux, on voulait tout libérer d'un coup ; les enfants dans la famille, les soldats dans les casernes, les prisonniers dans les prisons et jusqu'aux animaux dans les zoos. Toute contrainte semblait intolérable. La société libérale, exprimée violemment par les *media*, contestait en vrac l'armée, la justice après l'École et l'Université. Même le parti communiste publiait une « charte des libertés », comme s'il tenait à les garantir. La société française, si longtemps contenue, semblait se précipiter dans la frénésie des libertés, après tant d'autres vieux pays de la très prude Europe du Nord. Avait-on jeté à la mer tous les interdits ?

« Elle ne dure pas longtemps, la fête des fous », chante Leporello dans *Don Juan*. Les peurs ancestrales reviennent à l'horizon mental des Français, à l'approche de la fin du siècle. Trente ans de paix n'ont pas fait oublier la menace, et pour beaucoup la menace la plus grave, c'est la perte de l'identité. Le vent d'Amérique est humide et froid. Celui des steppes risque de geler les rivières et de bloquer les ports. Jamais le coq, au sommet des clochers, n'eut plus de mal à dire le temps. C'est qu'il n'y a plus de saison. Mais y aura-t-il, demain, *une* France ?

Fin de Chapitre 21
Fin de la Quatrième Partie

P. 286 is blank

Bibliographie

PP 287 - 296

OUVRAGES GÉNÉRAUX :

E. LAVISSE : *Histoire de France depuis les origines jusqu'à la Révolution*, Paris, Hachette, 1903-1911.

L. HALPHEN, R. DOUCET, J. DENIAU, J. GODECHOT, M. BEAUMONT : *Histoire de la Société française*, Paris, Nathan, 1955.

G. DUBY : *Histoire de la France*, Paris, Larousse., 3 vol, 1970.

A. DECAUX : *Histoire des Françaises*, Paris, Librairie Académique Perrin, 1972.

A. LATREILLE, E. DELARUELLE, J. R. PALANQUE : *Histoire du Catholicisme en France*, Paris, S.P.E.S., 1960.

SUR LA PRÉHISTOIRE ET L'ANTIQUITÉ :

L. PALES : *Les Néandertaliens en France*. Paris, Masson, 1958.

A. LEROI-GOURHAN : *Les Religions de la Préhistoire*, Paris, P.U.F., 1964.

J. PIVETEAU : *Origine de l'Homme*, Paris, Hachette, 1962.

A. C. HAUDRICOURT et L. HEDIN : *L'Homme et les plantes cultivées*, Paris, Gallimard, 1944.

M. DILLON, N. K. CHADWICK, Ch. J. GUYONVARC'H : *Les Royaumes celtiques*, Paris, Fayard, 1974.

P. M. DUVAL : *Les Dieux de la Gaule*, Paris, P.U.F., 1957.

A. GRENIER : *Les Gaulois*, Paris, Payot, 1945.

H. HUBERT : *Les Celtes*, Paris, A. Michel, 1950.

F. LOT : *La Gaule*, Paris, Fayard, 1947.

P. GRIMAL : *La Civilisation romaine*, Paris, Arthaud, 1960.

P. M. DUVAL : *La Vie quotidienne en Gaule romaine pendant la paix romaine*, Paris, Hachette, 1953.

H. P. Eydoux : *La France antique*, Paris, Plon, 1962.

A. Grenier : *La Gaule, province romaine*, Paris, Didier, 1946.

F. Lot : *La Fin du monde antique et le début du Moyen Age*, Paris, A. Michel, 1968.

SUR LE MOYEN AGE :

L. Musset : *Les Invasions, les vagues germaniques*, Paris, P.U.F., 1965.

P. Riche : *Les Invasions barbares*, Paris, P.U.F., 1967.

R. Latouche : *Les grandes invasions et la crise de l'Occident au Ve siècle*, Paris, Aubier, 1946.

P. Riche : *Éducation et culture dans l'Occident barbare*, Paris, Le Seuil, 1962.

G. Fournier : *Les Mérovingiens*, Paris, P.U.F., 1966.

G. Terrier : *Le Baptême de Clovis*, Paris, Gallimard, 1964.

F. L. Ganshof : *Qu'est-ce que la féodalité?*, Lebegue, Bruxelles, 1957.

Ch. Lelong : *La Vie quotidienne en Gaule à l'époque mérovingienne*, Paris, Hachette, 1963.

J. Chelini : *Histoire religieuse de l'Occident médiéval*, Paris, A. Colin, 1968.

G. Duby : *L'Économie rurale et la vie des campagnes dans l'Occident médiéval, IXe-XVe siècles*, Paris, Aubier, 1962.

J. Le Goff : *La Civilisation de l'Occident médiéval*, Paris, Arthaud, 1964.

R. S. Lopez : *Naissance de l'Europe*, Paris, A. Colin, 1962.

G. Tessier : *Charlemagne*, Paris, A. Michel, 1967.

R. Boutruche : *Seigneurie et féodalité*, Paris, Aubier, 1959.

M. Bloch : *Les Rois thaumaturges*, Strasbourg, Istra, 1924.

R. Fawtier : *Les Capétiens et la France*, Paris, P.U.F., 1942.

M. Bloch : *La Société féodale*, Paris, A. Michel, 1939-1940.

G. Duby : *L'An Mil*, Paris, Julliard, 1967.

F. Lot et F. Fawtier : *Histoire des institutions françaises au Moyen Age*, 3 volumes, Paris, P.U.F., 1957-1962.

P. Wolff et P. Dollinger : *Bibliographie d'histoire des villes de France*, Paris, Klincksieck, 1967.

C. Petit-Dutaillis : *La Monarchie féodale en France et en Angleterre, Xe-XIIIe siècles*, Paris, A. Michel, 1933.

P. Wolff : *Histoire de Toulouse*, Toulouse, Privat, 1958.

J. Le Goff : *Les Intellectuels au Moyen Age*, Paris, Le Seuil, 1957.

E. Perroy : *La Guerre de Cent ans*, Paris, Gallimard, 1946.

P. Contamine : *La Guerre de Cent ans*, Paris, P.U.F., 1968.

G. Duby et R. Mandrou : *Histoire de la civilisation française*, Paris, A. Colin, 1958.

A. Bossuat : *Jeanne d'Arc*, Paris, P.U.F., 1967.

E. G. Léonard : *Les Angevins de Naples*, Paris, P.U.F., 1954.

E. Baratier et F. Reynaud : *Histoire du Commerce de Marseille*, Paris, Plon, 1951.

R. Boutruche : *La Crise d'une société : Seigneurs et Paysans du Bordelais pendant la Guerre de Cent ans*, Paris, Les Belles Lettres, 1947.

C. Higonnet : *Histoire de Bordeaux*, Bordeaux, 1965.

P. Wolff : *Commerce et marchands de Toulouse*, Paris, Plon, 1954.

J. Huizinga : *Le Déclin du Moyen Age*, Paris, Payot, 1948.

M. Mollat : *Genèse médiévale de la France moderne — XIVe-XVe siècles* Paris, Arthaud, 1970.

J. Bartier : *Charles le Téméraire*, Bruxelles, 1946.

P. Murray-Kendall : *Louis XI*, Paris, Fayard, 1974.

E. Gabory : *Anne de Bretagne Duchesse et Reine*, Paris, Plon, 1941.

H. de Man : *Jacques Cœur, argentier du Roy*, Paris, Tardy, 1951.

M. Mollat : *Le Commerce maritime normand à la fin du Moyen Age*, Paris, Plon, 1952.

H. Touchard : *Le Commerce maritime breton à la fin du Moyen Age*, Paris, Les Belles Lettres, 1967.

Ph. Wolff : *Histoire du Languedoc*, Privat, 1970.

J. Delhumeau : *Histoire de Bretagne*, Privat, 1971.

Ch. Higonnet : *Histoire de l'Aquitaine*, Privat, 1972.

Ph. Dollinger : *Histoire de l'Alsace*, Privat, 1972.

M. Mollat : *Histoire de l'Ile-de-France et de Paris*, Privat, 1973.

M. De Boüard : *Histoire de la Normandie*, Paris, 1971.

LA RENAISSANCE ET L'ANCIEN RÉGIME :

P. Chaunu : *Le Temps des Réformes*, Paris, Fayard, 1975.

F. Braudel : *La Méditerranée et le monde méditerranéen à l'époque de Philippe II*, 2 volumes, Paris, A. Colin, 1967.

F. Hincker : *Les Français devant l'impôt sous l'Ancien Régime*, Paris, Flammarion, 1971.

J. Delumeau : *La Civilisation de la Renaissance*, Paris, Arthaud, 1967.

H. Hauser et A. Renaudet : *Les Débuts de l'Age moderne*, Paris, P.U.F., 1956.

R. Mousnier : *Les XVIe et XVIIe siècles*, Paris, P.U.F., 1965.

R. Doucet : *Les Institutions de la France au XVIe siècle*, 2 volumes, Paris, Picard, 1948.

G. Zeller : *Les Institutions de la France au XVIe siècle*, Paris, P.U.F., 1948.

M. Bloch : *Les Caractères originaux de l'Histoire rurale française*, Paris, A. Colin, 1953.

E. Le Roy-Ladurie : *Les Paysans de Languedoc*, 2 volumes, Paris, S.E.V.P.E.N., 1966.

P. et G. Francastel, P. Tine et M. Bex : *Histoire de la peinture française du XIVe au XVIIIe siècle*, 2 volumes, Paris, Bruxelles, 1955.

R. Mandrou : *Introduction à la France moderne 1500-1640*, Paris, A. Michel, 1961.

L. Febvre : *Le Problème de l'Incroyance au XVIe siècle : la religion de Rabelais*, Paris, A. Michel, 1947.

G. Livet : *Les Guerres de religion*, Paris, P.U.F., 1962.

H. Méthivier : *Le Siècle de Louis XIII*, Paris, P.U.F., 1964.

R. Mousnier : *Les XVIe et XVIIe siècles en Histoire générale des civilisations*, T. 4, Paris, P.U.F., 1965.

V. L. Tapie : *La France de Louis XIII et de Richelieu*, Paris, Flammarion, 1967.

R. Mandrou : *Magiciens et sorciers en France du XVIIe siècle*, Paris, Plon, 1968.

P. Gaxotte : *La France de Louis XIV*, Paris, Hachette, 1968.

P. Goubert : *Louis XIV et Vingt millions de Français*, Paris, Fayard, 1966.

R. Mandrou : *La France aux XVIIe et XVIIIe siècles*, Paris, P.U.F., 1967.

H. Méthivier : *Louis XIV*, Paris, P.U.F., 1950.

R. Mousnier : *Les Hiérarchies sociales de 1450 à nos jours*, Paris, P.U.F., 1969.

G. Livet : *L'Intendance d'Alsace sous Louis XIV*, Paris, Les Belles Lettres, 1956.

J. Orcibal : *Louis XIV et les Protestants*, Paris, Vrin, 1951.

P. Bénichou : *Morales du Grand Siècle*, Paris, Gallimard, 1948.

P. Hazard : *La Crise de la conscience européenne*.

B. Teyssèdre : *L'Art au siècle de Louis XIV*, Paris, L.G.F., 1967.

P. Verlet : *Versailles*, Paris, Fayard, 1961.

A. Behrens : *L'Ancien Régime*, Paris, Flammarion, 1969.

H. Méthivier : *L'Ancien Régime* Paris, P.U.F., 1968.

F. Gaxotte : *Le Siècle de Louis XV*, Paris, Fayard, 1974.

H. Méthivier : *Le Siècle de Louis XV*, Paris, P.U.F., 1968.

J. Bouvier et H. Germain-Martin : *Finances et Financiers d'Ancien Régime*, Paris, P.U.F., 1964.

A. Corvisier : *L'Armée française, de la fin du XVIIe siècle au ministère de Choiseul*, 2 volumes, Paris, P.U.F., 1964.

A. Daumard et F. Furet : *Structures et relations sociales à Paris au XVIIIe siècle*, Paris, A.C. 1961.

J. Egret : *La Pré-Révolution française*, Paris, P.U.F., 1962.

E. Faure : *La Disgrâce de Turgot*, Paris, Gallimard, 1961.

C. E. Labrousse : *Esquisse du mouvement des prix et des revenus en France au XVIIIe siècle*, 2 volumes, Paris, Dalloz, 1933.

J. Levron : *Madame de Pompadour*, Paris, Arthaud, 1961.

J. Meyer : *La Noblesse bretonne au XVIIIe siècle*, 2 volumes, Paris, S.E.V.P.E.N., 1966.

R. Pernoud : *Histoire de la Bourgeoisie en France*, Paris, Le Seuil, 1960-1962.

E. Cassirer : *La Philosophie des Lumières*, Paris, Fayard.

M. Launay et J. M. Goulemot : *Le Siècle des Lumières*, Paris, Le Seuil, 1968.

R. Mauzy : *L'idée de bonheur au XVIIIᵉ siècle en France*, Paris, A. Colin, 1960.

LA RÉVOLUTION ET L'EMPIRE :

P. Gaxotte : *La Révolution française*, Paris, Fayard, 1975.

A. Mathiez : *La Révolution française*, Paris, A. Colin, 1959.

F. Furet et D. Richet : *La Révolution française*, 2 volumes, Paris, Hachette, 1965.

J. Godechot : *Les Révolutions 1770-1799*, Paris, P.U.F. 1963.

G. Lefebvre : *La Révolution française*, Paris, P.U.F. (Peuples et Civilisations), 1963.

R. Mousnier, E. Labrousse, M. Bouloiseau : *Le XVIIIᵉ siècle, Révolution intellectuelle, technique et politique, 1715-1815*, Paris, P.U.F. (Histoire générale des Civilisations), 1953.

A. Soboul : *La Révolution française*, Paris, P.U.F., 1965.

P. Caron : *Les Massacres de septembre*, Paris, Maison du Livre Français, 1935.

G. Lefebvre : *La Grande Peur de 1789*, Paris, A. Colin, 1932.

A. Mathiez : *Études sur Robespierre*, 2 volumes, Paris, A. Colin, 1918.

A. Ollivier : *Saint-Just et la force des choses*, Paris, Gallimard, 1955.

J. Godechot : *La Pensée révolutionnaire en France et en Europe 1789-1799*, Paris, A. Colin, 1964.

P. Goubert et M. Denis : *1789, Les Français ont la Parole, les Cahiers de Doléances des États Généraux*, Paris, Julliard, 1964.

P. Bois : *Les Paysans de l'Ouest*, Paris, Mouton, 1960.

A. Soboul : *Les Soldats de l'An II*, Paris, Club Français du Livre, 1959.

J. Vidalenc : *Les Émigrés français 1789-1825*, Fac. des Lettres de Caen, 1963.

J. Godechot : *L'Europe et l'Amérique à l'époque napoléonienne*, Paris, P.U.F., 1967.

G. Lefebvre : *Napoléon*, Paris, P.U.F., 1965.

J. Mistler : *Napoléon et l'Empire*, 2 volumes, Paris, Hachette, 1968.

G. Lacour-Gayet : *Talleyrand*, Paris, Payot, 1946.

J. Godechot : *Les Institutions de la Révolution et de l'Empire*, Paris, P.U.F., 1968.

J. Tulard : *L'Anti-Napoléon, la légende noire de l'Empereur*, Paris, Julliard, 1965.

L. de Villefosse et J. Bouissonnouse : *L'Opposition à Napoléon*, Paris, Flammarion, 1969.

B. Melchior-Bonnet : *La Conspiration du Général Malet*, Paris, Del Duca, 1963.

F. Crouzet : *L'Économie britannique et le blocus continental*, Paris, P.U.F., 1956.

M. Baldet : *La Vie quotidienne dans les armées de Napoléon*, Paris, Hachette, 1965.

LE XIXᵉ SIÈCLE :

G. de Bertier de Sauvigny : *La Restauration*, Paris, Flammarion, 1955.

L. Girard : *La Garde nationale, 1814-1871*, Paris, Plon, 1964.

C. Moraze : *La France bourgeoise*, Paris, A. Colin, 1946.

R. Rémond : *La Droite en France, de la Restauration à nos jours*, Paris, Aubier, 1963.

A. J. Tudescq : *Les Grands notables en France, 1840-1849*, Paris, P.U.F., 1964.

M. Auge-Laribe : *La Révolution agricole*, Paris, A. Michel, 1955.

C. Fohlen : *Naissance d'une civilisation industrielle in Histoire générale du Travail*, Paris, N.L.F., 1961.

B. Gille : *La Banque et le Crédit en France de 1815 à 1848*, Paris, P.U.F., 1959.

A. Daumard : *La Bourgeoisie parisienne de 1815 à 1848*, Paris, S.E.V.P.E.N., 1963.

A. Dansette : *Histoire religieuse de la France contemporaine*, Paris, Flammarion, 1948.

C. Ledré : *La Presse à l'assaut de la monarchie*, Paris, A. Colin, 1960.

J. Bouvier : *Les Rothschild*, Paris, Fayard, 1967.

E. Dolleans : *Proudhon*, Paris, Gallimard, 1948.

M. Reclus : *Monsieur Thiers*, Paris, Plon, 1929.

J. Touchard : *La Gloire de Béranger*, Paris, A. Colin, 1968.

L. Girard : *Naissance et mort de la IIᵉ République*, Paris, Calmann-Lévy, 1968.

P. Vigier : *La Seconde République*, Paris, P.U.F., 1967.

H. Guillemin : *Le Coup du 2 décembre*, Paris, Gallimard, 1952.

G. Duveau : *1848*, Paris, Gallimard, 1965.

J. Maitron : *Dictionnaire géographique du mouvement ouvrier français*, 3 volumes, Paris, Éditions ouvrières, 1964-1966.

J. Bouvier : *Le Crédit Lyonnais*, Paris, Flammarion, 1968.

J. Bouvier, F. Furet, M. Gillet : *Le Mouvement du profit en France au XIXᵉ siècle*, Paris, Mouton, 1965.

M. Lévy-Leboyer : *La Croissance économique en France au XIXᵉ siècle*, Annales, juillet 1968, pp. 788-807.

G. P. Palmade : *Capitalisme et capitalistes français au XIXᵉ siècle*, Paris, A. Colin, 1961.

A. Prost : *Histoire de l'Enseignement en France*, Paris, Colin, 1968.

P. Sorlin : *La Société française*, 2 volumes, Paris, Arthaud, 1969.

A. Dansette : *Histoire du Second Empire*, Paris, Hachette, 1967.

M. Parturier : *Morny et son temps*, Paris, Hachette, 1969.

G. Duveau : *La Vie ouvrière sous le Second Empire*, Paris, Gallimard, 1946.

L. Girard : *La Politique des travaux publics du Second Empire*, Paris, A. Colin, 1952.

D. Halévy : *Visites aux paysans du Centre*, Paris, Grasset, 1961.

A. Adamov : *La Commune de Paris*, Paris, Éditions Sociales, 1959.

G. Bourgin : *La Commune*, Paris, P.U.F., 1969.

H. Guillemin : *Les origines de la Commune*, Paris, Gallimard, 1966.

A. Ollivier : *La Commune*, Paris, Gallimard, 1966.

M. Winock et J. P. Azema : *Les Communards*, Paris, Le Seuil, 1964.

LES RÉPUBLIQUES :

J. B. Duroselle : *La France et les Français 1900-1914, 1914-1920*, 2 volumes, Éditions de Richelieu, 1972.

G. et E. Bonnefous : *Histoire politique de la IIIᵉ République*, 7 volumes, Paris, P.U.F., 1956-1971.

J. Chastenet : *Histoire de la IIIᵉ République*, 4 volumes, Paris, Hachette, 1953-1957.

J. M. Mayeur : *Les Débuts de la IIIᵉ République* in *Nouvelle Histoire de la France contemporaine*, Points, Le Seuil, 1973.

J. Beaujeu-Garnier : *Géographie de la population*, Paris, Gémin, 1963.

J. Bourgeois-Pichat : *Évolution de la population française depuis le XVIIIᵉ siècle*, Populations, octobre 1951 et avril 1952.

F. Crouzet : *Essai de construction d'un indice annuel de la production industrielle française au XIXᵉ siècle*, Annales, janvier 1970.

M. Auge-Laribe : *La Politique agricole de la France de 1850 à 1940*, Paris, P.U.F., 1950.

T. J. Markovitch : *Histoire quantitative de l'Économie française. L'Industrie française de 1789 à 1964*, 4 volumes, Paris, I.S.E.A., 1966.

R. Manevy : *La Presse de la IIIᵉ République*, Paris, Foret, 1955.

J. Kayser : *La Presse de province sous la IIIᵉ République*, Paris, Colin, 1958.

R. Girardet : *La Société française dans la France conteɯporaine, 1815-1839*, Paris, Plon, 1952.

F. Goguel : *La Politique des partis sous la IIIᵉ République*, Paris, Le Seuil, 1968.

A. Siegfried : *Tableau politique de la France de l'Ouest sous la IIIᵉ République*, Paris, Colin, 1913.

A. MELLOR : *Histoire de l'anticléricalisme français*, Tours, Marne, 1966.

R. GIRARDET : *Le Nationalisme français, 1871-1914*, Paris, Colin, 1966.

E. WEBER : *L'Action française*, Paris, Stock, 1964.

P. SORLIN : *Waldeck-Rousseau*, Paris, Colin, 1966.

P. MIQUEL : *Poincaré*, Paris, Fayard, 1961.

E. BEAU DE LOMÉNIE : *Les Responsabilités des Dynasties bourgeoises*, Paris, Denoël, 1947.

J. T. NORDMANN : *Les Radicaux*, Paris, La Table Ronde, 1974.

J. KAYSER : *Les Grandes batailles du radicalisme*, Paris, M. Rivière, 1962.

M. SOULIÉ : *La Vie d'E. Herriot*, Paris, Colin, 1962.

C. WILLARD : *Socialisme et Communisme français*, Paris, Colin, 1967.

G. LEFRANC : *Le Mouvement socialiste sous la IIIᵉ République*, Paris, Payot, 1963.

C. WILLARD : *Le Mouvement socialiste en France, les Guesdistes*, Paris, 965.

G. LEFRANC : *Le Syndicalisme en France*, Paris, P.U.F., 1964.

J. M. MAYEUR : *La Séparation de l'Église et de l'État*, Paris, Julliard, 1966.

G. WORMSER : *La République de Clemenceau*, Paris, P.U.F., 1961.

A. KRIEGEL et J. J. BECKER : *1914, la guerre et le mouvement ouvrier français*, Paris, Colin, 1964.

A. POIDEVIN : *Finances et relations internationales, 1887-1914*, Paris, Colin, 1970.

M. BEAUMONT : *L'Essor culturel et l'impérialisme colonial, 1878-1904*, Paris, Alcan, 1965.

P. RENOUVIN : *La Crise européenne et la Première Guerre mondiale*, Paris, P.U.F., 1962.

J. ISAAC : *Un Débat historique, le problème des origines de la guerre*, Paris, Rieder, 1933.

J. DROZ : *Les Causes de la Première Guerre mondiale*, Paris, Le Seuil, 1973.

G. BOURGIN : *La IIIᵉ République*, Paris, Colin, 1967.

P. BARRAL : *Le Département de l'Isère sous la IIIᵉ République*, Paris, Colin, 1962.

P. BARRAL : *Les Fondateurs de la IIIᵉ République*, Paris, Colin, 1968.

D. HALÉVY : *La Fin des Notables*, Paris, Livre de Poche, 1972. *La République des Ducs*, 1972.

J. LHOMME : *La grande bourgeoisie au pouvoir, 1830-1880*, Paris, P.U.F., 1960.

G. BONHEUR : *Qui a cassé le vase de Soissons ? l'album de famille de tous les Français*, Paris, Laffont, 1963.

M. OZOUF : *L'École, l'Église et la République*, Paris, A. Colin, 1963.

P. RENOUVIN : *La Première Guerre mondiale*, Paris, P.U.F., 1965.

M. FERRO : *La Grande Guerre, 1914-1918*, Paris, Gallimard, 1969.

Arno Mayer : *Political Origins of the New Diplomacy, 1917-1918*, NewHaven, Y.U.P., 1959.

G. Pedroncini : *La Haut Commandement et la poursuite de la guerre 1917-1918*, Paris, 1971.

A. Kriegel : *Aux Origines du parti communiste français, 1914-1920*, Paris, Mouton, 1964.

G. Pedroncini : *Les Mutineries de l'armée française, 1917*, Paris, P.U.F., 1968.

A. Ducasse, J. Meyer, G. Perreux : *Vie et mort des Français*, Paris, Hachette, 1962.

M. Genevoix : *Ceux de 14*, 4 volumes, Paris, Flammarion, 1949.

P. Renouvin : *L'Armistice de Rethondes*, Paris, Gallimard, 1968.

P. Miquel : *La Paix de Versailles et l'opinion publique française*, Paris, Flammarion, 1972.

G. Bonnet : *Le Quai-d'Orsay sous trois Républiques*, Paris, Fayard, 1961.

A. François-Poncet : *De Verdun à Potsdam*, Paris, Flammarion, 1948.

E. Moreau : *Souvenirs d'un gouverneur de la Banque de France*, Paris, Genin, 1954.

C. Fohlen : *La France de l'entre-deux-guerres*, Paris, Castermann, 1966.

A. Sauvy : *Histoire économique de la France entre les deux guerres*, 2 volumes, Paris, Fayard, 1965-1967.

L. Bodin, L. Touchard : *Front populaire 1936*, Paris, Colin, 1961.

G. Lefranc : *Histoire du Front populaire*, Paris, Payot, 1965.

H. Amouroux : *La Vie des Français sous l'Occupation*, Paris, Fayard, 1961.

R. Aron : *Histoire de Vichy* (avec Georgette Elgey), Paris, Fayard, 1954.
　　　　　Histoire de la libération de la France, Paris, Fayard, 1959.

A. Latreille : *La Seconde Guerre mondiale*, Paris, Hachette, 1966.

H. Michel : *Histoire de la Résistance*, Paris, P.U.F., 1960.
　　　　　Histoire de la France Libre, Paris, P.U.F., 1963.

M. Bloch : *L'Étrange Défaite*, Paris, A. Colin, 1957.

G. Dupeux : *La France de 1945 à 1965*, Paris, Colin, 1969.

J. M. Jeanneney : *Forces et Faiblesses de l'Économie française 1945-1956*, Paris, Colin, 1965.

A. Grosser : *La Politique en France*, Paris, 1964.

J. Chapsal : *La Vie politique en France depuis 1940*, Paris, P.U.F., 1966.

G. Elgey : *La République des Illusions*, Paris, Fayard, 1965.
　　　　　La République des Contradictions, Paris, Fayard, 1968.

J. Fauvet : *La IVe République*, Paris, Fayard, 1959.

Ph. Williams : *Politics in Post War France*, Londres, Longmans, 1954.

P. Robrieux : *Thorez*, Paris, Fayard, 1974.

M. Duverger : *La Ve République*, Paris, P.U.F., 1959.

P. Avril : *Le Régime politique de la Ve République*.

H. W. Ehrmann : *Politics in France*, Boston, Little Brown and, 1968.

S. Hoffmann : *A la recherche de la France*, Paris, Le Seuil, 1963.

Ph. Alexandre : *Le Duel De Gaulle — Pompidou*, Paris, Grasset, 1970.

J. Charlot : *Le Phénomène gaulliste*, Paris, Fayard, 1970.

E. Pognon : *De Gaulle et l'Histoire de France.*

J. Thibaudeau : *Mai 68 en France*, Paris, Le Seuil, 1968.

P. Viansson-Ponté : *Histoire de la République gaullienne*, Paris, Fayard, 1970.

M. Parodi : *L'Économie et la société française de 1945 à 1970*, Paris, A. Colin, 1971.

P. M. de La Gorce : *La République et son armée*, Paris, Fayard, 1963.

R. Girardet : *La Crise militaire française*, Colin, Paris, 1964.

H. Grimal : *La Décolonisation*, Paris, Colin, 1967.

F. Nourissier : *Les Français*, Lausanne, Rencontre, 1968.

R. Rémond : *Forces religieuses et attitudes politiques dans la France contemporaine*, Paris, Colin, 1965.

P. Grimal et E. Temime : *La Société française 1914-1970 à travers la littérature*, Paris, Colin, 1971.

G. de Carmoy : *Les Politiques étrangères de la France 1944-1966*, Paris, La Table Ronde, 1967.

M. Couve de Murville : *Une Politique étrangère 1958-1969*, Paris, Plon, 1971.

A. Grosser : *La Politique extérieure de la Ve République*, Paris, Le Seuil, 1965.

Fin de la Bibliographie

Chronologie

1122	Suger, abbé de Saint-Denis.
1132	Achèvement de l'abbatiale de Vézelay.
1137	Mariage de Louis VII et d'Aliénor d'Aquitaine.
1146	Saint Bernard prêche la Deuxième croisade.
1152	Aliénor épouse Henri Plantagenêt.
1163	Début de la construction de Notre-Dame de Paris.
1179	Couronnement de Philippe II « Auguste ».
1207	Excommunication de Raymond VI de Toulouse.
1213	Bataille de Muret.
1214	Bouvines.
1226	Avènement de saint Louis.
1270	Mort de saint Louis devant Tunis.
1285	Avènement de Philippe IV le Bel.
1305	Élection du pape Clément V qui s'installe à Avignon.
1307	Arrestation des Templiers.
1322	Soumission des Cathares.
1328	Philippe VI de Valois, roi de France.
1345	La Peste noire.
1346	Bataille de Crécy — Siège de Calais.
1356	Bataille de Poitiers : Jean le Bon, prisonnier.
1356 1357	Révolte d'Étienne Marcel.
1358	Charles le Mauvais écrase les Jacques.
1360	Traité de Brétigny.
1407	Jean sans peur, duc de Bourgogne, fait assassiner Louis d'Orléans.
1415	Azincourt.
1419	Meurtre de Jean sans Peur.
1429	Jeanne d'Arc délivre Orléans.
1431	Jeanne d'Arc brûlée à Rouen.
1438	Pragmatique sanction de Bourges.
1450	Formigny.
1453	Castillon.
1461 1483	Règne de Louis XI.
1491	Mariage d'Anne de Bretagne avec Charles VIII.
1495	Charles VIII entre à Naples.
1512	Ravenne.
1515	Marignan.
1525	Pavie : François Ier prisonnier.
1534	Affaire des Placards.
1539	Ordonnance de Villers-Cotterêts.
1559	Traité du Cateau-Cambrésis.
1560	Conjuration d'Amboise.
1561	Colloque de Poissy.

1563   Assassinat de François de Guise.
1572   Saint-Barthélemy.
1588   Assassinat du duc de Guise et du cardinal de Lorraine.
1589   Mort de Catherine de Médicis.
1594   Henri IV couronné à Chartres (27-2).
        Henri IV entre dans Paris (22-3).
1598   Édit de Nantes.
1610   Assassinat de Henri IV.
1617   Assassinat de Concini.
1624   Richelieu entre au Conseil du Roi.
1627   Siège de La Rochelle.
1629   Édit de grâce d'Alès.
1636   *Le Cid* de Corneille.
1642   Mort de Richelieu.
1643   Mort de Louis XIII. Anne d'Autriche et Mazarin au pouvoir.
1648   Traité de Westphalie.
1659   Paix des Pyrénées.
1661   Début du gouvernement personnel de Louis XIV.
1664   Condamnation de Fouquet — Première de *Tartuffe*.
1665   Colbert, contrôleur général des Finances.
1668   Traité d'Aix-la-Chapelle.
1672   Louis XIV s'installe à Versailles.
1682   Déclaration des quatre Articles.
1685   Révocation de l'Édit de Nantes.
1697   Traité de Ryswick.
1710   Destruction de Port-Royal.
1713   Paix d'Utrecht.
1714   Traité de Rastatt.
1715   Mort de Louis XIV.
1716 }
1720 } « Système » de Law.
1723   Majorité de Louis XV.
1726   Fleury Premier ministre.
1745   Fontenoy.
1748   Traité d'Aix-la-Chapelle.
1751   Premier volume de l'*Encyclopédie*.
1757   Attentat de Damiens.
1758   Choiseul aux Affaires.   BEGIN
1763   Traité de Paris.
1766   Rattachement de la Lorraine à la France.
1768   Traité de Versailles. La Corse française.
1774   Louis XVI roi, Turgot aux Affaires.
1777   La Fayette en Amérique, Necker aux Finances.
1783   Calonne aux Finances.

1786	Traité de commerce franco-anglais.
1788	(Août) Rappel de Necker.
1789	*5 mai* : Ouverture des États généraux.
	20 juin : Serment du Jeu de Paume.
	14 juillet : Prise de la Bastille.
	4 août : Abolition des privilèges.
	26 août : Déclaration des droits de l'homme.
1790	*12 juillet* : Constitution civile du clergé.
	14 juillet : Fête de la Fédération.
1791	*14 juin* : Loi Le Chapelier.
	22 juin : Varennes.
	17 juillet : Fusillade du Champ-de-Mars.
	1er octobre : Ouverture de la Législative.
1792	*10 août* : Suspension du roi.
	21 septembre : Abolition de la monarchie.
	20 avril : Déclaration de guerre.
	20 septembre : Valmy.
	6 novembre : Jemmapes.
1793	*21 janvier* : Mort de Louis XVI.
	10 mars : Soulèvement de la Vendée.
	6 avril : Formation du Comité de salut public.
	16 mctobre : Exécution de Marie-Antoinette.
	31 octobre : Exécution des Girondins.
1794	*24 mars* : Exécution des Hébertistes.
	27 juillet : Chute de Robespierre.
	19 novembre : Fermeture du club des Jacobins.
	24 décembre : Abolition du maximum.
1795	*31 mai* : Suppression du Tribunal révolutionnaire.
	22 août : Vote de la Constitution de l'An III.
	5 octobre : Journée du 13 Vendémiaire.
	26 octobre : L'installation du Directoire.
1796	*10 mai* : Arrestation de Babeuf.
	14 mai : Prise de Milan par Bonaparte.
	5 août : Castiglione.
	17 novembre : Arcole.
1797	*21 mars* : Rivoli.
	4 septembre : Coup d'État du 18 Fructidor.
	17 octobre : Paix de Compo formio.
1798	*9-18 avril* : Élections jacobines.
	11 mai : Coup d'État du 22 Floréal.
	19 mai : Départ de l'expédition d'Égypte.
	23 juillet : Prise du Caire.
1799	*18 juin* : Coup d'État du 39 Prairial.
	9 octobre : Retour de Bonaparte en France.
	9 novembre : Coup d'État du 18 Brumaire.

1800   *13 février* : Création de la Banque de France.
      28 février : Plébiscite sur la Constitution de l'an VIII.
      14 juin : Marengo.
1801   *15-16 juillet* : Concordat.
      9 février : Traité de Lunéville.
1802   *18 janvier* : Épuration du Tribunat.
      25 mars : Traité d'Amiens.
      2 août : Bonaparte consul à vie.
      4 août : Constitution de l'An X.
1804   *février-mars* : Arrestation de Pichegru, Cadoudal et Moreau.
      21 mars : Exécution du duc d'Enghien.
             Promulgation du Code Civil.
      18 mai : Établissement de l'Empire.
      20 décembre : Sacre de Napoléon.
1805   *18 mars* : Napoléon, roi d'Italie.
      21 octobre : Trafalgar.
      2 décembre : Austerlitz.
      26 décembre : Paix de Presbourg.
1806   *14 octobre* : Iéna et Auerstadt.
      21 novembre : Décret de Berlin. Blocus continental.
1807   *19 août* : Suppression du Tribunat.
      8 février : Eylau.
      14 juin : Friedland.
      7 juillet : Alliance franco-russe.
      13 octobre : Décret de Fontainebleau.
      23 nov. et 17 déc. : Décrets de Milan.
1808   *4 décembre* : Les Français à Madrid.
1809   *6 juillet* : Enlèvement du pape.
      14 octobre : Traité de Schönbrunn.
1810   *3 mars* : Mariage de Napoléon et de Marie-Louise.
1811   *20 mars* : Naissance du Roi de Rome.
1812   *23 février* : Annulation du Concordat.
      5 et 7 septembre : Bataille de la Moskova.
      28 et 29 novembre : Passage de la Bérésina.
1813   *25 janvier* : Concordat de Fontainebleau.
      16-19 oct. : Leipzig.
1814   *6 avril* : Abdication de Napoléon.
      2 mai : Publication de la charte.
1815   *1er mars* : Retour de l'île d'Elbe.
      1er juin : Acte additionnel.
      18 juin : Waterloo.
      8 juillet : Louis XVIII entre à Paris.
      14-22 août : Élection de la « Chambre introuvable ».
      7 décembre : Exécution de Ney.
1816   *5 septembre* : Dissolution de la Chambre.

1817   Loi Laîné sur les élections.

1818   Loi Gouvion Saint-Cyr sur la conscription.

1819   Decazes au pouvoir.

1820   *20 février* : Gouvernement Richelieu après l'assassinat du duc de Berry.

1821   *5 mai* : Mort de Napoléon.

1822   Exécution des quatre sergents de La Rochelle.

1823   Bataille du Trocadéro.

1824   Élection de la « Chambre retrouvée ».

1825   Sacre de Charles X à Reims.

1827   Villèle dissout la Chambre — Élections libérales.

1828   Départ de Villèle.

1829   Ministère Polignac.

1830   *5 juillet* : prise d'Alger.
27-28-29 juillet : Les Trois Glorieuses.
9 août : Louis-Philippe prête serment de fidélité à la Charte.

1831   Révolte des canuts lyonnais.

1834   Émeutes républicaines à Lyon et à Paris.

1835   « Lois scélérates » contre les républicains.

1847   Guizot, président du Conseil.

1848   *24 février* : Chute de Louis-Philippe.
25 février : Proclamation de la République.
4 mai : Réunion de la Constituante.
22-26 juin : « Journées de juin ».
5 juillet : Cavaignac, président du Conseil.
9-11 août : Lois sur la presse.
12 novembre : Constitution promulguée.
10 décembre : Élection de Louis-Napoléon.

1849   *26 mai* : Dissolution de la constituante.
1er juillet : Prise de Rome par les Français.

1850   *15 mars* : Loi Falloux.
31 mai : Loi électorale.

1851   *2 décembre* : Coup d'État.
21 décembre : Plébiscite en faveur de Louis-Napoléon.

1852   *2 décembre* : Rétablissement de l'Empire.

1855   *8 septembre* : Prise de Malakoff.

1856   *30 mars* : Traité de Paris.

1858   *14 janvier* : Attentat d'Orsini.
19 février : Loi de sûreté générale.
13 juillet : Entrevue de Plombières.

1859   Loi sur les Chemins de fer (11-6).
10 novembre : Traité de Zurich.

1860   *23 janvier* : Traité de commerce franco-anglais.
24 mars : La Savoie à la France.

25 *octobre* : traité de Pékin.

24 *novembre* : Droit d'Adresse au Corps législatif.

1862   5 *juin* : Cochinchine française.

1863   Loi sur les sociétés à responsabilité limitée.

Protectorat au Cambodge.

Fondation du Crédit Lyonnais.

1864   Manifeste des Soixante.

Droit de grève (mai).

Krak du crédit mobilier.

1867   Montana.

Départ des Français du Mexique.

1869   17 *novembre* : Inauguration du Canal de Suez.

1870   2 *janvier* : Ministère E. Ollivier.

20 *avril* : Senatus-consulte sur les pouvoirs de l'Empereur.

8 *mai* : Plébiscite en faveur de l'Empire.

13 *juillet* : Dépêche d'Ems.

19 *juillet* : Déclaration de guerre.

2 *septembre* : Bataille de Sedan.

27 *octobre* : Capitulation de Metz.

4 *septembre* : Déchéance de l'Empire.

1871   12 *février* : Réunion de l'Assemblée nationale à Bordeaux.

17 *février* : Thiers, chef du gouvernement.

10 *mars* : Pacte de Bordeaux.

18 *mars* : Début de la Commune de Paris.

21-28 *mai* : « Semaine sanglante ».

5 *juillet* : Affaire du drapeau blanc.

26 *février* : Préliminaires de paix.

1873   Démission de Thiers — Évacuation du territoire.

1875   30 *janvier* : Amendement Wallon.

24 *février* : Loi sur l'organisation du Sénat.

25 *février* : Loi sur l'organisation des pouvoirs publics.

16 *juillet* : Loi sur les rapports des pouvoirs publics.

1876   Ministère Jules Simon.

1877   16 *mai* : Mac-Mahon renvoie Jules Simon.

juin : Dissolution de la Chambre.

14 *octobre* : Élections républicaines.

10 *novembre* : Démission de Broglie.

1879   30 *janvier* : Démission de Mac-Mahon.

juin : Élection de Jules Grévy.

1880   Jules Ferry, Président du Conseil.

1881   29 *mars* : Lois municipales.

12 *mai* : Traité du Bardo.

30 *juin* : Loi sur le droit de réunion.

29 *juillet* : Loi sur la presse.

14 *novembre* : Ministère Gambetta.

1882   Loi Ferry sur l'enseignement primaire.

1883   Prise d'Hanoï, protectorat sur l'Annam, occupation de Madagascar — Guerre franco-chinoise.

1884   *21 mars :* Loi Waldeck-Rousseau sur les syndicats.
       5 avril : Loi Naquet sur le divorce.
       11 mai : Traité de T'ien-Tsin.

1885   *9 juin :* Second traité de T'ien-Tsin.

1886   Boulanger, ministre de la Guerre.

1887   Scandale Wilson, démission de Grévy.

1888   Premier emprunt russe.

1889   *27 janvier :* Élection de Boulanger à Paris.
       Septembre : Échec des Boulangistes aux élections.
       Fondation de la IIe Internationale.
       Inauguration de l'Exposition de Paris avec la Tour Eiffel.

1890   Toast du cardinal Lavigerie à Alger.

1891   Visite de la flotte française à Cronstadt.
       27 avril : Accord franco-russe.

1892   Tarif Méline.

1892 }
1893 } Scandale de Panama.

1894   Assassinat du Président Sadi Carnot.

1894 }
1899 } Affaire Dreyfus.

1895   Élection de Félix Faure, fondation de la C.G.T.

1898   Delcassé, ministre des Affaires étrangères.
       Fondation de l'Action française.

1899   Élection de Loubet, cabinet Waldeck-Rousseau.

1900   Loi Millerand sur la durée du travail.

1902   Ministère Combes.

1904   Loi contre les congrégations — Visite de Loubet à Rome — Entente Cordiale.

1905   *25 avril :* Constitution de la S.F.I.O.
       28 septembre : Accord franco-allemand sur le Maroc.
       9 décembre : Loi de séparation de l'Église et de l'État.

1906   Charte d'Amiens.
       Ministère Clemenceau.

1908   Grèves de Draveil.

1909   Accord franco-allemand sur le Maroc.

1910   Grève des cheminots.

1911   Crise d'Agadir.

1912   Ministère Poincaré.

1913   *17 janvier :* Élection de Poincaré, Président de la République.
       7 avril : Loi des Trois ans.

1914   *avril-mai :* Élections de gauche à la Chambre.
       13 juin : Viviani, président du Conseil.

31 juillet : Assassinat de Jaurès.
—   : Ultimatum allemand à la Russie et à la France.
1er août : Mobilisation en France.
3 août : L'Allemagne déclare la guerre à la France.
5-10 septembre : Bataille de la Marne.
24-25 septembre : Bataille de l'Aisne et de la Somme.

1915   *26 janvier :* Offensive de Champagne.
mai-juin : Offensive de l'Artois.
septembre-octobre : Offensive de Champagne.
19 février : Les Dardanelles.
25 avril : Gallipoli.
5 octobre : Salonique.
29 octobre : Cabinet Briand.

1916   *21 février :* Début de la bataille de Verdun.
1er juillet : Offensive alliée sur la Somme.
24 octobre : Reprise de Douaumont.
2 décembre : Nivelle généralissime.
—   : Congrès de Kienthal.

1917   *9-19 avril :* Offensive Nivelle.
10 janvier : Note alliée sur les buts de la guerre.
19 avril : Accords de Saint-Jean-de-Maurienne avec l'Italie.
6 avril : Ministère Ribot.
31 août : Démission de Malvy.
7 septembre : Cabinet Painlevé.
17 novembre : Cabinet Clemenceau.

1918   *21 mars :* Offensive allemande sur la Somme.
26 mars : Conférence de Doullens.
— : Foch, généralissime allié.
9 avril : Attaque franco-anglaise dans les Flandres.
27 mai : Chemin des Dames.
15 juillet : Offensive allemande sur la Somme.
8 août : Offensive franco-américaine sur la Somme et l'Aisne.
15 septembre : Saint-Mihiel.
28 septembre : Offensive alliée des Flandres.
11 novembre : Armistice de Rethondes.

1919   *28 juin :* Traité de Versailles.
16 novembre : Élections de la Chambre « bleu horizon ».

1920   Congrès de Tours — élection de Deschanel, puis de Millerand.

1921   Cabinet Briand.
Conférences des réparations à Paris.

1922   Cabinet Poincaré — scission C.G.T.-C.G.T.U.

1923   Occupation de la Ruhr.

1924   Élections du cartel des gauches — Doumergue, Président de la

République — Herriot, président du Conseil. Reconnaissance de l'Union Soviétique.

1925   Locarno, entente Briand-Stresemann.

1926   *23 juillet* : Cabinet Poincaré, stabilisation du franc. Accords sur les dettes interalliées.

1928   Élections poincaristes — Pacte Briand-Kellog.

1929   Retraite de Poincaré.

1931   Briand battu par Doumer à l'élection présidentielle.

1932   Doumer assassiné — Lebrun élu. Élections de gauche : cabinet Herriot.

1934   Début de l'affaire Stavisky — Cabinet Daladier. Émeutes du 6 février — Cabinet Doumergue.

1935   Traité d'assistance mutuelle franco-soviétique.

1936   Élections du Front populaire — Cabinet Blum. *7 juin* : Accords « Matignon ». *25 septembre* : Dévaluation du franc.

1937   *21 juin* : Chute de Blum. *30 juin* : Nouvelle dévaluation.

1938   *30 septembre* : Accords de Munich. *30 novembre* : Grève générale. *mai* : Troisième dévaluation du franc.

1939   *15 mars* : Les Allemands envahissent le Tchécoslovaquie. *23 août* : Pacte germano-soviétique. *1er septembre* : Invasion de la Pologne. *3 septembre* : L'Angleterre puis la France déclarent la guerre à l'Allemagne.

1940   *30 novembre* : Daladier a les pleins pouvoirs. *20 mars* : Démission de Daladier — Cabinet Reynaud. *10 mai* : Invasion de la Belgique et des Pays-Bas. *14 mai* : Sedan. *3 juin* : Dunkerque. *10 juin* : L'Italie déclare la guerre à la France. *14 juin* : Les Allemands à Paris. *16é juin* : Démission de Paul Reynaud. — : Pétain demande l'armistice. *18 juin* : Appel de De Gaulle à Londres. *22 juin* : Armistice franco-allemand. *10 juillet* : Le Parlement vote les pouvoirs à Pétain. *28 juin* : De Gaulle reconnu par les Anglais comme chef des F.F.L. *24 octobre* : Entrevue Hitler-Pétain.

1941   *février* : Darlan, vice-président du Conseil. *11-12 mai* : Entrevue Hitler-Darlan à Berchtesgaden. *1er décembre* : Pétain-Gœring à Saint-Florentin.

1942   *18 avril* : Cabinet Laval.

8 novembre : Débarquement allié en Afrique du Nord.
11 novembre : Invasion de la « zone libre ».
24 décembre : Assassinat de Darlan.

1943
30 janvier : Création de la milice.
16 février : Création du S.T.O.
24 mars : Entrevue de Gaulle-Giraud à Casablanca.
15 mai : Constitution du C.N.R.
9 novembre : De Gaulle seul Président du C.F.L.N..

1944
6 juin : Débarquement allié en Normandie.
28 juin : Assassinat de Ph. Henriot.
7 juillet : Assassinat de G. Mandel.
15 août : Débarquement en Provence.
25 août : Libération de Paris.
23 novembre : Prise de Strasbourg.
27 novembre : Retour de Thorez à Paris.
10 décembre : Pacte franco-soviétique.

1945
1er-20 janvier : Offensive allemande dans les Ardennes.
8 mai : Capitulation allemande.
23-7/14-9 : Procès Pétain.
21 octobre : Élections.
3 décembre : Nationalisation des banques.

1946
20 janvier : Départ de De Gaulle.
19 avril : Vote d'une première constitution.
23 juin : Cabinet Bidault.
16 décembre : Cabinet Blum.

1947
14 avril : De Gaulle crée le R.P.F.
19-26 octobre : Élections municipales.
23 novembre : Cabinet Schuman.
19 décembre : Scission C.G.T.-C.G.T.F.O.

1948
24 janvier : Dévaluation du franc.

1949
19 septembre : Nouvelle dévaluation.
20 septembre : Début de l'Affaire des généraux.

1950
6 décembre : De Lattre de Tassigny en Indochine.

1951
13 mars : Cabinet Queuille.
17 juin : Élections législatives.
1er novembre : Émeutes à Casablanca.
18 avril : Traité de Paris créant la C.E.C.A.

1952
17 janvier : Émeutes en Tunisie.
20 janvier : Cabinet E. Faure.
28 mai : Emprunt indexé « Pinay ».
23 décembre : Chute de Pinay.
27 mai : Traité de Paris sur la C.E.D.

1953
6 mai : De Gaulle abandonne les députés du R.P.F.

1954
3-2/7-5 : Dien Bien Phu.
19 juin : Cabinet Mendès France.

27 juin : Armistice au Tonkin.

31 juillet : Mendès France à Tunis.

30 août : Rejet de la C.E.D. au Parlement.

1er décembre : Début de l'insurrection dans les Aurès.

1955   *26 janvier :* Soustelle nommé en Algérie.

23 février : Cabinet E. Faure.

1956   *1er février :* Cabinet Guy Mollet après la victoire électorale du « front républicain ».

2 mars : Indépendance du Maroc.

3-10/3-12 : Crise de Suez.

1957   *7 janvier :* Massu nommé à Alger.

13 septembre : Vote de la loi-cadre sur l'Algérie.

1958   *13 mai :* Comité de salut public à Alger.

15 mai : Déclaration du général de Gaulle.

29 mai : De Gaulle accepte de constituer le gouvernement.

1er juin : Le cabinet De Gaulle investi.

4-7 juin : Voyage de De Gaulle en Algérie.

24 septembre : Création de l'U.N.R.

28 septembre : Référendum constitutionnel.

21 décembre : De Gaulle élu Président.

1959   *1er janvier :* Entrée en vigueur du Marché commun.

8 janvier : Cabinet Debré.

16 septembre : Discours de Gaulle sur l'autodétermination.

1960   *24 janvier :* Barricades à Alger.

2 février : Vote des pouvoirs spéciaux.

juin : Indépendance des États d'Afrique noire.

1961   *8 janvier :* Référendum sur l'Algérie.

22-25 avril : Complot des généraux à Alger.

20 mai : Ouverture des négociations d'Évian.

1962   *8 février :* Manifestation anti-O.A.S. à Paris : 8 morts.

18 mars : Accords d'Évian.

19 mars : Cessez-le-feu en Algérie.

8 avril : Référendum sur l'Algérie.

14 avril : Cabinet Pompidou.

28 octobre : Référendum sur l'élection du Président de la République au suffrage universel.

1963   *18 décembre :* Candidature Defferre à la Présidence de la République.

1964   *27 janvier :* Reconnaissance de la Chine communiste.

1965   *9 septembre :* Mitterrand candidat à l'Élysée.

5 décembre : De Gaulle en ballottage, réélu le 19.

1966   *1er juin :* Retrait des troupes françaises de l'O.T.A.N. Création des républicains indépendants.

1er juillet : Voyage de De Gaulle en U.R.S.S.

1967   *12 mars :* Législatives.

1968   *3 mai :* La police à la Sorbonne.
10-11 mai : Nuit des barricades.
19 mai : Début des grandes grèves avec occupation d'usines.
— Discours de De Gaulle.
30 mai : Dissolution de l'Assemblée, manifestation gaulliste à l'Étoile.
16 juin : Évacuation de la Sorbonne.
23-30 juin : Élections législatives.
13 juillet : Cabinet Couve de Murville.

1969   *27 avril :* Référendum sur la réforme du Sénat et des régions.
28 avril : Démission de De Gaulle.
31/5-15/6 : Élection de Georges Pompidou.

1970   *6/13 octobre :* Voyage de G. Pompidou en U.R.S.S.
9 novembre : Mort du général de Gaulle.

Fin de la Chronologie

End of the book : Histoire de la France by Pierre Miquel

(Read note)

Table des matières
des deux tomes

Tome 1

Table des Matières de → **Tome 2**

R 4

Quatrième partie
LA FRANCE CONTEMPORAINE

Achevé d'imprimer
sur les presses de
SCORPION,
Verviers
pour le compte des
Nouvelles Editions Marabout
D. octobre 1984/0099/214
ISBN 2-501-00115-X